NANCY GUBERMAN, PIERRE MAHEU, CHANTAL MAILLÉ

Et si l'amour ne suffisait pas...

Femmes, familles et
adultes dépendants

les éditions du remue-ménage

Couverture: Ginette Loranger

DISTRIBUTION: Diffusion Dimédia
539, boul. Lebeau
St-Laurent, QC
H4N 1S2 Canada
Tél.: (514) 336-3941

EN EUROPE: Academia
Passage de l'Ergot,42
B-1348, Louvain-la-Neuve
Belgique
Tél.: (010)45 23 95/96

Dépôt légal: quatrième trimestre 1991
Bibliothèque nationale du Québec
Bibliothèque nationale du Canada
ISBN 2-89091-106-3

Les Éditions du remue-ménage
4428, boul. Saint-Laurent, bureau 202
Montréal, QC
H2W 1Z5
Tél.: (514) 982-0730

Les Éditions du remue-ménage bénéficient de l'aide du Conseil des Arts du Canada et du ministère des Affaires culturelles (Québec).

Table des matières

REMERCIEMENTS

Cette recherche est le fruit d'un travail collectif qui a impliqué, à différents titres, la participation de plusieurs personnes.

Nos remerciements vont tout d'abord à Christiane Bernier, Diane Lessard et Lucie Vallières qui ont contribué à l'analyse des entrevues et à la rédaction du rapport de recherche à l'origine de ce livre. Nous remercions aussi Liliane L. Beaud, Michelle Jetté, Josée Strasbourg, Jean-Paul Faniel et François Poiré qui, sous des formes diverses et pour des périodes variables, ont permis de mener à terme ce projet.

Une mention spéciale s'adresse à Colette Désilets qui a assuré le traitement de texte à toutes les étapes de la recherche et de la production du livre.

Nos remerciements vont également aux responsables des services professionnels, aux intervenantes et intervenants des organismes du réseau gouvernemental des services sociaux et de santé et aux groupes communautaires dont la précieuse collaboration a rendu possible l'accès aux familles: les directions des services professionnels du Centre des services sociaux de Montréal

(CSSM) et du Centre hospitalier Notre-Dame, les équipes d'intervenantes et d'intervenants des hôpitaux suivants: Notre-Dame, Fleury, Champlain et Charbonneau, des Bureaux de services sociaux (BSS), des CLSC de la région de Montréal, l'Association des parents et amis du malade mental de la Rive sud, le groupe d'entraide La Parenterie ainsi que les Messagères de l'Espoir.

Nous adressons notre plus profonde reconnaissance aux femmes et aux hommes qui ont bien voulu nous accorder de leur temps pour communiquer leur expérience de la prise en charge d'un ou d'une proche adulte dépendant-e.

Nous remercions Santé et Bien-être social Canada, qui a rendu possible la recherche grâce au financement qu'il nous a accordé, et son représentant, M. Évariste Thériault, pour son généreux support et la grande compréhension qu'il a démontrée à l'égard de nos problèmes de parcours.

Le Service aux publications de l'Université du Québec à Montréal a accordé une subvention d'aide à la publication du livre.

Enfin, nous remercions tout particulièrement nos éditrices dont le regard critique a permis d'affiner grandement ce texte.

INTRODUCTION

Angèle a «accroché sa vie dans le garde-robe» depuis qu'elle s'occupe de ses parents. Rollande souhaite le décès de sa mère pour reprendre sa liberté. Gisèle vit dans les dédales de l'univers psychiatrique depuis la première crise psychotique de son fils.

Dans cet ouvrage, nous dévoilons des fragments de la vie de femmes concernant l'aide et les soins prodigués à un membre de leur famille qui ne peut subvenir lui-même à tous les besoins du quotidien. Nous rendons compte de la réalité qui se cache derrière les termes technocratiques aseptisés mis en circulation récemment par le milieu des services sociaux tels «la prise en charge par le milieu naturel des personnes dépendantes» ou encore «le maintien à domicile» et la «réinsertion sociale». À travers les témoignages de Gilberte, Yvonne et plusieurs autres[1], nous avons cherché à saisir les formes concrètes de ces abstractions théoriques.

Le but des pages qui suivent est de comprendre et d'expliquer ce que signifie dans la vie de tous les jours d'être le pilier de l'aide donnée à une personne non autonome de son entourage.

1. Les biographies des personnes interviewées se retrouvent à l'annexe 2.

Qui est d'abord responsable des adultes dépendants de notre société: l'État, la famille, la communauté ou la personne dépendante elle-même?

Au point de départ, nous nous inscrivons en faux contre une conception de la prise en charge qui en fait quelque chose de «naturel» et d'allant de soi. Cette conception tient davantage du mythe que de la réalité. Comme toute autre activité sociale, la prise en charge est traversée par les rapports sociaux, notamment les rapports de sexe. Tout ce processus, depuis le choix de la personne responsable, son organisation, jusqu'au partage des tâches et au lieu de sa réalisation, est déterminé par un ensemble de facteurs comme l'organisation sociale et la division sexuelle du travail, la socialisation des filles et des garçons, l'identification des filles et des femmes au «caring», aux soins et au domaine de l'affectivité, les conceptions et pratiques dominantes relatives aux rôles de l'État et de la famille, ainsi que l'étanchéité des sphères privée et publique. Il ne s'agit certes pas de nier la place et le potentiel des «milieux naturels» dans la prise en charge des personnes dépendantes. Encore faut-il dépasser le discours «naturaliste» de l'amour et des liens biologiques pour comprendre un tel phénomène et examiner ce qu'il recouvre dans la réalité et ce qu'il comporte de «construits sociaux».

En resituant la prise en charge par les «milieux naturels» dans une perspective de rapports sociaux et de rapports de sexes, nous voulons mieux saisir le propre de cette problématique en tant qu'acte social et plus spécifiquement en tant que pratique s'inscrivant à l'intérieur d'une société donnée et influencée par le système des services sociaux et de santé de cette société. En ce sens, ce n'est pas tant d'identifier le caractère spécifique de la prise en charge des personnes âgées ou psychiatrisées ou handicapées que nous visons, mais une compréhension plus générique de la prise en charge familiale. C'est uniquement pour des raisons de contraintes matérielles que nous avons dû limiter notre exploration aux domaines de la santé mentale et du vieillissement. Ce choix a été motivé principalement par des considérations fonctionnelles: d'une part nous connaissons mieux, de par nos recherches antérieures, ces deux domaines, et d'autre part, ce sont les plus touchés par les politiques et pratiques actuelles de désinstitutionnalisation mises en place au Québec.

Les discours actuels sur la désinstitutionnalisation au Québec reposent sur une série de prémisses généralement implicites ou présentées comme des postulats de «bon sens» par rapport à la réalité sociale[1], tels la solidarité des communautés, la disponibilité des familles à s'occuper des personnes dépendantes, et le don de soi comme modèle d'éthique dans les rapports sociaux.

Nous voulons remettre en question ce discours et analyser de façon plus systématique les conditions matérielles et idéologiques dans lesquelles s'opère la prise en charge familiale. Dans un contexte de transformation de la gestion du social où s'amorce un nouveau partage des responsabilités entre l'État, la communauté et les familles, il est impérieux de mieux saisir les enjeux d'un tel partage, d'évaluer l'impact des changements sur les acteurs concernés, notamment les femmes, et de mieux mesurer l'apport et les limites des milieux naturels.

Tout au long de ce livre, nous ferons parler des personnes qui ont la responsabilité de proches dépendants et leurs témoignages permettront d'examiner trois facettes de cette réalité. Tout d'abord, nous montrerons les formes multiples que prend ce travail, ce qu'il implique comme tâches et ce qui est particulier à la prise en charge d'un adulte par rapport à celle d'un enfant. Quelle est la nature et quelles sont les caractéristiques de la prise en charge d'un adulte dépendant au sein de la famille? Sous la force des témoignages recueillis, nous avons voulu faire ressortir que l'amour et la bonne volonté ne suffisent pas toujours pour répondre aux exigences souvent multiples que pose une mère atteinte de démence sénile ou encore un fils psychotique en crise. On ne devient pas infirmière uniquement avec de bons sentiments ou à cause d'un lien de parenté. Or, le récent désengagement de l'État a forcé le transfert d'un ensemble de responsabilités à des

1. E. Corin et G. Lauzon, «Les évidences en questions» dans *Santé mentale au Québec*, vol. XI, n° 1, 1985, p. 42-59.

personnes, des femmes pour la plupart, qui n'ont reçu aucune formation les préparant à assumer les soins de proches parfois lourdement handicapés par la maladie. La maladie, qu'elle soit physique ou mentale, appelle un ensemble d'interventions spécialisées et l'on voudrait que la mère de Léon, grâce au pouvoir de l'amour qu'elle a pour son fils, devienne thérapeute spécialiste ès schizophrénie!

La deuxième partie de notre analyse traite du soutien reçu par les soignantes[1] de la part de leur entourage et des institutions publiques ou communautaires. À quelles formes de soutien ont-elles recours et quelles sont les ressources disponibles pour les appuyer dans leur tâche? En laissant parler Christine, Berthe et les autres, nous verrons l'immense solitude de la majorité d'entre elles dans l'accomplissement de cette tâche. Famille qui se défile, conjoint refusant de s'impliquer, rareté de l'aide publique et inaccessibilité des services pouvant procurer un peu de répit constituent ici la trame de fond des témoignages entendus. Qui a dit que la prise en charge des adultes dépendants devait faire l'objet d'un partenariat entre l'État, la communauté et les familles[2]? Nous en avons cherché les traces et trouvé bien peu d'éléments...

Finalement nous analyserons les circonstances et les motifs qui ont amené Mathilde, Mireille et les autres à assumer la prise en charge d'une belle-mère rendue invalide par son grand âge, d'une soeur très âgée ou encore d'une fille victime d'hallucinations chroniques. Quels sont ces circonstances et ces motifs? Nous avions présumé au départ que la prise en charge n'est pas quelque chose de «naturel», mais bien une action produite par l'influence de facteurs sociaux multiples, parmi lesquels l'amour et l'affection pour la personne à soigner ne sont qu'un élément. Cet angle d'approche nous a permis de mettre en lumière les divers éléments qui, s'imbriquant l'un dans l'autre, aboutissent à la

1. Nous utiliserons le terme au féminin parce que notre échantillon se compose d'une très large majorité de femmes et de quelques hommes.
2. Ministère de la Santé et des Services sociaux, *Pour un partenariat élargi, projet de politique de santé mentale pour le Québec*, Comité de la politique de santé mentale, Québec, Les Publications du Québec, 1987.

décision de s'impliquer activement auprès d'une soeur paralysée et hostile à toute forme d'intervention de personnes étrangères, auprès d'un père et d'une mère tous deux gravement malades mais qui ne pourraient être hébergés ensemble dans une institution ou encore d'un fils à qui l'hôpital psychiatrique a donné son congé et qui erre dans la rue et autour de la maison familiale.

Après avoir présenté la problématique qui a servi de point de départ à notre enquête au premier chapitre, nous vous livrerons au cours des chapitres suivants les témoignages souvent émouvants de ces soignantes pour en extraire des éléments d'analyse d'un matériel qui s'est révélé d'une richesse inestimable.

Chapitre 1

PISTES DE DÉPART POUR UNE ENQUÊTE SUR LE TERRAIN

Le présent chapitre expose l'ensemble des éléments connus de la prise en charge qui ont balisé notre propre questionnement de recherche. Que sait-on de cette question? Quelles sont les constantes qui se dégagent des études menées, au Québec et ailleurs, sur le sujet? Quels sont les zones d'ombre et les aspects les plus méconnus dans la littérature traitant de la prise en charge des personnes dépendantes[1]?

1. L'idée de dépendance peut inclure divers aspects de la vie quotidienne: dépendance économique, émotive, physique. Nous nous intéressons principalement à la dépendance qui résulte de l'un ou l'autre de ces deux états: être psychiatrisé-e ou être âgé-e, tout en donnant à l'idée de dépendance un contenu multiple. Un enfant peut être considéré comme dépendant, mais la nature du lien qui crée la dépendance est différente parce que plusieurs conditions l'empêchent d'avoir l'autonomie nécessaire pour accomplir tous les actes de la vie quotidienne. Nous retenons donc la définition suivante d'une personne adulte dépendante: une personne qui n'a pas, en totalité ou en partie, la capacité d'accomplir les activités de la vie quotidienne, en raison de sa santé physique et/ou mentale..

UN CONTEXTE SOCIO-HISTORIQUE... EN TRANSFORMATION

La prise en charge des personnes dépendantes s'inscrit au cœur d'une ère de réorientation et de réorganisation de la gestion du social. Des transformations importantes sont actuellement en cours. On conteste l'institutionnalisation massive et à long terme des personnes malades ou handicapées: coûts trop élevés, effets négatifs produits sur les bénéficiaires (stagnation, chronicisation, résignation, dépendance, isolement, perte d'habiletés sociales, etc.). Plus que jamais, les solidarités primaires et communautaires sont appelées à prendre le relais de l'institution, les appels à la responsabilité des individus et de la communauté[1] se multiplient. Les discours et les pratiques de plusieurs acteurs sociaux se conjuguent pour «revitaliser» les potentialités du milieu dit naturel: réseaux d'entraide, bénévolat, ressources alternatives, famille, voisinage, etc.

Dépassé par les coûts du système et en perte d'un consensus concernant son intervention dans le social, l'État providence participe pleinement à ce discours et ces pratiques. Sa volonté est manifeste: réduire les coûts de ses services, alléger ses modes de prise en charge, se désengager graduellement de ses responsabilités assumées jusqu'à maintenant, et les transférer au privé... aux milieux dits naturels. L'État fait du renforcement de l'autonomie des personnes, des réseaux naturels et des communautés une de ses stratégies fondamentales pour améliorer la santé et le bien-

1. Dans les discours à propos de la désinstitutionnalisation, une large place est faite au réseau communautaire auquel plusieurs politiques gouvernementales confient la mission de prendre la responsabilité des personnes dysfonctionnelles. Or, le tissu communautaire est de plus en plus insaisissable, particulièrement dans les contextes urbains. Paradoxalement, c'est dans les communautés les plus touchées par la désintégration du tissu communautaire que l'on retrouve la concentration la plus élevée de personnes psychiatrisées. À cela s'ajoute le mouvement d'individualisation fortement accentué qui s'oppose au postulat communautaire.

être de la population[1]. On a renvoyé, au Québec comme dans d'autres pays, les psychiatrisé-e-s dans la communauté et on met tout en œuvre pour éviter le placement des personnes âgées. Tout un courant de la recherche sur la désinstitutionnalisation désigne la famille comme milieu naturel, ce à quoi font largement écho les documents produits par les services gouvernementaux. On parle ainsi de prise en charge en milieu naturel[2] par opposition à la prise en charge en institution. Le milieu naturel désigne en fait le réseau social informel, la famille, la parenté et les ami-e-s. Mais le terme «naturel» est en lui-même lourd de présupposés empreints d'une idéologie conservatrice. Le mouvement de retour et de maintien dans le milieu paraît irréversible. Aussi parle-t-on de désinstitutionnalisation de la personne déjà placée ou de non-institutionnalisation des personnes actuellement en

---

1. Ministère de la Santé et des Services sociaux, *Pour améliorer la santé et le bien-être au Québec, Orientations*, Québec, Les Publications du Québec, 1989.

2. C'est ce que critiquent Lamoureux et Lesemann : «L'hypothèse naturaliste — les milieux naturels, les réseaux naturels, les soutiens naturels — fait abstraction des rapports sociaux constitutifs de la "culture" (...). Ce concept est lourd de conséquences: "renforcements des statuts prescrits pour les femmes, revalorisation passéiste de la famille traditionnelle, méconnaissance fondamentale de la vie urbaine et de la libération qu'elle peut représenter, juxtaposition sur une réalité sociale mouvante et éclatée d'un modèle d'équilibre et d'harmonie censé exister dans la nature. (...)" La référence à un ordre naturel est caduque et trompeuse, construction de l'esprit. Elle contribue à accentuer la biologisation du social en explorant ce dernier, à la recherche d'un pseudo-paradis perçu "naturel", organique, d'où toutes les expressions vitalistes comme: régénérer le tissu social, vitaliser les environnements, personnaliser et humaniser les services.» Si nous entérinons les critiques formulées par Lamoureux et Lesemann, et bien que notre recherche vise justement à contrer l'idée de «naturel» dans le processus de la prise en charge, nous ferons néanmoins usage de ce concept parce qu'il constitue «le» terme d'usage courant dans l'univers des services sociaux et de santé. — J. Lamoureux et F. Lesemann, *Les Filières d'action sociale,* Commission d'enquête sur les services de santé et les services sociaux, Québec, Les Publications du Québec, 1987, p. 195.

perte d'autonomie[1]. Ces nouvelles orientations étatiques trouvent un accueil favorable auprès des familles, des groupes communautaires et des personnes dépendantes, qui privilégient le maintien dans le milieu naturel, ne faisant appel à l'institution qu'en dernier recours.

C'est dans un contexte fortement teinté d'impératifs économiques, de compressions budgétaires, de crises «plurielles» de la société[2] — crise de l'État providence, crise des valeurs et des idéologies, crise de l'économique et du politique — et de transformation du tissu social, que s'inscrivent la problématique de la prise en charge des personnes dépendantes et le retour de l'idéologie familialiste.

Oubliée et souvent bafouée dans l'enthousiasme du développement de l'État providence et de l'interventionnisme étatique privilégié au cours des années soixante, «la famille» est aujourd'hui revalorisée, notamment dans sa fonction de soutien auprès de ses membres adultes dépendants. Rappelons que toute tentative de définir la famille fait appel au système de valeurs que l'on entend défendre à l'égard de la structure familiale. Ainsi, lorsque l'enjeu d'une telle définition est de mettre au point des politiques appelées à influencer directement la vie des membres du groupe familial, les conséquences varieront selon qu'on retient une définition restreinte de la famille, comme le groupe parents-enfants mineurs, ou encore une définition élargie, comme le groupe lié par des liens de sang ou d'alliance. Il apparaît en effet difficile de définir la famille en quelques mots, tant cette structure a connu des modifications importantes au cours des trente dernières années. Au nombre des facteurs responsables de ce changement, soulignons: l'entrée massive et de façon permanente des femmes sur le marché du travail, la baisse de fécondité, l'enrichissement collectif, la transformation des valeurs sous l'action conjuguée de plusieurs forces dont le féminisme, la transformation des réseaux

contexte

1. Ministère de la Santé et des Services sociaux, *Pour un partenariat élargi, projet de politique de santé sentale pour le Québec*, *op. cit.*

2. J. Lamoureux et F. Lesemann, *op. cit.*

de base et des modèles de sociabilité, l'éclatement du modèle traditionnel en plusieurs réalités, notamment les familles monoparentales et les familles reconstituées. Dans ce contexte, comment évaluer l'étendue de la solidarité du noyau familial, dimension au cœur de la désinstitutionnalisation puisqu'au Québec, l'État veut que désormais «l'on pense et agisse famille, dans toutes ses politiques sociales, ses organismes, ses ministères[1]». Cette réhabilitation du rôle de la famille et du milieu naturel est le pivot autour duquel s'articulent les politiques et les nouveaux programmes, tel le maintien à domicile des personnes handicapées, des personnes âgées et des personnes souffrant de troubles mentaux[2]. Le gouvernement invite même la famille à s'associer à une forme de partenariat élargi pour assurer la prise en charge des personnes dépendantes.

FAMILLES ET PRISE EN CHARGE: LA PARTIE CACHÉE DE L'ICEBERG

Il est difficile de mesurer l'ampleur des soins fournis par les familles à leurs membres dépendants. À notre avis, l'analogie de l'iceberg utilisée par Jane Aronson[3] apporte un éclairage intéressant. La pointe «visible» correspond aux services sociaux et de santé publique; leurs coûts, leur valeur et leur volume sont comptabilisés, enregistrés, rendus publics. La base «invisible» de l'iceberg cache les soins «informels» et «naturels», dont ceux

1. Gilles Lesage, «Québec décrète: désormais il faudra "penser famille"» dans *Le Devoir,* 10 décembre 1987, p. 1-2.

2. Ministère de la Santé et des Services sociaux, *Rapport de la Commission d'enquête sur les services de santé et les services sociaux,* Québec, Les Publications du Québec, 1988.

3. J. Aronson, *Care of the Frail Elderly. Whose Crisis? Whose Responsibility?* Communication présentée à la Canadian Association of Schools of Social Work Conference, Winnipeg, 1986.

prodigués par la famille. Cette portion de travail n'est ni reconnue, ni enregistrée, ni comptabilisée. Nous disposons quand même de données suffisamment importantes à propos du nombre de personnes dépendantes vivant dans la société pour suggérer que les familles jouent un rôle de premier ordre auprès de leurs proches.

Des études portant sur l'ampleur du phénomène de la prise en charge[1] de proches dépendants ont été récemment menées dans le cadre des travaux de la Commission d'enquête sur la santé et les services sociaux (Commission Rochon). Dans le rapport produit par cette commission, on apprend que 15 000 familles au Québec comptent un membre dont la santé mentale est gravement perturbée[2]; plus de 600 000 adultes, soit près de 12% de la population, souffrent d'une incapacité, c'est-à-dire d'une réduction partielle ou totale de la capacité d'accomplir une activité d'une façon ou dans les limites considérées comme normales. De ce nombre,

---

1. Nous avons préalablement défini la prise en charge ainsi: assumer la charge de, assumer la responsabilité de, s'occuper de. La prise en charge dite «naturelle» renvoie aux réseaux de soutien primaires auxquels recourent les personnes en situation de besoin: famille immédiate, élargie, ami-e-s, voisin-e-s. Deux précisions s'imposent par rapport à ce concept. D'abord, le terme de prise en charge appartient davantage au langage technocratique qu'à celui des personnes vivant concrètement la situation. Ces dernières vont utiliser les termes: s'occuper de, voir à, garder. Des parents d'enfants psychiatrisés, plus familiers avec le jargon technocratique, nous ont indiqué qu'ils trouvent une connotation péjorative au concept de prise en charge qui nie toute possibilité d'autonomie de la personne dépendante. Faute d'un meilleur terme, nous l'emploierons, étant toutefois conscientes de ses lacunes. On peut se demander s'il existe un seuil particulier à partir duquel on peut parler de prise en charge. L'utilisation de ce concept nous oblige à poser certaines balises. Ainsi, y a-t-il des critères quantitatifs (nombre d'heures/semaine) ou circonstanciels à établir pour en préciser la définition? Peut-on considérer l'utilisation de services rémunérés et payés par une tierce personne comme étant une forme de prise en charge? Nous avons retenu une définition souple, incluant donc les formes légères et lourdes de cette réalité, laissant aux personnes contactées le soin de trancher et d'évaluer si leur intervention correspond à une prise en charge.

2. Ministère de la Santé et des Services sociaux, *Rapport de la Commission d'enquête sur les services de santé et les services sociaux, op. cit.*, p. 63.

30% souffrent d'incapacités suffisamment marquées pour en perdre leur autonomie: 9% ne peuvent faire leurs emplettes, 16% ne peuvent faire leurs travaux ménagers quotidiens ni se déplacer dans le quartier, 5% ne peuvent se déplacer dans la maison ni ne peuvent assumer leurs soins personnels[1].

En 1983, on estimait à 200 000 le nombre de personnes ayant des déficiences intellectuelles et à 50 000 le nombre de celles ayant des déficiences psychiques. Parmi les personnes âgées, 31,3% du groupe des 65 à 74 ans sont limitées dans l'exercice de leurs activités et cette proportion grimpe à 45% chez les 75 ans et plus. Les gains en longévité, particulièrement au-delà de 75 ans, auraient pour effet d'augmenter la dépendance des personnes âgées. La technologie médicale prolonge la vie d'un nombre croissant de personnes souffrant de maladies chroniques ou congénitales, tandis que la pharmacologie favorise le maintien des malades mentaux hors des institutions. Néanmoins, ces personnes, pour avoir une qualité de vie acceptable, requièrent des soins de tout ordre qu'elles ne sont pas en mesure de se prodiguer ellesmêmes.

Ces données permettent de postuler qu'un nombre significatif de familles au Québec jouent un rôle auprès de leurs membres dépendants. Un sondage réalisé en 1987 et portant sur l'ampleur du phénomène de prise en charge d'un parent âgé nous apprend que 4% des adultes québécois aident un parent âgé en perte d'autonomie; 2,7% apportent leur aide à un parent âgé vivant en milieu naturel, alors que 1,9% aident un parent âgé vivant en institution. D'autre part, l'énoncé de politique du ministère des Affaires sociales[2] à l'égard des personnes âgées estimait que le retrait de l'aide de l'entourage immédiat de ces personnes augmenterait de 34% le besoin de places en institution et de 116% le

---

1. *Ibid.*, p. 121 et 122.

2. Ministère des Affaires sociales, *Un nouvel âge à partager,* Politique du MAS à l'égard des personnes âgées, Québec, Les Publications du Québec, 1985, p. 17.

besoin de services en ressources plus légères, comme les services de maintien à domicile.

De même, dans le domaine de la santé mentale, il semble que cette volonté accrue de désinstitutionnaliser les soins ait un impact majeur sur les familles puisque le plus souvent, ce sont ces dernières qui accueillent et voient au bien-être des personnes psychiatrisées[1]. Des études montrent que de 40 à 72% des patients psychiatriques renvoyés des hôpitaux retournent vivre dans leur famille[2]. Une enquête effectuée auprès des utilisateurs de l'urgence d'une institution psychiatrique à Montréal nous apprend que les personnes admises proviennent dans 80% des cas d'un milieu naturel, dont 35% vivent avec leurs parents ou avec leur conjoint. Par ailleurs 47,5% des personnes présentant un problème chronique de santé mentale vivent avec au moins un membre de leur famille[3].

Les recherches américaines sont tout aussi révélatrices du rôle central joué par les familles. Dans un récent numéro de la revue *Newsweek*, on apprenait que neuf millions d'Américains requièrent actuellement des soins prolongés. Plus de six millions

---

1. M. Saint-Onge et F. Lavoie, «Impact de la présence d'une personne atteinte de troubles mentaux chroniques sur les parents membres d'un groupe d'entraide et analyse de leurs stratégies d'adaptation: étude descriptive» dans *Revue canadienne de santé mentale communautaire,* vol. 6, n° 2 (automne 1987), p. 51-63.

2. M. Chartrand *et al.*, *Impact de la maladie mentale sur la famille*, Montréal, Association québécoise des parents et amis du malade mental, 1983; H. Potasznik et C. Nelson, «Stress and Social Support: the Burden Experienced by the Family of a Mentally Ill Person» dans *American Journal of Community Psychology*, n° 12, 1984, p. 589-607; E. H. Thompson et W. Doll, «The Burden of Families Coping with the Mentally Ill: an Invisible Crisis» dans *Family Relations*, 31 juillet 1982, p. 379-388; S. L. Thurer, «Deinstitutionalization and Women: Where the Buck Stops» dans *Hospital and Community Psychiatry,* n° 34, 1983, p. 1162-1163.

3. Voir l'étude de H. Dorvil, *Les patients-es qui activent la porte tournante. Étude clinique et socio-démographique d'une clientèle majeure à l'hôpital Louis-H. Lafontaine*, Montréal, Centre de recherche psychiatrique, Hôpital Louis-H. Lafontaine, 1986.

d'entre eux ont plus de 65 ans. Plus de sept millions d'Américains demandant de tels soins vivent à la maison et dans leur communauté. Enfin, les trois quarts des soins donnés à la maison sont prodigués par des membres de la famille et des amis, dont la vaste majorité sont des femmes[1].

Une autre étude américaine[2] estime à cinq millions le nombre de personnes ayant charge d'un parent âgé en perte d'autonomie et évalue qu'entre 70% et 80% d'entre elles sont les enfants de ce parent âgé. Ailleurs on souligne que plus la personne âgée est en perte d'autonomie, plus grande est l'implication de la famille[3].

Non seulement le réseau de soutien informel dispense plus d'assistance que le réseau formel, mais sans lui plusieurs personnes âgées seraient dans l'obligation de quitter le domicile pour être placées en institution[4]. Les membres de la famille vont tout faire pour leur éviter d'entrer dans une institution, qu'ils considèrent comme la solution la moins désirable[5]. Même quand le placement s'avère nécessaire, la famille ne se désengage pas pour autant de toutes ses responsabilités envers la personne âgée.

---

1. M. Beck *et al.*, «Be Nice to your Kids» dans *Newsweek*, 12 mars 1990, p. 72-75.

2. E. M. Brody, «Parent Care as a Normative Family Stress» dans *The Gerontologist*, vol. 25, n° 1, 1985, p. 19-29.

3. D. E. Biegel *et al.*, *Building Support Networks for the Elderly: Theory and Application*, Beverly Hills, Sage Publications, 1985.

4. Voir les études suivantes: M. H. Cantor, «Strain Among Caregivers: a Study of Experience in the United States» dans *The Gerontologist*, vol. 23, n° 6, 1983, p. 597-604 et M. Paquette, *Le vécu des personnes soutien qui s'occupent d'une personne âgée en perte d'autonomie*, DSC de Lanaudière, 1988.

5. P. Hawanik, «Caring for Aging Parents: Divided Allegeances» dans *Journal of Gerontological Nursing*, vol. 11, n° 10, 1985, p. 19-22.

... mais les familles ont leurs limites

Il faut cependant formuler une mise en garde contre la surexploitation de la famille. On peut en effet émettre un doute à propos des capacités de celle-ci de continuer à assumer le rôle qu'elle joue actuellement.

Outre le danger d'essoufflement et d'épuisement, particulièrement dans le cas de dépendance très sévère, il existe de toute évidence un point de rupture où le maintien à domicile n'est plus praticable, même si la littérature scientifique reste muette sur les critères permettant de déterminer ce seuil de tolérance[1].

> La prise en charge des personnes âgées par les générations plus jeunes, que certains souhaiteraient voir s'intensifier, n'est pas une simple affaire de bonne volonté, d'affection réciproque et de sens du devoir. En particulier, en ce qui concerne les cas où le besoin d'aide se fait spécialement urgent ou lourd, il est temps de dresser l'inventaire des moyens nécessaires pour savoir comment, dans les conditions actuelles, la famille peut l'assurer efficacement sans pour autant remettre fondamentalement en cause le style de vie qu'elle a été contrainte ou qu'elle a choisi d'adopter[2].

Nombre d'études démontrent que ceux et celles qui retournent au foyer sont plus sujets à une rechute, dans le cas où la famille ne respecte pas leur besoin d'intimité affective, que les psychotiques recherchent davantage du soutien auprès de leurs amis que de leurs parents et que l'attachement à la communauté et au monde du travail est plus capital que l'attachement à la famille pour des malades mentaux chroniques. Les patients

1. Critique formulée par S. Jutras et M. Renaud, *Personnes âgées et aidants naturels. Éléments pour une réflexion sur la prévention dans le plan d'ensemble «La santé pour tous»*, Rapport global présenté à la direction générale des services et de la promotion de la Santé et Bien-être social Canada, GRASP/SST, Université de Montréal, 1987.

2. Commentaire d'A. Pitrou rapporté dans *ibid.*, p. 59.

retournant vivre chez leurs proches réussissent moins leur réinsertion dans la communauté que ceux et celles qui vont vivre dans un environnement plus neutre[1].

Ces constatations nous obligent à mettre en question le courant de réinsertion familiale à tout prix comme solution de rechange à la désinstitutionnalisation. Elles en appellent à une compréhension plus rigoureuse et systématique de la prise en charge dite «naturelle».

De plus, les familles et les réseaux sociaux ont évolué et ont subi de profondes transformations: redéfinition de l'unité familiale, éclatement de la famille nucléaire traditionnelle, nombre accru de divorces, transformation des rôles traditionnels, diminution de la taille de la famille, entrée massive des femmes sur le marché du travail, réduction de l'unité résidentielle, essoufflement des femmes qui doivent répondre aux exigences du monde du travail et de la famille, etc. Ces nouvelles réalités constituent autant de facteurs qui, associés aux changements sociodémographiques, peuvent hypothéquer la capacité des familles à poursuivre sur une échelle aussi large la prise en charge de leurs proches. Dans un contexte caractérisé par le vieillissement de la population, la dénatalité et le rétrécissement de la cellule familiale, le bassin de personnes disponibles pour «soigner» tend en effet à diminuer.

Ces interrogations relatives aux limites de la famille révèlent un ensemble de dimensions qui demeurent occultées dans le discours sur la prise en charge récemment remis à la mode par les responsables des politiques sociales québécoises.

Pour notre part, nous faisons l'hypothèse que la prise en charge lourde est incompatible avec certains modèles d'organisation familiale. Le rôle de support que la famille et, plus particulièrement, les femmes peuvent et veulent assumer a des limites

1. Voir les études citées dans M. Tousignant *et al.*, *Utilisation des réseaux sociaux dans les interventions. État de la question et proposition d'action*, Commission d'enquête sur les services de santé et les services sociaux, Québec, Les Publications du Québec, 1987, p. 6-8.

qu'ignorent les politiques de désinstitutionnalisation. La sexuation des tâches liées à la prise en charge reproduit la division du travail au sein de la famille. Or, dans un contexte de remise en question de cette division, que se passe-t-il? Nouvelle famille et nouveau partage? La nouvelle famille, famille en mutation, dispose-t-elle des conditions nécessaires à la prise en charge?

Bien souvent, les nouveaux modes de vie familiale limitent la possibilité d'assumer toutes les exigences d'une prise en charge «lourde», demandant des soins constants pendant une période de temps indéterminée. Si les liens affectifs entre les membres d'une famille demeurent présents, on peut s'attendre à trouver de nouvelles formes de prise en charge, davantage axées sur la qualité que sur la quantité des soins: assumer une continuité affective, combler certains besoins sans s'occuper sur une base permanente de tous les types de soins des membres dépendants.

Enfin, jusqu'à quel degré de parenté s'étend la solidarité familiale? Peut-on établir une relation entre le degré de parenté et la prise en charge que l'on est prêt à assumer? Il faut aussi se demander si le réseau naturel a les ressources suffisantes pour continuer à prendre en charge les personnes dépendantes. Dans bien des cas, ces ressources sont déjà «essoufflées» et au sein des familles, ce travail échoit dans presque tous les cas à une seule personne... la femme, l'épouse, la fille, ou la belle-fille.

FAMILLE, POUR NE PAS DIRE FEMMES

Toutes les recherches sur la prise en charge des personnes dépendantes montrent que ce sont les femmes qui, au sein des familles, assument la responsabilité principale des soins[1]. En Grande-Bretagne, où les politiques de maintien à domicile sont en vigueur depuis les années 50, il y a trois fois plus de femmes que d'hommes qui assument ces tâches[2]. Toujours en Grande-Bretagne, on estime qu'il y a plus de femmes qui prennent soin des personnes âgées et handicapées que de femmes s'occupant d'enfants mineurs[3]. Ici, au Québec, la Commission Rochon a reconnu que non seulement les femmes forment près des trois quarts de la main-d'œuvre dans le secteur de la santé et des services sociaux mais qu'en plus, ce sont elles qui, au sein des familles, assument encore la part la plus lourde de la relation d'aide et fournissent le plus de soutien aux parents en perte d'autonomie, aux enfants handicapés et aux déficients mentaux[4].

Ce qui fait dire à plusieurs auteures que l'expression «prise en charge par les familles» est une périphrase employée pour

1. E. M. Brody, «"Women in the Middle" and Family Help to Older People» dans *The Gerontologist*, vol. 21, n° 5, 1981, p. 471-479; M. H. Cantor, «Strain Among Caregivers: a Study of Experience in the United States», *loc. cit.*, p. 597-604; N. Guberman, H. Dorvil et P. Maheu, *Amour, bain, comprimé ou l'ABC de la désinstitutionnalisation,* Commission d'enquête sur les services de santé et les services sociaux, Québec, Les Publications du Québec, 1987; M. Paquette, *op. cit.*; S. Jutras et M. Renaud, *op. cit.*; F. Lesemann et C. Chaume, *Familles-Providence, La Part de l'État, Recherche sur le maintien à domicile*, Montréal, Saint-Martin, 1989.

2. A. Walker, «Care for Elderly People: a Conflict Between Women and the State» dans J. Finch et D. Groves (dir.), *A Labour of Love: Women, Work and Caring*, Londres, Routledge and Kegan Paul, 1983, p. 106-129.

3. A. Briggs, *Who Cares ? The Report of a Door Survey Into the Numers and Needs of People Caring for Elderly Relatives,* Londres, Association of Carers, 1983.

4. Ministère de la Santé et des Services sociaux, *Pour un partenariat élargi, projet de politique de santé mentale pour le Québec*, *op. cit.*

éviter de dire «prise en charge par les *femmes*[1]». Ce constat ne nie pas la contribution des autres membres de la famille mais il met en relief la place dominante des femmes dans la sphère du soutien familial et, par extension, la place centrale qu'occupent les soins dans la vie des femmes. Bon nombre d'auteures ont montré à quel point, en dépit de ces évidences, la variable «sexe» est souvent banalisée voire ignorée dans la littérature portant sur la prise en charge familiale[2]. On emploie le terme générique de «famille» sans faire allusion à la division sexuelle du travail de prise en charge. La famille est vue comme une unité monolithique. Il est rarement dit d'une façon claire que les soins domestiques reposent sur les femmes. L'utilisation des termes «prise en charge familiale et communautaire» tend à masquer la réalité concrète du partage ou de l'attribution des responsabilités.

Ainsi on ne reconnaît pas le rôle prépondérant des femmes dans cette sphère, conformément au courant «naturaliste» largement véhiculé dans la société occidentale, qui veut que «les soins» (que l'on désigne en anglais sous le terme de *caring*[3]) continuent d'être fortement associés aux femmes, selon un ordre supposément naturel. L'une «des règles tacites de la société veut que

---

1. J. Finch et D. Groves (dir.), *op. cit.*; A. Walker, *op. cit.*, p. 106-129; E. Schanas, «The Family, a Social Support System in Old Age» dans *The Gerontologist,* n° 19, 1979, p. 3-9; S. S. Tobin et R. Kulys, «The Family in the Institutionalization of the Elderly» dans *Journal of Social Issues,* vol. 37, n° 3, 1981, p. 145-157.

2. J. Aronson, *op. cit.*; A. Bullock, *Community Care: Ideology and Practice*, Ottawa, Carleton University, 1985.

3. Le terme anglais «caring» renvoie à plusieurs images. Il comporte un contenu émotionnel, mais évoque également un environnement: la famille, avec comme corollaire un type spécifique de relations sociales basées sur l'affection et le service. Le «caring» repose en grande partie sur la place des femmes dans la famille, s'inscrivant à l'intérieur de la division des rôles sociaux de sexe femme/privé, homme/public. Comme nous l'avons vu, la psychologie a fait de l'idée de «caring» un aspect fondamental de la personnalité féminine (Finch et Groves, 1983). Acte central de la réalité à laquelle renvoie la prise en charge, nous traduirons ce terme par «soigner», même si ça ne rend pas compte de l'affection prodiguée en plus du travail physique de donner des soins.

les femmes assument le rôle de principales protectrices de la santé au foyer[1]»; que les femmes s'occupent d'un conjoint ou d'un parent âgé semble aller de soi:

> Les femmes qui ont des conjoints ou des parents malades bouclent ainsi un parcours de soignantes qui avait débuté par la maternité et l'élevage de leurs enfants. Sitôt cette époque révolue, quand ce n'est pas en même temps, elles se retrouvent de nouveau soignantes d'une mère, d'un conjoint. Aussi, la décision que l'on prend en tant que femme d'assumer ou non la prise en charge de proches doit être resituée à l'intérieur d'un cadre plus large. Il faut en effet voir que nous vivons dans un univers où il est postulé que la tâche de soigner les autres revient aux femmes et que ce travail devrait avoir préséance sur tout le reste[2].

D'ailleurs, les femmes se jugent souvent elles-mêmes selon leur capacité à prendre soin des autres et leur incapacité à remplir ce rôle est une source réelle de culpabilité[3].

Pour expliquer ce sentiment d'obligation, deux auteures, Hilary Graham et Claire Ungerson, proposent de regarder comment cette activité continue de façonner plusieurs dimensions de la vie des femmes. Voici, en résumé, l'essentiel de leur propos:

> Graham propose de comprendre le «caring» comme étant «autant l'identité que l'activité des femmes dans la société occidentale». Ce qui exige alors une analyse de la relation des femmes au «caring» qui abolit la dichotomie opposant le paradigme psychologique et le paradigme structuraliste. Le premier de ces paradigmes considère le «caring» comme étant la raison d'être des femmes et implique que les qualités et les caractéristiques requises pour prendre soin de quelqu'un sont des caractéristiques principales de l'identité féminine, tout en

1. D'après A. Fochs Heller dans S. Jutras et M. Renaud, *op. cit.*, p. 79.

2. J. Lewis et B. Meredith, *Daughters Who Care,* Londres et New York, Routledge and Kegan Paul, 1988, p. 5. Traduction libre.

3. D'après J. Lewis et B. Meredith, *op. cit.*, qui citent sur ce point l'analyse de C. Gilligan, *Une si grande différence*, Paris, Flammarion, 1986.

étant ce qui les distingue de l'homme. Être une femme, c'est prendre soin de quelqu'un. La deuxième perspective examine l'organisation sociale du «caring» dans le contexte de la division sexuelle du travail. Dans cette perspective, «le *caring* ne ressort pas autant comme étant l'expression du sentiment naturel de compassion et d'attachement des femmes (...) mais plutôt comme l'expression de la position des femmes dans un type particulier de société dans laquelle les forces jumelées du capitalisme et du patriarcat sont à l'œuvre» (Graham, 1983, p.25). Tout comme Graham, nous croyons que pour bien comprendre le travail associé au «caring» des femmes, il faut considérer à la fois les forces sociales et psychologiques en jeu. À cela, Ungerson (1983) ajoute qu'il ne faut pas négliger l'analyse de l'idéologie et des pratiques de l'État et de leur impact sur les décisions des familles en ce qui concerne la prise en charge des membres dépendants[1].

LE COÛT SOCIAL DE LA PRISE EN CHARGE

Quel est l'impact de la prise en charge sur les familles et les femmes? Ce n'est que tout récemment que des études sur le sujet ont commencé à paraître. Ainsi, en psychiatrie, on a longtemps omis d'examiner les effets sur les familles de la présence d'un adulte souffrant de troubles mentaux. De même, en gérontologie, l'attention en recherche a été portée principalement sur les problèmes du vieillissement et les conditions de vie qui y sont liées et on a peu parlé de la crise des épouses ou des filles submergées par la garde d'une personne âgée. On commence toutefois à s'y intéresser. En revanche, nos voisins américains ont produit une abondante littérature scientifique tant sur la nature que sur l'impact de la prise en charge d'un ou d'une proche dépendante, dont nous dégagerons les principaux constats.

1. N. Guberman, «The Family, Women, and Caring: Who Cares for the Carers?», *Documentation sur la recherche féministe*, vol. 17, n° 2, 1988, p. 37-40. Traduction libre.

D'entrée de jeu, il est important de rappeler que nous parlons de dépendance lourde, tant en matière de vieillissement que de santé mentale. En général, il s'agit d'une population assez handicapée, atteinte de maladies chroniques et en état de détérioration physique et/ou mentale irréversible, dans le cas des personnes âgées. Ici, contrairement au soin des enfants, les perspectives d'amélioration et de changement sont à peu près nulles.

L'effet le plus lourd, corroboré recherche après recherche, a trait au caractère accaparant du travail de prise en charge[1]. La gravité des problèmes et les besoins particuliers des deux populations (sévère détérioration physique et mentale des personnes âgées, caractère imprévisible, violent et perturbant des personnes psychiatrisées) exigent souvent une présence et une surveillance constantes, jour et nuit, sept jours par semaine, 365 jours par année. Il en découle un état d'alerte, d'inquiétude permanente, sans grandes possibilités de répit. Toutes les recherches ont dépeint l'état d'isolement social qui en résulte. On réduit ses activités sociales, on coupe ses liens avec l'entourage, on se terre à la maison parce qu'on n'a plus l'énergie de continuer une vie sociale.

1. Voir les études suivantes: C. Fadden, P. Bebbington et L. Kuipers, «The Burden of Care: the Impact of Functional Psychiatric Illness on the Patients Family» dans *British Journal of Psychiatry,* n° 150, 1987, p. 285-292; M. Chartrand *et al.*, *op. cit.*; E. H. Thompson et W. Doll, *loc. cit.*, p. 379-388; C. Creer et J. Wing, «Living with a Schizophrenic Patient» dans *British Journal of Hospital Medecine*, 1975, p. 14, 73-82; N. Guberman, H. Dorvil et P. Maheu, *op. cit.*; M. H. Cantor, *loc. cit.*, p. 597-604; S. H. Zarit *et al.*, «Relatives of the Impaired Elderly: Correlates of Feelings of Burden» dans *The Gerontologist,* n° 20, 1980, p. 649-655; J. Goldstein *et al.*, «Caretaker Role Fatigue» dans *Nursing Outlook,* janvier 1981, p. 24-30; J. R. A. Sanford, «Tolerance of Debility in Elderly Dependants by Supporters at Home: Its Significance for Hospital Practice» dans *British Medical Journal*, n° 3, 1975, p. 471-473; A. Scharlack et C. Frenzel, «An Evaluation of Institution-based Respite Care» dans *The Gerontological Society of America*, 1986, p. 77-82.

Des soignantes interrogées dans le cadre d'une étude menée en Californie n'avaient pas pris de vacances depuis au moins trois ans, certaines depuis douze ans[1]. Une autre étude, menée auprès de plus de 400 familles ayant la garde d'un parent âgé atteint de démence sénile, révèle d'une part que «75% des personnes ont avoué qu'elles n'en pouvaient plus», et d'autre part, que le soutien continu, 24 heures sur 24, était devenu impossible et intolérable. Plusieurs mentionnaient le manque de sommeil comme l'un des facteurs motivant leur décision de demander le placement de leur parent âgé[2]. C'est généralement la santé physique et mentale de la soignante que le fardeau de la prise en charge affecte le plus durement. Il en résulte pour cette dernière un grave état d'épuisement auquel vient s'associer une kyrielle de symptômes: dépression, anxiété, panique, colère, frustration, déprime, insomnie, fatigue chronique, en réaction à une situation sans issue face à laquelle elle se sent démunie et impuissante[3].

Les femmes doivent souvent quitter leur emploi ou ne travailler qu'à temps partiel à cause des exigences de la prise en charge et ce, avec tous les effets négatifs que cela entraîne sur leur autonomie financière, leurs projets de carrière, leurs chances de promotion et leurs régimes de retraite[4]. D'autres femmes doivent cumuler le travail salarié, le travail de prise en charge, ainsi que le travail domestique, éliminant plutôt leur temps libre et leur temps de loisir[5] pour pouvoir tout faire.

1. L. Crossman *et al.*, «Older Women Caring for Disabled Spouses: a Model for Supportive Services» dans *The Gerontologist*, vol. 21, n° 5, 1981, p. 464-470.

2. B. Chenoweth et B. Spence, «Dementia: the Experience of Family Caregivers» dans *The Gerontologist*, vol. 26, n° 3, 1986, p. 267-272.

3. E. M. Brody, *loc. cit.*, p. 19-29.

4. B. MacCarthy, «The Role of Relatives» dans A. Lavender et F. Holloway (dir.), *Community Care in Practice*, Londres, John Wiley, 1987; S. L. Thurer, *loc. cit.*, p. 1162-1163.

5. M. H. Cantor, *loc. cit.*, p. 597-604.

Invisibles, relégués à la sphère du privé, du naturel, de l'informel et du don de soi, les soins fournis par les femmes au sein des familles sont souvent dissimulés derrière les écrans théoriques et idéologiques qui noient cet aspect du travail des femmes dans l'eau trouble du naturalisme.

LE SOUTIEN DISPONIBLE: MYTHES ET RÉALITÉS

Quant au soutien reçu du réseau institutionnel, plusieurs études font état d'un bilan négatif, notamment dans le secteur de la santé mentale: absence d'informations sur la maladie, le pronostic et les façons d'agir; absence d'information sur les ressources communautaires, absence de suivi post-hospitalier; non-reconnaissance de l'apport de l'entourage; graves difficultés à obtenir de l'aide et /ou absence de soutien; obligation de recourir à la police ou au système judiciaire dans les périodes de crise[1], etc. En ce qui concerne les réseaux communautaires de soutien et en particulier, les groupes d'entraide, leurs effets bénéfiques font l'unanimité partout où on les a étudiés. Des parents, souvent ignorés ou blâmés par les professionnels et laissés à eux-mêmes, se tournent vers d'autres ressources pour trouver des réponses à leurs problèmes; l'adhésion à un groupe d'entraide est la solution privilégiée par nombre d'entre eux[2]. Les avantages procurés par la fréquentation de tels groupes sont multiples: partager son expérience, briser l'isolement, obtenir de l'information, apprendre comment agir,

1. H. Potasznik et C. Nelson, *loc. cit.*, p. 589-607; M. Chartrand *et al., op. cit.*; M. Saint-Onge et F. Lavoie, *loc. cit.*, p. 51-63; N. Guberman, H. Dorvil et P. Maheu, *op. cit.*

2. M. Saint-Onge et F. Lavoie, *loc. cit.*, p. 51-63.

se déculpabiliser et se sécuriser, voilà les apports les plus importants identifiés par les soignantes lors de différentes recherches[1].

Nous ne pouvons conclure cette section sans soulever la question des limites du réseau communautaire et nous demander dans quelle mesure, vu les conditions actuelles, il peut remplir le mandat que l'État lui confie. Le processus de désinstitutionnalisation ne s'est jamais accompagné d'un véritable plan de réaménagement des ressources. L'insuffisance des ressources tant du réseau gouvernemental que du réseau communautaire a été largement démontrée et décriée ces dernières années[2]. Devant la rareté et l'insuffisance des moyens mis à leur disposition, il convient donc de se demander comment s'organisent les familles pour obtenir et recevoir le soutien nécessaire et approprié à leur travail de prise en charge et pourquoi elles acceptent d'assumer cette responsabilité.

reposer la question

1. Nous invitons les lecteurs et lectrices à consulter l'importante recension accompagnée de résultats de recherche, réalisée sous la responsabilité de Michel Tousignant, *Utilisation des réseaux sociaux dans les interventions. État de la question et proposition d'action*, Commission d'enquête sur les services de santé et les services sociaux, Québec, Les Publications du Québec, 1987.

2. Notre dernière recherche a mis en évidence on ne peut plus clairement la situation lamentable des groupes communautaires. Voir à cet égard N. Guberman, H. Dorvil et P. Maheu, *op. cit.*

LA PRISE EN CHARGE ET SES MOTIFS

Les circonstances qui entourent la décision d'assumer une prise en charge n'ont pas, à notre connaissance, fait l'objet d'études systématiques et approfondies jusqu'à maintenant. Dans la littérature américaine, les explications retenues renvoient principalement aux facteurs du sexe et à la répartition traditionnelle des rôles entre hommes et femmes[1], aux valeurs morales et sociétales associées aux femmes (obligation, devoir, don, sacrifice[2]), au statut marital (être mariée ou célibataire), à la présence d'enfants dépendants à la maison, au rang dans la famille et à l'âge de la personne responsable des soins[3], au degré de proximité affective avec la personne dépendante[4], au degré de détérioration physique/mentale de celle-ci, à l'éducation, à la classe sociale, aux ressources économiques, au statut socio-économique (emploi), à la disponibilité[5], à la proximité géographique, à l'absence d'alternative familiale, à la santé de la soignante, à la dépendance financière de la personne proche, et enfin, à une situation de fait, la

1. A. Horowitz, «Sons and Daughters as Caregivers to Older Parents: Differences in Role Performance and Consequences» dans *The Gerontologist*, vol. 25, n° 6, 1985, p. 612-617.

2. N. J. Finley, M. D. Roberts et B. F. Banahan, «Motivators and Inhibitors of Attitudes of Filial Obligation Toward Aging Parents» dans *The Gerontologist*, vol. 28, n° 7, 1988, p. 73-78; C. Pratt *et al.*, «Ethical Concerns of Family Caregivers to Dementia Parents» dans *The Gerontologist*, vol. 27, n° 5, 1987, p. 632-638.

3. E. D. Stoller, «Parental Caregiving by Adult Children» dans *Journal of Marriage and the Family,* novembre 1983, p. 851-857.

4. Voir sur ce point les études de N. J. Finley, M. D. Roberts et B. F. Banahan (1988), *loc. cit.* et E. M. Brody et C. B. Shoonover, «Patterns of Parent-care When Adult Daughters Work and When They Do Not» dans *The Gerontologist*, vol. 26, n° 4, 1986, p. 372-381.

5. A. Horowitz, *loc. cit.*, p. 612-617; S. H. Matthews et T. T. Rossner, «Shared Filial Responsibility: The Family as the Primary Caregiver» dans *Journal of Marriage and the Family*, n° 50 (février 1988), p. 185-195.

soignante s'en occupant déjà[1]. Il y a cependant unanimité à reconnaître avec Horowitz (1985) que la variable sexe est l'indice de prédiction le plus important et le plus constant: prendre soin d'une personne dépendante demeure une «responsabilité de femme».

Au Québec, selon la recherche de Mario Paquette sur les personnes soutien d'une personne âgée en perte d'autonomie, les motifs de prise en charge les plus fréquents sont d'abord la situation déjà établie, comme le fait d'être le ou la conjointe; pour plusieurs, la décision a dû être prise parce que personne d'autre ne pouvait s'en charger. Enfin, on a aussi parlé de lien affectif[2].

En Grande-Bretagne, Lewis et Meredith identifient dans leur intéressante recherche[3] trois catégories de soignantes à partir de leurs motifs de prise en charge: celles qui prennent «consciemment» la décision de le faire, celles qui «s'occupent déjà du proche» et celles pour qui «cela va de soi». Les auteures précisent que les femmes pour qui c'est «naturel» n'ont jamais remis en question leur état de soignantes, alors que celles appartenant aux deux autres catégories s'y sont senties contraintes, vu l'absence d'autres membres dans la famille ou l'insuffisance des ressources disponibles.

Aussi éclairantes soient-elles, les recherches réalisées jusqu'à maintenant demeurent limitées quand il s'agit d'offrir une analyse globale et approfondie du processus de décision ou du choix de prendre soin d'un parent. Beaucoup de questions restent inexplorées, et trop souvent ces analyses font abstraction des changements que connaît actuellement la famille et de la transformation en cours des rapports sociaux et des rapports de sexe. S'agit-il d'un choix spontané, correspondant à un désir affirmé ou encore d'une solution envisagée sur une base temporaire en l'ab-

---

1. B. Robinson et M. Thurnher, «Taking Care of Aged Parents: A Family Cycle Transition» dans *The Gerontologist*, vol. 19, n° 6, 1979, p. 586-659.

2. M. Paquette, *op. cit.*, p. 72-73.

3. J. Lewis et B. Meredith, *op. cit.*

sence d'autres options? Pour quels motifs et en fonction de quelles valeurs les personnes en cause décident-elles d'assumer une prise en charge? Obéissent-elles à un sentiment de devoir et/ou d'amour? Dans quelle mesure le discours de responsabilisation des familles mis de l'avant par l'État québécois dans ses plus récents énoncés de politique trouve-t-il écho auprès des personnes concernées?

Aucune enquête n'a amené de réponse satisfaisante à ces questions. Il y a néanmoins un point de convergence dans toutes ces recherches: le constat que le travail de prise en charge est avant tout assumé par les femmes, peu importe le contexte dans lequel on se trouve. Pourquoi en est-il ainsi? Pour nous, il importe de comprendre cette donnée à partir d'un point de vue sociopolitique précis. Il faut lier l'implication des femmes dans la prise en charge des proches à l'obligation qui leur est faite socialement d'assumer un tel rôle, et aux postulats sous-jacents à l'élaboration des politiques sociales (la présomption qu'il est naturel de s'occuper des autres et que la famille continue d'être l'unité de base du tissu social), politiques qui n'offrent pas de support adéquat aux personnes incapables de subvenir par elles-mêmes à leurs besoins. Mais l'implication des femmes auprès des autres doit surtout être saisie en relation avec leur mode d'insertion socio-économique, soit leur peu d'ancrage permanent dans la sphère publique, celle du travail et de la gouverne des choses de la collectivité. Les conditions sont en train de changer pour les plus jeunes, mais le modèle de la femme appartenant d'abord à la sphère privée, celle de la famille et du travail gratuit, continue de structurer fortement un large segment de la société.

QUELQUES PRÉCISIONS À PROPOS DE NOTRE DÉMARCHE DE RECHERCHE

À partir de la problématique exposée dans les pages précédentes, nous avons circonscrit une série d'objectifs de recherche.

Nous avons voulu tout d'abord identifier et examiner les différentes formes qu'emprunte la prise en charge d'un membre dépendant dans sa famille; ce thème constitue la matière du deuxième chapitre. Il nous est également apparu important d'analyser le soutien reçu et réclamé de la part des soignantes; c'est ce qui sera présenté au troisième chapitre. Enfin, il nous a semblé essentiel de mieux cerner les circonstances et les motifs qui ont conduit les soignantes à s'occuper d'une personne dépendante; nous analysons cette question au quatrième chapitre.

Pour répondre à ces objectifs de recherche, nous avons choisi de réaliser une série d'entrevues en profondeur avec des personnes qui se sont elles-mêmes identifiées comme responsables de la prise en charge, c'est-à-dire celles qui assument la gestion, la coordination et les soins. Dans la très large majorité des cas, ce sont les femmes qui se sont désignées comme soignantes principales. Nous avons fait un effort pour rejoindre des hommes soignants mais nous n'avons eu accès qu'à un petit bassin, confirmant encore une fois que la prise en charge est «une affaire de femmes». La méthode de l'entrevue permettait de laisser parler les personnes qui sont le sujet de cette recherche et de faire émerger toute la complexité de leur réalité.

Les soignantes que nous avons rencontrées ont des parcours de vie différents sous certains aspects et semblables à d'autres égards[1]. De par leur âge (la grande majorité des soignantes a plus de 45 ans), ces femmes font partie de ce groupe que Brody désigne comme les «women in the middle[2]», ces femmes prises entre les soins à donner aux enfants et ceux à procurer aux parents âgés en perte d'autonomie, entre les exigences du travail domestique, du travail salarié et du travail de prise en charge.

---

1. Mentionnons que nous avons choisi de n'interviewer que des femmes québécoises d'origine canadienne-française afin d'avoir un échantillon culturellement homogène.

2. E. M. Brody, «"Women in the Middle" and the Family Help to Older People», *loc. cit.*, p. 471-479.

Nous avons donc interviewé des soignantes s'occupant soit d'une personne âgée, soit d'une personne souffrant de graves troubles mentaux. Les personnes âgées dont ces femmes ont la responsabilité sont généralement en sévère perte d'autonomie. Elles vivent une détérioration physique et mentale se traduisant par des troubles de fonctionnement tels que la confusion, des pertes de mémoire et d'ouïe et plusieurs maladies concomitantes, dont des problèmes d'arthrite et de début de paralysie; quelques-unes d'entre elles souffrent de la maladie d'Alzheimer. Quel est le portrait des personnes psychiatrisées dont s'occupent les autres soignantes? En majorité, elles font partie de cette nouvelle génération qui n'a pas connu l'hospitalisation à long terme et qui arrive à vivre en société grâce à des hospitalisations d'appoint pour stabiliser la maladie. Ces personnes sont jeunes (la moyenne d'âge dans notre échantillon est de 33 ans), sont caractérisées par un lourd diagnostic (schizophrénie ou paranoïa avancée) et ont fréquemment des comportements antisociaux. Plusieurs sont rébarbatives aux mesures hospitalières, refusant souvent d'être aidées, en voie de chronicisation et aux prises avec des problèmes judiciaires associés à leur maladie mentale. Financièrement dépendantes, voire démunies, elles vivent soit de l'aide sociale, soit de revenus d'emplois précaires. Ballottées entre le système judiciaire et le système psychiatrique, leur itinéraire est ponctué, outre les nombreuses hospitalisations à court terme, de séjours en famille d'accueil, en appartements supervisés et privés, en maisons d'hébergement et en prison. Elles dépendent en majorité de leur famille, où elles retournent inévitablement, soit parce qu'on ne sait plus quoi faire avec elles, soit qu'on les y renvoie de force par une ordonnance juridique.

Dans les prochains chapitres, nous faisons place aux résultats de notre recherche. Ils seront présentés par thèmes, à l'intérieur desquels seront regroupés et analysés les énoncés de plusieurs répondantes. Étant donné la richesse du matériel d'entrevue, nous avons utilisé le plus souvent possible les témoignages des répondantes pour fonder, illustrer et expliciter nos résultats d'analyse. Comme l'écrivent si bien Lamoureux et Lesemann:

Une fois regroupés les témoignages sélectionnés, les chercheurs s'estompent et laissent le plus possible s'exprimer la parole la plus significative des acteurs. De la mise en scène de leur texte émergent les enjeux[1].

1. J. Lamoureux et F. Lesemann, *op. cit.*, p. 230.

Chapitre 2

QU'EST-CE QUE LA PRISE EN CHARGE?

Dans ce chapitre, nous allons examiner la nature et les formes qu'emprunte la responsabilité de la prise en charge de proches adultes dépendants. Afin de guider notre démarche, nous avons formulé une hypothèse de départ, à savoir: la prise en charge recouvre plusieurs formes selon qu'il y a cohabitation ou non avec la personne dépendante; aussi, cette responsabilité revêt un caractère spécifique différent à certains égards de celle de s'occuper d'un enfant. Enfin, celle-ci englobe un vaste ensemble d'activités, au niveau physique et de support moral, qui dépassent largement le cadre des soins normalement dévolus aux familles.

Nous verrons tout d'abord les diverses formes que peut prendre la prise en charge. Les situations des personnes dépendantes et des soignantes commandent quelques fois la cohabitation bien que souvent les femmes préfèrent rendre des visites fréquentes à leur proche afin de garder un espace bien à elles où elles peuvent se ressourcer.

Dans un deuxième temps, nous décrirons en détail l'ensemble des tâches que nécessite la prise en charge d'une personne âgée ou psychiatrisée et ce, à partir des témoignages des soignantes interviewées. Au-delà des particularités propres aux deux populations étudiées, nous avons cherché à dégager les traits communs de la prise en charge en prenant soin d'indiquer les différences lorsque nécessaire.

Dans un troisième temps, nous tenterons de mettre en relief, à partir des données recueillies, la spécificité de la prise en charge d'un-e proche adulte dépendant-e.

LES MODALITÉS DE LA PRISE EN CHARGE

Nous avons pu dégager quatre types de situations par rapport aux circonstances ayant mené à la prise en charge:

1) la personne soignante et la personne dépendante cohabitaient avant que cette dernière n'ait besoin qu'on s'occupe d'elle;
2) la cohabitation a été proposée après une légère perte d'autonomie de la personne dépendante;
3) la cohabitation a été envisagée après la détérioration subite de l'état de santé de la personne dépendante;
4) la dépendance de la personne proche n'a pas entraîné de cohabitation mais demandait un encadrement.

Une cohabitation antérieure à la prise en charge

Certaines femmes habitaient déjà avec leur parent âgé avant que celui-ci ne perde son autonomie. Par exemple, Rita et Louise, célibataires, ont habité toute leur vie avec leur mère. Trois sœurs très âgées, ayant vécu ensemble toute leur vie, célibataires et sans enfant, avaient aussi habité avec leur mère, décédée il y a quelques années à l'âge de 100 ans; depuis, une des sœurs est paralysée et c'est une autre, Agathe, qui assume la responsabilité des soins. Dans une autre famille, une mère est venue habiter chez sa fille pour la consoler du deuil de son conjoint et n'est jamais repartie; en vieillissant, elle est devenue dépendante.

Les circonstances amenant la prise en charge d'une personne souffrant de problèmes de santé mentale présentent une certaine similitude. La grande majorité des personnes dépendantes habitaient dans leur famille avant la première crise de schizophrénie car celle-ci survient généralement au début de l'âge adulte, vers l'âge de vingt ans. Dans cette situation, la prise en charge semble souvent aller de soi.

Cohabitation à la suite d'une légère perte d'autonomie

D'autres cas de prise en charge ont débuté par une cohabitation liée à une situation de dépendance assez légère. Rollande a déménagé chez sa mère, il y a 15 ans, parce que cette dernière, alors âgée de 73 ans, avait été victime d'une crise cardiaque et ne se sentait plus en sécurité. Au cours des années, ayant été atteinte de paralysie, sa santé s'est détériorée. Ce qui au début était pour Rollande une prise en charge préventive est devenu un travail de tous les instants, sa mère requérant une surveillance constante.

Dans la même veine, Murielle a invité sa mère chez elle quand cette dernière a commencé à avoir des troubles de la vue, à l'âge de 84 ans. Depuis, elle est devenue aveugle, ce qui la rend fortement dépendante de sa fille, en plus d'avoir d'autres problèmes de santé liés à son âge avancé.

Henriette a accueilli sa sœur chez elle après avoir constaté que celle-ci commençait à perdre de l'autonomie et que la situation allait forcément s'aggraver au cours des années à venir.

Enfin, Lucette a accepté d'héberger sa mère devenue veuve, il y a quinze ans, quand cette dernière était encore assez autonome. Cinq ans plus tard, sa mère a eu une crise cardiaque et depuis sa santé s'est beaucoup détériorée.

Nous ne trouvons aucune prise en charge d'une personne psychiatrisée dans cette catégorie car les maladies mentales dont il est question ici débutent presque toujours par une crise majeure exigeant l'hospitalisation.

Cohabitation à la suite d'une détérioration subite de l'état de santé

D'autres répondantes ont commencé à habiter avec leur proche âgé ou psychiatrisé, après la détérioration subite de l'état de santé de cette personne.

Un homme de 94 ans a dû être hospitalisé à cause d'une pneumonie. Le médecin lui a alors conseillé de ne plus vivre seul car le vieil homme ne s'alimentait pas convenablement. Celui-ci a décidé d'aller vivre chez un de ses fils, à la suggestion d'Yvonne, sa bru.

S'étant récemment séparée de son conjoint, Nicole a emménagé dans un nouveau logement avec sa mère malade, âgée de 87 ans; comme elle devait auparavant aller faire les courses et le ménage chez sa mère, et que cette dernière n'arrivait plus à faire ses repas, elles ont jugé préférable de cohabiter.

Mathilde a dû garder sa belle-mère souffrant de la maladie d'Alzheimer lorsque celle-ci est devenue veuve et qu'elle a été hospitalisée pour de sérieux et multiples ennuis de santé. Le conjoint de Mathilde et le médecin ont exercé de fortes pressions pour qu'elle accepte de le faire, même si l'état de sa belle-mère nécessitait des soins divers et très exigeants.

Sophie et David ont accepté de garder la mère de celui-ci quand l'autre fils qui en prenait soin est tombé malade et quand la travailleuse sociale a constaté une détérioration importante de l'autonomie de cette femme, qui manifestait d'ailleurs le désir d'aller vivre chez David.

Christine a décidé d'assumer la prise en charge de sa mère, fortement handicapée à la suite d'une paralysie compliquée par d'autres maladies. À noter que dans ce cas, les autorités médicales elles-mêmes désapprouvaient vigoureusement sa sortie de l'hôpital et se montraient sceptiques quant à la capacité de Christine d'assumer une prise en charge aussi lourde. Cette dernière a dû véritablement convaincre les autorités médicales de ses aptitudes. Elle a fait déménager ses parents et s'est installée avec eux dans un nouveau logement pour pouvoir dispenser les soins complexes et spécialisés requis par sa mère.

Enfin, à la suite de la détérioration de son état, un homme souffrant de schizophrénie a été expulsé du domicile de son épouse. Après quelques tentatives infructueuses de vivre seul, ses parents l'ont accueilli chez eux, dans une résidence pour personnes âgées.

Non-cohabitation

Le fait de ne pas cohabiter ne signifie pas pour autant que la prise en charge soit plus légère. Certaines personnes que nous avons rencontrées doivent assumer des charges très lourdes. Ainsi, Angèle, chef de famille et mère d'un adolescent, a dû assumer la prise en charge de ses parents quand ils sont tombés gravement malades à peu près en même temps. Ils sont en attente de placement mais, au moment de l'entrevue, leur situation nécessitait un encadrement constant.

Deux sœurs, Alice et Francine, ont progressivement pris en charge leurs parents âgés parce que la mère souffre d'importants problèmes de vision. Si le père est encore relativement autonome, il ne suffit pas à la tâche puisque le couple habite un grand logement.

Alertée par les symptômes de la maladie d'Alzheimer et déjà très proche de sa mère, les circonstances ont amenée Annie à s'occuper de façon régulière de celle-ci, tout en restant dans son propre logement avec ses jeunes enfants.

Gertrude a dû s'occuper de sa mère, locataire d'un logement dans l'immeuble lui appartenant, qui commençait à souffrir de la maladie d'Alzheimer. Puisqu'elle vivait juste à côté, ses frères et sœurs l'ont désignée comme la personne à qui la tâche incombait.

Depuis la mort de sa mère avec qui il habitait, Paul, 74 ans, souffrant de problèmes psychiatriques, a vécu en alternance en appartement et en institution. Sa belle-sœur, Suzanne, a accepté d'assumer la coordination de la prise en charge et demeure la personne-contact du personnel professionnel qui s'occupe de cet homme.

Rosanne s'est vue obligée de prendre en charge son fils Jules, tout en refusant qu'il habite avec elle. Sa bru l'a appelée d'urgence, incapable de faire face aux crises psychotiques de Jules. Étant donné cette situation, Rosanne s'est montrée disposée à aider son fils.

Finalement, nous avons rencontré une famille où la mère, dans la cinquantaine, atteinte depuis longtemps de maladie mentale, est prise en charge par ses filles. L'aînée, la principale responsable, n'accepte pas que sa mère habite dans sa famille. Celle-ci résidait donc chez une autre de ses filles avant d'être placée en institution quelques semaines avant l'entrevue.

LES DIMENSIONS DE LA PRISE EN CHARGE

Les tâches décrites par les répondantes peuvent être présentes concurremment. De plus, elles sont communes aux deux populations. Ces dimensions sont:

- les tâches affectives et d'accompagnement de la personne dépendante;
- la surveillance;
- le travail domestique et l'organisation de la vie quotidienne;

- la gestion des problèmes de santé;
- l'aménagement des conditions de vie;
- la gestion du comportement;
- les soins physiques.

Les deux derniers aspects sont particulièrement importants dans la prise en charge d'une personne âgée. Pour les soignantes de personnes psychiatrisées, d'autres responsabilités spécifiques s'ajoutent:

- la gestion des problèmes judiciaires;
- l'aide financière.

Bien que ces deux dernières dimensions aient été présentes à l'occasion dans la prise en charge de personnes âgées, elles sont nettement prédominantes dans les situations impliquant des personnes psychiatrisées.

On peut ajouter que l'importance respective de toutes ces dimensions varie grandement d'une situation à une autre, même si l'on retrouve pour l'essentiel un ensemble de tâches communes.

Tâches affectives et d'accompagnement

«Elle a besoin de présence.»

Cette dimension affective du travail de prise en charge renvoie au besoin des personnes dépendantes d'avoir une présence auprès d'elles, pour leur tenir compagnie, les écouter, les distraire par le biais de jeux et de conversations. On inclut aussi dans cet aspect du travail les sorties, les voyages et les vacances organisées avec la personne dépendante.

Deux sœurs, Alice et Francine, qui habitent à proximité l'une de l'autre s'occupent très activement de leurs parents, âgés de plus de 80 ans, la mère souffrant de problèmes de santé majeurs en plus d'être pratiquement aveugle. Elles assurent une présence quotidienne et assument les tâches suivantes, comme le raconte l'une d'elles:

> Je finis de travailler, j'arrête en passant, je vais préparer le souper, je vais souper avec eux autres, on va jaser, c'est au moins deux soirs par semaine. Ça peut être plus des fois, je vais aider s'ils décident de faire du ménage le samedi. Le dimanche, c'est sûr que je fais le souper avec eux autres. C'est pas simplement pour faire des tâches, c'est jaser, échanger, prendre un repas avec eux autres. (Francine)

Certaines mères de psychiatrisé-e-s perçoivent leur rôle actuel comme un soutien affectif dont leur enfant a besoin à cette étape de son existence.

> Pour plus le garder, il faudrait qu'il devienne très... vraiment très violent! Ou enfin que je verrais que moi là, je peux lui apporter aucun support. Si ma présence était trop nocive pour lui, ou vraiment contraire à son bien-être, qu'il s'en aille à ce moment-là. Je pense que présentement, je peux lui apporter un soutien mais pas une relation de mère/fils, vraiment de dépendance là, c'est pas ça. C'est un soutien! (Claire)

Céline croit que son rôle principal est d'assurer une présence: «Le rôle que je peux dire que je donne à maman là, elle a besoin de présence, puis de parler (...). Je lui crée une distraction.»

Cela peut aussi prendre la forme d'un partage des loisirs et de sorties occasionnelles, ce qui est une façon d'encourager la personne dépendante à sortir de la maison.

> Tu sais, il va paniquer, il va dire qu'il file pas, comme il a été une semaine là: «J'ai pas le goût de sortir.» J'ai dit: «Habille-toi donc, on va aller prendre une marche.» On est allés prendre des marches, une heure de temps là, juste pour le faire sortir, parce qu'il veut pas sortir de la maison quand il file pas. (Angéline)

> Elle veut pas être seule, il faut aller avec elle (...) normalement les marches là, c'est elle (...). Puis l'été, c'est le bicycle. Si ça

> lui dit de faire une randonnée en bicycle, on y va! Mais il faut s'en occuper comme un enfant! (Fernand)
>
> Je les ai emmenés faire un tour du Lac Saint-Jean, avec mon mari, on est partis avec eux autres. La chaise roulante dans l'auto, avec les couches à maman. L'autre année avant, j'étais partie toute seule avec eux autres. J'avais fait Québec, Sainte-Anne-de-Beaupré, Cap-de-la-Madeleine. Je leur change les idées un peu mais c'est quelque chose d'être toute seule en voyage avec eux autres: embarque la chaise, descends la chaise... (Alice)
>
> C'est quand il y a des longues fins de semaine, quand il y a des sorties, des fêtes, on essaie toujours de l'amener (...) comme à quelques reprises, Sylvie l'a amenée voir un spectacle, pour essayer de la divertir. (Johanne)

Les femmes qui habitent avec une personne psychiatrisée semblent consacrer beaucoup de temps à la consoler, à l'encourager, à l'aider à développer son autonomie et à lui donner une certaine sécurité affective.

> Quand il file pas, la seule chose que je vais faire, je vais lui prendre la tête, le coller contre moi, bon puis je dis pas un mot! Il y a comme quelque chose. Je me dis, tout seul, est-ce que c'est bon qu'il soit tout seul? (Lisette)
>
> Enfin, c'est quasiment de la thérapie! Je suis devenue thérapeute à plein temps, à tous les soirs avant le souper, après le souper (...) Fallait bien que je l'aide mentalement à essayer de passer à travers tout ça! Alors c'était aussitôt que j'arrivais là, à six heures le soir jusqu'à onze heures le soir, sans arrêt, pour essayer de l'encourager à vivre. J'ai essayé de lui donner le goût de vivre! Mais sans réussite et puis en sachant très bien que j'avais pas de réussite. (Carole)
>
> Non, c'étaient pas des tâches physiques, c'était de l'émotion. J'en ai fait de la psychologie, puis de tout ce que vous voulez. (Rachel)
>
> J'ai joué avec lui, j'ai joué aux cartes, j'ai joué à tout pour maintenir sa concentration que je voyais partir. (Gisèle)

> Au début, il était déprimé, déprimé, j'ai joué au psychologue. Je l'écoutais des heures parler. Je pensais que c'était ça qu'il fallait faire. L'écouter... (France)

Lorsque le dialogue et le rapprochement sont possibles, cela suscite des moments privilégiés. Pour celles qui n'habitent pas avec leur proche, ces moments sont assurés par de fréquents coups de téléphone ou des visites. Toutefois, la fréquence des appels téléphoniques ajoute parfois à la lourdeur de la prise en charge. Si la personne dépendante réclame une certaine «présence» par ces appels, la soignante se voit contrainte de lui consacrer une bonne partie de son temps.

> Et puis il a personne, personne à qui parler. Alors j'ai pas besoin de vous dire que je suis accrochée au téléphone souvent. La minute qu'il y a un petit quelque chose, il m'appelle! Il vient, c'est tout près (...). Au téléphone, c'est pas tellement long, il dit comment il file pas, puis comment il a mal dormi et puis qu'est-ce qu'il a mangé. Et puis moi je l'encourage un petit peu. J'y donne des petites suggestions. Quand même, il y a des moments où je trouve ça lourd. (Rosanne)

> Puis moi j'ai pas le temps, j'ai pas le temps là de m'asseoir vingt minutes à tous les soirs, cinq fois par soir, parce qu'elle appelle cinq fois, pour me parler (...). Elle veut que je lui parle! C'est un contact qu'elle veut là (...) puis c'est de l'écouter, puis de lui parler. (Johanne)

Il ressort de quelques témoignages que le soutien affectif s'avère souvent lourd à assumer.

> Je suis un peu fatiguée, mais Claudette, elle, est pas fatiguée! Elle peut être jusqu'à onze heures, minuit puis là, elle me demande de jouer aux cartes (...). Si je veux pas, des fois elle se fâche! Elle est pas fatiguée parce qu'elle a dormi une partie de la journée. (Mireille)

> Il veut que je m'assoie à côté de lui, il m'appelle des fois, je suis en bas ou il crie après moi: «Maman, viens-t-en donc! Il y a tel programme là!» Il m'appelle, il a toujours été de même (...) il veut que je m'assoie à côté de lui, que je regarde les program-

> mes! Mais je pense que c'est parce qu'il est attaché à moi aussi, plus que l'autre, je sais pas, c'est un garçon qui prend plus d'affection, il est plus sensible, faut pas l'abandonner! (Angéline)

Alors que pour les proches de psychiatrisé-e-s, le soutien affectif, quoique très exigeant, ne représente qu'un des éléments de la tâche, pour les familles des personnes âgées, ce travail de réconfort et de présence affective et physique auprès de leur proche est central.

La surveillance

«Il faut la surveiller tout le temps comme un enfant.»

L'importance de la surveillance revient assez fréquemment dans les divers témoignages. Il s'agit de ne pas laisser les personnes dépendantes seules ou dans le cas de non-cohabitation de faire des appels et des visites de vérification. Le travail de surveillance peut être plus ou moins lourd. Yvonne prend soin de son beau-père très âgé, mais en assez bonne santé. Ce dernier apprécie le fait d'avoir constamment de la compagnie, compagnie qui en même temps l'assure d'une aide en cas de malaise.

Mais très souvent, la prise en charge va bien au-delà de la simple présence et implique une surveillance active, similaire à celle requise par de jeunes enfants. Une bonne partie des femmes interrogées affirment qu'en réalité, il n'est pas possible de laisser seules les personnes dont elles ont la charge, et ce, même quelques heures. Souvent la prise en charge est synonyme de surveillance constante, vingt-quatre heures sur vingt-quatre. Ainsi Mireille, mère d'une psychiatrisée, raconte:

> La nuit, on écoutait si elle se levait, parce qu'on sait pas des fois! Parce que moi, si le moindrement Claudette se lève, je m'en aperçois tout de suite. Je la laisse faire, elle s'en va dans la cuisine, puis elle va se coucher. Mais là je suis moins

> inquiète, elle est mieux mais quand elle est vraiment en état de crise, comme avant Noël là, on dormait presque plus (...). À la place d'entendre dire «Viens ici!» toute la nuit, des fois, je me lève, je vais lui demander qu'est-ce qu'elle veut. Des fois, elle a peur: «Qu'est-ce que je vais faire si tu es plus là?», puis là je lui parle un peu, puis elle se tranquillise. (...) Finalement on lui a parlé, on lui a fait comprendre que nous, on avait besoin de sommeil.

Mathilde, obligée par les circonstances de prendre soin de sa belle-mère atteinte de la maladie d'Alzheimer, ne pouvait la laisser un seul instant.

> Elle était pas laissable, ma belle-mère, pantoute. Tu sais (...) si j'allais à la chambre de bain ou dans le sous-sol chercher quelque chose, si j'avais des choses, des chaudrons sur le poêle, que j'étais après faire à manger, elle fouillait là-dedans. (...) Il fallait la surveiller tout le temps, tout le temps comme un enfant. Il fallait toujours être aux aguets. Il fallait toujours que je l'aie en vue pour pas qu'elle me fasse des...

Rollande garde sa mère cardiaque depuis plus de 15 ans.

> Après sa première défaillance, à ce moment-là je pouvais peut-être m'absenter une fin de semaine, mais depuis à peu près 10 ans, je peux pas, absolument pas m'absenter.

Philippe, père d'un psychiatrisé, est continuellement inquiet quand il s'éloigne de la maison pour quelques heures. Marthe doit aussi exercer une surveillance de tous les instants sur sa mère car cette dernière prend à l'occasion certaines initiatives dans la maison qui s'avèrent désastreuses.

> Il y a des fois où je pars, mais seulement il faut que tu choisisses un temps qu'il est dans de bonnes dispositions (...) parce qu'il y a une couple de fois, moi j'ai voulu sortir, puis je le voyais agir, puis j'aimais autant pas le laisser! (...) Tu peux sortir, comme moi le samedi quand il vient, je vais aller faire mes commissions dans l'après-midi si j'en ai à faire. Mais s'il file pas (...) il fait pas attention, il va mettre la bouilloire sur le poêle là, puis il va oublier le rond! (...) c'est de l'attention (...)

tu es tout le temps sur les nerfs! Tu arrives le soir, tu sais pas qu'est-ce qui s'est passé dans la journée (...) tu es tout le temps sur le stress! (Philippe)

Elle a failli mettre le feu, il y a trois ans. Elle a voulu me montrer comment faire cuire un steak... puis les flammes étaient rendues à la hauteur de la hotte. Alors là, je lui ai défendu de toucher à la cuisinière mais il faut que je la surveille. (Marthe)

Cette dernière hésite également à laisser sa mère seule, pour un ensemble de raisons: confusion mentale, menace liée à la présence de jeunes voyous dans les alentours. Or, comme elle n'a pas les moyens de payer des gardiennes et qu'elle habite seule avec sa mère, elle est plus ou moins condamnée à la réclusion. Une large partie de son travail de prise en charge consiste donc à faire du gardiennage vingt-quatre heures par jour. Il s'agit d'être là, sans pour autant devoir s'occuper de la personne dépendante.

Gertrude, dont la mère souffre de la maladie d'Alzheimer, doit elle aussi être constamment aux aguets, ce qui devient extrêmement lourd.

C'est beaucoup de surveillance, parce que l'hiver, il faut que tu fasses attention pour le chauffage, pour pas qu'elle monte les calorifères au bout. Pour pas passer au feu... Je barre les portes, mais elle les ouvre... À venir jusqu'à date, m'as dire comme on dit, je vais toucher du bois, elle a pas eu l'idée de s'en aller ni d'un côté ni de l'autre de la rue, mais elle fait le tour de la maison. (...) On peut pas lui laisser rien dans son frigidaire parce qu'elle a juste l'idée de serrer son manger dans ses tiroirs de bureau, dans son garde-robe. Puis à ce moment-là, si moi j'y pense pas, bien ça va pourrir, ça va moisir... Puis sa toilette, faut tirer la chaîne assez souvent. Ç'a l'air des détails là, mais au long de la journée, ça en fait beaucoup.

La surveillance incombe aussi à celles et ceux qui n'habitent pas avec la personne dépendante, comme le montrent les témoignages de ces deux mères d'adultes psychiatrisés.

Alors là, il a été un an à peu près dans son appartement, il était vraiment malade, il fallait que j'y aille très souvent, quatre fois

> par semaine, pour voir comment ça allait puis tout ça, puis je m'en revenais. J'étais toujours inquiète parce qu'il pouvait pas rester seul. (Rosanne)
>
> Quand il est en appartement puis là, il faut qu'il rentre à l'hôpital, bien c'est moi qui a toujours la charge d'aller le voir, d'aller à son appartement puis tout ça, ça m'énerve énormément. C'est comme quand j'allais le voir des fois, j'avais peur de le trouver mort! (Gilberte)

Annie, qui n'habite pas avec sa mère, assume cette tâche par téléphone.

> Mais je l'appelais quasiment tous les jours à neuf heures, parce qu'elle partait pour le centre d'accueil (...). Fait que je l'appelais puis je disais: «Bon, tu es prête? C'est aujourd'hui le centre d'accueil», fait que là elle le savait.

Comme nous pouvons le constater, le travail de surveillance peut aller de la simple présence dans la maison pour apporter soutien et éviter les accidents, à la nécessité de «guetter» chaque geste et d'être disponible à tout moment.

Le travail domestique et l'organisation de la vie quotidienne

«Je fais les repas, j'entretiens sa chambre, je fais le ménage...»

Il s'agit ici de voir au bon fonctionnement domestique du foyer de la personne dépendante, qu'il y ait cohabitation ou non. Cela inclut l'ensemble des tâches d'entretien — le ménage, le lavage, l'entretien des vêtements —, auxquelles il faut ajouter toutes les tâches liées aux repas: aller à l'épicerie, préparer les repas, faire la vaisselle. Mentionnons enfin toutes les autres courses, les transactions bancaires, l'achat de médicaments, etc. La très grande majorité des personnes rencontrées devaient assumer ce genre de travail pour leur proche dépendant.

Ainsi, Yvonne qui prend soin de son beau-père trop âgé pour faire lui-même le travail domestique de base dans son logement effectue les tâches d'entretien général, comme la préparation des repas, le ménage, le lavage. Dans ce cas donc, il s'agit d'une prise en charge «domestique» où la responsabilité tient essentiellement à l'accomplissement du travail ménager régulier.

Robert, qui s'occupe de sa mère, a commencé par effectuer une série de travaux dans la maison de sa mère contre rémunération selon une entente prise avec cette dernière. Cette proximité quotidienne a également été l'occasion pour le fils de remplir d'autres types de tâches.

> Une fois que tu es là, bon bien tu vas t'organiser pour le repas du midi, tu vas aller faire des courses, tu vas aller à la banque. Ça fait que quand bien même tu voudrais faire avancer rapidement la job de remastiquage des fenêtres à l'extérieur ou de peinture, des affaires de même, je faisais des jobs comme ça, bien ça avançait pas vite, parce que je faisais du maintien à domicile en même temps que du maintien de domicile.

Angèle, qui a la charge de ses parents âgés lourdement handicapés par la maladie, doit rendre quotidiennement les services suivants:

> Je peux me rendre vers trois heures, puis là je vais m'arranger avec les commissions, la pharmacie, appeler pour les rendez-vous. Après ça, je vais préparer le souper, je vais les faire souper, après je vais laver la vaisselle. Il faut que je défasse les lits, que je sorte la robe de chambre à maman, sa jaquette, ses chaussettes, sa veste, je mets tout ça sur le lit parce qu'on est supposés se préparer pour le lit avant que moi je parte.

Le fait de devoir s'occuper de deux personnes habitant ensemble ne lui facilite pas toujours la tâche.

> Je vais défaire le lit à papa parce que si tu le fais pour elle, il faut que tu le fasses pour l'autre. Parce qu'il y a une certaine jalousie qui s'établit entre les deux.

Les témoignages de Suzanne et d'Anita, ayant soin d'un adulte psychiatrisé, sont aussi très éloquents.

> La dernière fois que j'ai pris son linge là, l'hiver passé, avant de partir pour la Floride, j'ai tout laissé geler son linge dehors, je l'ai ouvert sur le *driveway* dehors, puis les coquerelles tombaient de même, comme ça à terre! (...) Puis après ça je l'ai lavé. (...) L'aide que je lui donne, c'est de réparer son linge, des affaires de même. (Suzanne)

> Comme soins, il faut laver son linge, faire la cuisine, faire le marché en conséquence parce qu'il a un appétit lui, puis il mange toujours les mêmes choses. (...) il fait rien, rien, rien. Ah! il fait rien, il serait mort! Même des fois, il lave pas sa vaisselle quand il fait son repas là, il lavera pas sa vaisselle. (Anita)

Il ressort des entrevues que la plupart des personnes psychiatrisées, bien qu'elles soient considérées comme autonomes par les parents, ne s'attardent pas à effectuer le travail domestique. Ainsi, outre la préparation des vêtements nécessaires pour les séjours à l'hôpital, les femmes doivent faire le lavage sur une base régulière. Certaines mentionnent que lorsque leur fils vit en appartement, elles s'y rendent pour jeter un œil sur la propreté des lieux et lui préparer ses repas.

> Je lui fais régulièrement à manger. Quand je fais une sauce à spaghetti par exemple, j'ai toujours un bon gros plat pour lui (...) je le fais toujours plus gros pour qu'il en reste une partie pour lui. (...) C'est plutôt lui qui vient. J'y vais quand il a des mauvaises périodes, puis il faut que je voie que tout soit correct, que tout soit en ordre et puis qu'il prenne ses médicaments. (...) Il y a autre chose aussi, c'est son linge! D'abord on parle d'argent, ça le linge, c'est moi qui le répare, et c'est moi qui fais son lavage à toutes les semaines. (Rosanne)

> Lui, il se fait pas jamais à manger, jamais, si je m'en vais, bien, c'est le téléphone; même quand il y a du manger dans le frigidaire, c'est rare qu'il va dire: «Je vais me chauffer de la soupe.» (Angéline)

En plus de ce travail d'entretien de tous les jours, plusieurs assument aussi les tâches d'organisation de la vie quotidienne, comme les courses: épicerie, achat de vêtements, etc.

> Je crois qu'on l'aide peut-être pas, il a trop ce qu'il veut sous la main. Il a pas besoin d'aller à l'épicerie, il s'en vient dans la cuisine, dans le réfrigérateur, tout est là! Il s'est jamais acheté un morceau de linge! Jamais! c'est toujours moi qui achète le linge. (Anita)

> Parce qu'ensuite de ça, je l'habillais mais elle découpait tout! Elle déchirait tout ou bien elle jetait! À peine qu'elle le lavait. (Rachel)

> Mais là c'est tout moi (...) «m'man, achète-moi ...» Mais il va me donner l'argent (...) «M'man, achète mes sous-vêtements, achète mes bas.» (Angéline)

Qu'il y ait cohabitation ou non avec les personnes dépendantes, la vaste majorité des femmes doivent donc s'occuper du ménage, des repas, du lavage et des emplettes de ces dernières.

La gestion des problèmes de santé

«C'est moi qui m'occupe de tous ses rendez-vous chez le médecin.»

Étant donné la santé fragile de leur proche, plusieurs femmes vivent dans la crainte d'une crise ou d'un accident les obligeant à l'amener à l'hôpital ou à faire venir l'ambulance, voire même, dans le cas des psychiatrisé-e-s, à faire appel à la police et à la Cour pour obtenir l'hospitalisation. De plus, s'occuper d'une personne malade implique la coordination des contacts auprès des divers services: téléphones aux services médicaux, visites de maintien à domicile, contacts avec les services sociaux et judiciaires, accompagnement chez le médecin, etc. Entre également dans cette catégorie la tâche d'administrer les médicaments.

La mère de Marthe a déménagé chez celle-ci et a depuis perdu beaucoup de son autonomie. Aux soins de base donnés par Marthe, s'ajoutent les interventions d'urgence.

> Elle s'est assommée plusieurs fois sur des coins de mur au point que j'ai été obligée de faire venir l'ambulance. J'ai vécu comme ça à la transporter d'urgence à l'hôpital (...). Au moins une quinzaine de fois depuis cinq ans.

Angèle prend aussi en main les situations d'urgence.

> Admettons que le téléphone sonne, que ça soit ma mère ou mon père puis ils me disent: «Il y en a un de nous qui est pas correct.» Là je prends mes cliques et mes claques puis je pars en courant. Ça c'est la première affaire que je fais, parce que je sais qu'ils appelleront pas Urgences-santé. Normalement, même déshabillée, le soir, en dedans de 5 minutes je suis là. Je suis très vite quand il faut être très vite... sauf que j'arrive là puis j'ai plus de souffle puis quand j'appelle Urgences-santé, ils me demandent si c'est moi qui est après faire une crise de cœur. À date, ça s'est toujours avéré que l'hospitalisation était nécessaire puis que la vie était en danger.

Une jeune femme, mère d'enfants en bas âge et sans emploi, a dû assumer pendant plusieurs années les soins de sa mère atteinte de la maladie d'Alzheimer. N'habitant pas avec celle-ci, elle a dû voir à la coordination des soins médicaux.

> Elle m'appelait à tous les jours. (...) C'était moi qui m'occupais de tous les rendez-vous chez le médecin; au point de vue santé quand elle avait quelque chose, c'est moi qui y voyais. (Annie)

À l'unanimité, les personnes soignantes de psychiatrisé-e-s interrogées se sont dites obligées d'effectuer ces démarches pour leurs proches, et ce, qu'il y ait cohabitation ou non. Le temps consacré à toutes ces démarches ne peut être comptabilisé. Il varie en fonction de l'état de la personne dépendante et de son lieu de résidence. Mais il s'agit bien souvent d'un travail de tous les instants, ponctué de multiples démarches et de bien des inquiétudes.

Au bout, c'est la police, la Cour

S'occuper des problèmes de santé mentale signifie intervenir lors des crises, souvent violentes et incontrôlables, de la personne psychiatrisée. Il faut généralement prendre les grands moyens pour la faire hospitaliser. C'est alors l'appel à la police ou la recherche d'un mandat du tribunal, allant même à l'encontre de la volonté de la personne dépendante.

> Il était attaché parce qu'il se débattait trop, il voulait pas y aller, puis nous autres... Après ça, fallait toujours avoir un mandat de la Cour pour ça, mais à ce moment-là, nous autres, on a fait venir la police et ils l'ont amené à l'hôpital. (Gilberte)

> Puis là ça allait de plus en plus mal. Alors c'est à ce moment-là que je sais pas par qui j'ai su qu'il y avait moyen d'avoir un ordre de la Cour. Il... était malade, c'était épouvantable! (...) c'était comme un petit animal (...). Alors je demande mon ordre de Cour et (...) j'ai appelé la police puis j'ai dit que j'avais un ordre de Cour (...) ils l'ont ramené... [au centre hospitalier]. (Carole)

> Tu sais, c'est-tu intelligent des policiers! Fait que là, il s'est enfermé dans la chambre de bain, les deux policiers sont montés, ont défoncé la porte de la chambre de bain pour le faire sortir. Là, il a saisi l'arme du policier, d'un des deux policiers, ce qui s'est passé dans le haut de l'escalier ici, monsieur, cette journée-là, je te dis que tu veux oublier ça vite! (...) les policiers, ils ont appelé de l'aide, ils avaient déjà six voitures de police en avant! Six voitures de police! Ils étaient une dizaine de policiers en avant! Fait que là, ils ont réussi à le maîtriser en haut. (France)

> Puis cette fois-là justement, maman était malade, elle ne voulait même pas aller à l'hôpital, on a été obligés d'avoir un papier de la Cour pour la faire rentrer à l'hôpital. (Johanne)

Du système judiciaire aux services de santé

Au-delà des recours à la police et à la Cour, les démarches les plus fréquentes s'avèrent être celles effectuées auprès des services institutionnels comme les hôpitaux et les divers services sociaux. Il faut demander conseil à l'équipe médicale au sujet de la médication; pour certaines soignantes, c'est surtout au début de la maladie que cette tâche a été nécessaire alors que d'autres, au contraire, ont dû suivre l'évolution de la maladie et se renseigner sur la médication à chaque étape. Sans oublier aussi toute la recherche d'information auprès des médecins et du personnel médical lors des séjours à l'hôpital, ou encore les rencontres avec les travailleuses et travailleurs sociaux ou avec les infirmières.

> À l'hôpital (...) la travailleuse sociale, à un certain moment, je l'ai tellement achalée, c'est pas tous les parents qui font ça... (rire) qui ont l'audace que j'ai... (rire) parce que moi je me prenais à neuf heures moins quart le matin puis je me disais: là il faut que je lui parle aujourd'hui! (...) parce que moi j'étais le porte-parole de Jean-Marie, autrement dit, toutes les questions que je savais qu'il aurait pu poser s'il avait eu son état normal, c'était moi qui allais là, qui les posais, alors je suis devenue comme un encombrement à un certain moment. (Alberte)

> J'appelais à l'hôpital... je pense que garde G., je l'ai appelée souvent; j'ai déjà appelé mon médecin par exemple, mon médecin de famille qui les a mis au monde et puis il disait: «Qu'est-ce que vous voulez?» Il le suivait pas, alors il disait: «Bien, amenez-le à l'hôpital!» Mais quand il arrivait quelque chose souvent j'appelais garde G., puis elle me disait de le rentrer, puis après ça quand j'ai connu R. [la travailleuse sociale], elle me disait: «Essayez de le convaincre de rentrer.» (Gilberte)

> J'appellerais (...) l'infirmière de l'hôpital comme j'ai fait en janvier, ses médicaments, il était agité. (...) C'est le contact avec Yves. Si moi je veux avoir des nouvelles, c'est-à-dire si moi j'ai quelque chose à leur dire parce qu'il se passe quelque chose avec Yves, je téléphone à son infirmière et là, l'infirmière, si elle est disponible, elle me parle tout de suite. (Claire)

> Et puis à ce moment-là je l'ai pas délaissé pour autant, je m'en occupais quand même, d'abord je lui ai trouvé un intervenant, un psychologue. Il l'a pris en main, il l'a aidé beaucoup. Et puis j'étais pas inquiète parce qu'il était dans une bonne famille d'accueil, il était très bien traité, il mangeait bien et tout. Alors sur ce côté-là, j'étais tranquille. Mais je me disais: «Bien il faut pas non plus qu'il reste comme ça! Il faut qu'il évolue un peu.» C'est pour ça que je lui ai pris un psychologue et puis après quelque chose comme trois ans, la psychologue me disait: «Je pense qu'il serait prêt à s'en aller en appartement.» (Rosanne)

Très souvent, devant la détérioration de l'état de santé de leur enfant psychiatrisé, les femmes doivent même intervenir auprès de l'équipe médicale pour vérifier la pertinence et le degré d'efficacité des médicaments prescrits, compte tenu de leurs effets secondaires.

> Je suis allée voir le médecin puis je lui ai dit qu'il avait pas... ces médicaments-là, ça fait dix ans qu'il prend les mêmes médicaments! Ça serait peut-être bon de voir s'il y a pas quelque chose de nouveau! Parce que ça va pas bien, qu'est-ce qu'on fait avec ça? Il m'a dit: «Les médicaments, on touche pas à ça!», c'est la réponse qu'il m'a faite! (Rosanne)

> Bof, ça peut être deux, trois jours là qu'il fait des crises. Puis après ça, ça se replace! Quand je vois que ça s'avance trop, là, j'appelle la garde puis je lui dis: «Avez-vous coupé sa piqûre encore?» (...) là, elle dit: «Bien oui, il a demandé de couper sa piqûre, c'est le printemps là», puis des fois elle dit: «C'est parce qu'il travaille, il ne veut pas être endormi sur l'ouvrage!» (Angéline)

S'occuper d'un adulte psychiatrisé, c'est aussi lui rendre visite, l'accompagner à l'hôpital... et même jouer à l'infirmière, au médecin...

> Mais entre-temps, évidemment, il y a beaucoup de choses qui se sont passées. Parce que j'ai été obligée de le rentrer à l'hôpital deux, trois fois par semaine, il passait la nuit dans le corridor puis le lendemain matin, je devais retourner le chercher parce qu'ils avaient pas de lit de disponible. Et puis il a été hospita-

> lisé une couple de fois après. (...) Il a été hospitalisé un mois. Et puis la dernière fois, en fait, il aurait fallu qu'il soit hospitalisé, il y avait pas de lit de disponible, et puis c'est ça, j'ai été comme un mois là, à le garder jour et nuit. J'étais allée rester chez lui parce qu'il pouvait pas rester seul un instant. Alors il fallait quelqu'un. (...) Alors c'est moi qui a fait l'infirmière, qui a fait le médecin, qui a tout fait ça! Ç'a duré un mois, jour et nuit. Je dormais seulement d'un œil, couchée sur le divan du salon. (Rosanne)

> Il a été hospitalisé cette fois-là puis j'ai passé une semaine à côté de lui en urgence. En fait, mon mari allait tôt le matin et moi j'allais le remplacer. (Gisèle)

Pour certaines, ces expériences se répètent sans cesse.

> Ça demandait des rencontres de groupe, ça demandait des discussions avec la travailleuse sociale, par moment le médecin aussi était présent. Ça demande toujours ce contact-là, tu peux pas te dire que c'est fini là, ça revient tout le temps, tout le temps. (Johanne)

Bien entendu, il ne faut pas oublier, dans la gestion des problèmes de santé, le contrôle des médicaments. Dans certains cas, il faut préparer les médicaments et voir à ce qu'ils soient pris.

Trois mères de psychiatrisé-e-s relatent les formes que revêt cette tâche particulière.

> J'y mets ses pilules dans une petite boîte, puis elle prend ses pilules le matin quand elle se lève, quand elle se couche (...) je voulais pas lui laisser sa boîte de pilules au complet parce que des fois elle dit: «Chus assez tannée que je me suiciderais!» (...) J'y laisse à peu près ses pilules pour deux jours dans une petite boîte à pilules, quatre pilules. (...) Des fois je vais en mettre trois jours, quatre jours, jamais plus que ça, parce que tu mets cent pilules dans les mains de ... (Mireille)

> Parce que moi je lui prenais toutes ses bouteilles, moi j'y touche plus mais avant je prenais tant de pilules par jour (...) j'y donnais, il les mâchait devant moi. Mais j'en ai trouvé partout mâchées, jusqu'à (...) dans des diplômes qu'il avait eus là, qua-

> rante pilules cachées là-dedans! Aïe! Il était *wise*! Il la mettait dans la bouche devant moi: «Maman, je l'ai avalée.» Puis moi, j'avais confiance! (Angéline)

> Il faut toujours que je surveille ses médicaments. (...) quand il file pas, moi je lui dis: «As-tu pris tes médicaments?» (...) Des fois, quand il file moins bien, je vais chez lui et je compte ses médicaments, puis je lui sépare. Je lui sépare pas toujours, ça c'est des périodes où il est pas mal ... il est plus malade, disons là. Il oublie de les prendre. (...) J'y mets ça dans des petites assiettes, j'y prépare tout ça, ça fait que je suis obligée d'être là. (Rosanne)

Angèle doit aussi trouver différents trucs pour que sa mère âgée puisse prendre ses médicaments sans problèmes en son absence.

> Il faut que je prépare son pot de médicaments (...) elle est pas capable d'ouvrir le pot avec sa main. (...) Je prends sa tasse, je la mets dans le coin de l'armoire avec son café dedans, puis son pot de pilules à côté pour qu'elle les oublie pas. Il faut que tu voies aux médicaments, il faut que tu penses à tout! Pour pas qu'elle se blesse, pour pas qu'elle se fasse mal. (...) C'est toutes sortes de petits détails.

Certaines personnes dépendantes demandent parfois des soins médicaux plus spécialisés. Normalement, ce travail est assumé par les infirmières des CLSC. Dans certaines situations, les femmes doivent les dispenser elles-mêmes à leur proche. Christine, une des femmes que nous avons rencontrées, s'occupe de sa mère lourdement handicapée par une paralysie et plusieurs autres maladies.

> Il y a la préparation de nourriture, qui est une nourriture spéciale; premièrement faut que ça soit bien balancé, parce qu'elle est diabétique. Il y a l'insuline deux fois par jour, parce qu'elle est insulino-dépendante, des tests de glycémie aussi qu'on doit faire deux fois par semaine, à raison de quatre fois par jour, les autres jours, c'est une fois. Il y a ses collations, il y a la literie, qui est quand même assez importante, le changement de lit, les serviettes, etc.; il y a eu aussi la création de vêtements adaptés

pour elle. C'est-à-dire que ses vêtements, on les fait transformer graduellement, ouverts en arrière, avec du velcro. Bon, il y a maintes et maintes choses... au niveau aussi de tout l'entretien ménager qui se fait à tous les jours, l'hygiène qui est déjà quand même très, très sévère là-dessus, parce que je considère qu'il faut respecter l'environnement dans lequel elle vivait, parce que c'est une madame qui était excessivement propre; mais en plus, à l'hôpital, je pense que c'est très sain, et puis ici aussi il faut que ça reste un climat qui est sain, qui est sécure pour elle aussi, des horaires fixes.

Si on regarde une journée typique, bon eh bien, je me lève à sept heures et quart le matin... je lui administre ses médications, on vide sa sonde, je prépare le déjeuner, je lui donne son déjeuner, et à huit heures et quart l'auxiliaire familiale arrive, elle fait un bain au lit, des soins corporels, et on la lève vers dix heures moins quart, je l'aide à la lever à ce moment-là. Ensuite de ça à onze heures et quart, c'est la préparation de son dîner, je lui donne son dîner. Je la fais manger moi-même parce qu'elle est quadraplégique, elle a encore de la difficulté, il y a des progrès qui se font mais disons que... bon ensuite de ça, c'est l'heure de son coucher dans l'après-midi. Elle fait sa sieste à deux heures environ, je la relève, et là c'est l'heure de ses médications, sa collation et là elle va jusqu'au souper. Au souper, c'est encore insuline, préparation de son souper, on lui donne des fois moi, les enfants ou mon père, mon père là quand il peut, et après le souper bon bien là, elle passe un bout de soirée encore au salon et tout ça; vers huit heures moins quart c'est le test de glycémie, la collation, puis à huit heures et demie, l'auxiliaire arrive pour son coucher, on aide l'auxiliaire à la coucher, elle donne un autre bain au lit, et vers neuf heures et demie c'est terminé; vers dix heures et quart il y a encore des médicaments, je la prépare et on la retourne de côté et puis là elle est bonne pour une partie de la nuit. (...) C'est comme ça tous les jours de la semaine, sept jours semaine, c'est sûr qu'il y a des soins qui sont additionnés, c'est le lavage de sa tête l'hiver, aux quinze jours, l'été c'est à toutes les semaines.

Ajoutons pour compléter le témoignage de Christine que celle-ci doit faire chaque semaine un rapport médical détaillé pour le médecin traitant qui ne vient pas à domicile. Ici, la portion de soins médicaux est beaucoup plus lourde que dans les autres situations décrites plus haut. Il faut en outre mentionner que de tels cas exigent la maîtrise de techniques précises qui relèvent normalement des soins infirmiers. Il semble d'ailleurs que les autorités médicales aient été très réticentes à ce que Christine garde sa mère à domicile et qu'elle a dû plaider sa cause et démontrer ses compétences techniques pour obtenir leur autorisation.

Les problèmes judiciaires

«Quand c'est la Cour, tu passes une journée complète.»

Plusieurs soignantes de psychiatrisé-e-s ont eu à intervenir auprès du système judiciaire par suite de l'arrestation de leur proche. Les délits commis sont généralement les suivants: vagabondage, obstruction à la justice, avoir troublé la paix, voies de fait, incendie, harcèlement et vols. Les nombreux ennuis avec la justice nécessitent très souvent un ensemble de démarches auprès du système judiciaire. Si certaines parlent de journées entières passées en Cour, pour d'autres, il s'agit de contacter les avocats, l'aide juridique ou d'aller rendre visite à leur enfant incarcéré. Il faut d'ailleurs noter que ce sont les psychiatrisé-e-s n'habitant pas dans leur famille qui posent le plus souvent ce type de problèmes judiciaires. En fait, six de nos seize répondantes ont dû entreprendre des démarches juridiques.

> Il était en Cour, au mois d'août puis ensuite au mois de novembre, tu arrives là à huit heures et demie le matin, tu sors à trois heures et demie de l'après-midi (...) c'est des journées complètes qu'on perd en démarches de toutes sortes! (France)

> Et puis là, il a paru en Cour, le juge a jugé qu'il était pas dans un état, ils ont voulu un examen (...) comment on appelle ça... une évaluation psychiatrique. Mais imaginez-vous qu'ils l'ont

> envoyé à Parthenais, tout le mois de juillet en prison, avec des tueurs et puis tout ce qui peut s'imaginer! (...) Commencer à prendre un avocat, puis raconter toute une histoire. Je me suis débattue comme une folle pour avoir une lettre aussi de l'hôpital. (Carole)

Finalement, le témoignage de France nous en dit long sur l'énergie qu'il faut investir dans toutes ces requêtes.

> Je vais vous donner juste un exemple. Voyez-vous, je suis allée chez le médecin mardi après-midi, pour savoir à quoi s'en tenir pour la rencontre de lundi. Bon, j'ai appelé l'avocat, ensuite je suis allée à l'aide juridique, rencontrer l'avocat de l'aide juridique, pour savoir si l'avocat venait lundi, s'il pouvait avoir le mandat de l'aide juridique pour ça. Là j'ai rappelé l'avocat. Ensuite va voir Charles à l'hôpital, tu sais les journées là! (...) C'est ça, vous savez, des téléphones, des démarches, c'est comme à la Cour, tu passes une journée complète! (...) Des téléphones, des démarches, tu cherches, tu frappes à toutes les portes pour essayer de trouver... parce que moi, c'était le problème judiciaire tout le temps! (...) comme quand il était en prison, on m'a dit: «Appelle à l'hôpital X, il y a un médecin qui s'occupe des obsessions, il va peut-être accepter de le recevoir puis tout ça.» Tu appelles, tu fais deux, trois téléphones, tu rencontres jamais la bonne personne.

N'oublions pas non plus qu'une remise en liberté peut être conditionnelle au retour au domicile familial et cela, bien souvent sans consultation des personnes concernées, à savoir les parents.

> Il pouvait sortir de prison en autant qu'il s'en allait chez nous, c'est comme ça qu'il est revenu à la maison. (...) c'est-à-dire que le juge a demandé: «Y a-tu un endroit où tu peux aller?» Fait qu'il a dit: «Chez mes parents.» (...) Je sais pas si c'est ça l'habitude, parce qu'il y a personne qui a appelé pour savoir si on allait l'accepter ou pas! (Gisèle)

Pour certaines soignantes, les difficultés et les démarches juridiques peuvent prendre une envergure insoupçonnée.

> Là, le bal a commencé, madame! Toute la fin de semaine, c'était la fin de semaine de la Reine, il y avait trois jours fermés. Je pouvais pas rejoindre la travailleuse sociale, je pouvais pas rejoindre personne. En tout cas, toutes les quinze, vingt minutes, cet enfant-là m'appelait! (...) Il est dans une autre province, comment tu vas chercher une ordonnance de Cour ici pour le faire revenir de là-bas? Les lois là-bas, c'est pas... Ç'a duré entre huit, dix jours comme ça, des téléphones la nuit, le jour: «Moman j'ai pas mangé! J'ai pas fait ci, j'ai pas fait ça! je suis rendu à telle place!» Là, j'ai réussi par l'intermédiaire de la travailleuse sociale de l'hôpital (...) à communiquer avec les policiers là-bas. Quand j'ai su que mon fils était rendu en prison, j'ai fait des démarches pour essayer de rejoindre son avocat. Il voulait pas me donner le nom de son avocat, mais moi j'ai été obligée de faire les démarches pour arriver à contacter son avocat, mon mari et moi, les deux. Puis là, on lui a expliqué le pourquoi des problèmes de Jean-Marie, qu'il était en période de psychose. Mais un avocat ne comprend pas la psychose, lui il comprend le droit. (Alberte)

L'aménagement des conditions de vie

«Comme si t'attends un bébé.»

La prise en charge peut impliquer des changements importants comme la nécessité de déménager ou du moins de réaménager le logement en fonction des besoins de la personne malade. C'est ce qu'a dû faire Henriette afin d'accueillir chez elle sa sœur en légère perte d'autonomie:

> Pendant six mois, j'ai été obligée de réorganiser la maison, meubler sa chambre, tout organiser, comme si t'attends un bébé. Puis là penser à tout pour que tout soit fonctionnel, quand elle arrive, rien de compliqué.

Christine a dû trouver un environnement pouvant l'accueillir avec ses enfants et ses deux parents, ce qui a occasionné deux déménagements: le sien et celui de ses parents. Elle a dû ensuite organiser l'espace physique en fonction de sa mère, considérée comme un cas très lourd, et se procurer l'équipement médical nécessaire, tel un lit d'hôpital.

Deux mères de psychiatrisés se rappellent les problèmes dus à la présence de leurs enfants quand elles ont voulu vendre la maison familiale.

> J'habite dans une maison (...) un cottage, alors il faut que je vende ma maison, je suis en train de m'occuper de ça et j'espère aller vivre là, à côté, et j'ai fait un appartement pour Yves. (Claire)

> À un moment donné, le printemps dernier, mon mari a dit: «On va vendre la maison pour s'acheter un condo». J'ai dit: «Woh, pas de grosse décision! Ça, c'est assez pour inquiéter Georges.» Puis là (...) j'ai dit: «condo, maison, n'importe quoi, tu auras toujours ton pied-à-terre, pas ton logement, pas ton appartement mais le pied-à-terre, fait que si jamais...» (Gisèle)

La non-cohabitation appelle aussi d'autres démarches comme la recherche de foyers d'accueil, de HLM, etc.

> Il a tout apporté ses choses ici, on a déménagé de là-bas, parce qu'on a eu des problèmes. Le propriétaire, il voulait son loyer, vous savez. J'ai dit: «Il est pas capable», puis le docteur D. a donné un papier pour qu'il casse son bail. Puis voyez-vous, il voulait pas, fait que ça c'est tous des énervements pour moi, quand même hein! (Gilberte)

> Il arrivait avec ses sacs verts, puis il avait pas de place pour aller. Je faisais les rues avec mon auto, puis je regardais où est-ce qu'il y avait des chambres à louer. Puis là, j'allais le placer. Ah! j'ai trouvé ça dur! (...) Un moment donné, je l'ai déménagé huit fois dans la même année, il me téléphonait, il était dehors, avec des sacs verts, je partais, j'allais chercher ses sacs verts, puis je montais ça au troisième étage puis je lui plaçais tout ça. (Suzanne)

> Là, je lui ai dit que je la déménageais plus! (...) oui, je voulais l'amener en appartement, elle a pas resté, elle a capoté (...) elle

> répondait même plus au téléphone, elle allait plus aux toilettes, c'était pas sa place. (Rachel)

Les soins physiques

«Elle se lave pas toute seule, elle s'habille pas toute seule...»

Les soins physiques comportent des tâches comme donner le bain à un parent âgé, l'aider à s'habiller ou à manger ou couper les ongles et les cheveux d'un enfant psychiatrisé. Dans le cas des psychiatrisé-e-s, il ressort des différents témoignages que cet aspect du travail consiste moins à dispenser soi-même les soins requis qu'à en rappeler toute l'importance aux personnes concernées, voire les surveiller afin qu'elles ne se négligent pas. Il faut, bien entendu, que l'état de santé de la personne dépendante soit assez hypothéqué pour qu'elle ne puisse pas voir seule à ses besoins primaires: manger, s'habiller, se laver. Quelques-unes des femmes de l'échantillon supervisent tout cela en allant visiter régulièrement leur parent.

Dans la situation suivante, on peut voir à quel point une aide simple, comme l'assistance pour les repas, devient parfois complexe.

> Elle mange seule, seulement il y a des fois que c'est des petits jeux pour savoir qu'est-ce qu'on va lui donner puis pour lui faire manger ce que je veux. Faut jouer des jeux. Les légumes, elle veut pas en manger, il faut que je m'arrange pour lui faire manger une couple de bouchées. (...) Puis répéter, ça c'est fatigant! Quand elle part avec une idée, elle la perd pas. Quand même je lui dis: «Maman, c'est pas ça que je t'ai dit, c'est toi qui penses ça là.» Mais elle revient dessus. Elle a de la misère quand elle se met une idée dans la tête... ça tombe sur les nerfs. (...) Lui donner ses médicaments, c'est pas une grosse affaire (...) Le midi, je lui sors, toute seule elle pourrait pas, elle les mélange. (Rollande)

Pour Mathilde, qui s'occupe d'une personne atteinte de la maladie d'Alzheimer, les soins physiques sont très lourds à assumer.

> Elle se lave pas toute seule, elle s'habille pas toute seule, tout ce qu'elle fait, je lui coupe son manger et elle mange seule. J'ai eu le problème de la convaincre de porter des couches parce qu'elle salissait partout. Elle avait taché mes tapis. (...) Le matin j'arrivais, je l'amenais à la toilette, j'y mettais une couche nette, je la lavais, je la faisais déjeuner. (...) Deux semaines de temps on s'est levés [la nuit] à toutes les dix minutes, elle appelait: «Viens m'abrier, viens me désabrier.»

Une veuve, elle-même âgée, a la charge de sa mère centenaire qui a commencé à habiter avec elle alors qu'elle était encore autonome mais qui, avec l'âge, a commencé à avoir des problèmes de santé. De fait, le contenu de la prise en charge s'est modifié au fur et à mesure que l'état de santé de la mère déclinait:

> [La prise en charge] c'est venu graduellement. Au commencement, quand je l'ai prise, à 86 ou 87 ans, elle se lavait seule. (...) Je pense que quand elle a arrêté de se laver, c'est quand elle est tombée et elle s'est comme démis une épaule (...). Puis là, bien le bras en écharpe, elle a jamais repris la routine de se laver seule. (...) Je mettais mon costume de bain, pendant des années, une ou deux fois par semaine, puis c'était la douche. Je la tenais pour pas qu'elle tombe (...) puis là je la lavais endessous de la douche. (...) Elle était pas aux couches en papier… une personne âgée, tu fais pas ce que tu veux non plus avec: il était pas question de lui mettre une couche en papier, elle tolérait pas ça. Elle prenait ses culottes plus une couche en flanellette. (...) Fait que tous les soirs, j'avais mon petit lavage de culottes (...). Puis le manger, bien c'est ordinaire, si tu en fais pour une ou pour deux… Mais en dernier, elle commençait à être tellement lente que ça finissait plus, son repas. (...) L'assiette venait froide, j'allais la faire chauffer. (...) C'était aussi la coiffer toutes les semaines. (Juliette)

De même, la mère de Rita a commencé à demander des soins particuliers à la suite d'une fracture de la hanche. «Là, elle faisait plus rien. Elle beurrait même pas son pain, c'était comme un bébé.»

À partir de ce moment, Rita a dû installer son lit dans la chambre de sa mère, parce que celle-ci se lève la nuit et n'est pas capable de se rendre seule à la toilette.

> Trois ou quatre fois par nuit, il fallait se lever. Aussitôt que je l'entendais mettre la main sur la marchette... oup! Je me levais puis là j'allais l'aider à faire son pipi. Dans le jour, ben ça passe. Faire les repas puis lui donner ce qu'elle aimait, ça c'était pas si mal.

Rita doit, outre les soins précédemment évoqués, voir au fonctionnement de la maison et à l'entretien de deux autres sœurs habitant sous le même toit.

La question de l'hygiène corporelle occupe une place importante dans la prise en charge des psychiatrisé-e-s.

> Une secousse j'étais obligé de lui dire de prendre son bain. (...) «Fais-toi la barbe! rase-toi! Fais ci!» (...) Tous les soins de base, faut lui dire parce qu'il pensera pas à ça, lui! (...) «Change-toi, ça fait une semaine que tu as ça sur le dos! » (Philippe)

> Et puis le pousser aussi à se prendre en main, à faire au moins le strict minimum dans le sens de la propreté, prendre soin de sa personne, se laver les cheveux... (Rosanne)

Il est intéressant de noter que ces malades psychiatriques vivent tous à l'extérieur du domicile familial. Les parents s'acquittent de cette tâche lorsque leur enfant vient séjourner chez eux ou qu'eux-mêmes vont lui rendre visite. C'est entre autres le cas de Berthe, dont le fils vit dans un centre d'accueil; elle doit voir à sa toilette car celui-ci est devenu handicapé à la suite d'une tentative de suicide.

> Faut que je lui coupe les ongles des pieds par exemple, qui est-ce qui fait ça? Personne! Il est pas capable; il est infirme! Je lui coupe un peu les cheveux de temps en temps, quand il me le

> demande, parce que sans ça, il me tuerait s'il fallait que je le fasse sans sa permission!

L'autorité et la discipline à imposer

«C'est moi qui leur sers de parent.»

Certaines femmes nous ont décrit un autre aspect de la prise en charge, à savoir la nécessité d'imposer une certaine discipline à la personne dépendante. Angèle, qui assure le maintien à domicile de ses parents âgés et lourdement handicapés, en plus des soins exigeants qu'ils requièrent, estime qu'il est de son devoir d'intervenir vu le climat qui règne dans leur appartement, la mère étant devenue très agitée et très colérique à la suite d'une paralysie et le père souffrant d'un cancer avancé.

> Finalement, c'est moi qui leur sers de parent. Ça, c'est très difficile... vous savez, j'ai servi de parent à mes enfants, c'est mon affaire. Mais servir de parent à mes parents, c'est une autre paire de manches parce qu'à un moment donné, il y a trop d'agressivité... t'es obligée de te fâcher pareil comme avec tes enfants, de dire: «C'est assez!»

L'aide financière

«Il a pas assez de sous, fait que je lui en donne.»

L'aide financière s'avère être une dimension très importante de la prise en charge de personnes psychiatrisées. Ce soutien financier se traduit de multiples façons. Pour certaines, il s'agit de faciliter l'installation en appartement en donnant des meubles, des rideaux et des appareils électriques. Pour d'autres, il faut mentionner les dépenses inhérentes à la cohabitation et aux visites à l'hôpital, aux loisirs, à l'achat de journaux, de cigarettes, de cadeaux ainsi que les dons d'argent. Certaines évoquent aussi le remplacement d'objets brisés lors des crises de même que les dommages causés par les cigarettes qui brûlent draps et tapis. Dans certains cas, elles se soumettent à ce «devoir» même si elles-mêmes éprouvent des difficultés financières.

Plusieurs enfants psychiatrisés n'arrivent pas à subvenir seuls à leurs besoins avec le peu d'argent octroyé par l'aide sociale. Ceux et celles qui résident à l'extérieur du domicile familial vivent cette dure réalité. Dans ce cas, l'aide financière des soignantes se concrétise essentiellement par les dons d'argent et de nourriture. Certaines préparent assez de nourriture pour en apporter à leur enfant. D'autres l'invitent à souper, parfois même tous les soirs de la semaine, afin de ménager son portefeuille et s'assurer qu'il soit bien nourri.

> Ils ont pas beaucoup de Bien-être social. Ils ont pas assez quand ils sont en appartement. Alors (...) bien des fois, je faisais une petite commande puis j'allais lui porter (...) ou bien des choses comme des pizzas (...) parce qu'il se faisait pas tellement à manger. (Gilberte)

> À la fin du mois, il arrive pas avec son Bien-être! Une fois qu'il a payé son loyer, son téléphone, ses fameuses cigarettes — puis pas besoin de vous dire qu'il fume! Une par derrière l'autre! Alors, après qu'il a tout payé ça, il lui reste plus grand-chose et puis sa nourriture (...) parce que j'en donne, mais j'y en achète encore pas mal (...) presque tous les mois j'ai à lui en donner. Puis quand il est dans ses périodes où ça va pas, bien, il a plus de contrôle sur son argent, pas plus que de contrôle sur d'autres choses. Alors là, à la fin du mois, il lui en manque beaucoup! (Rosanne)

> On est pas toujours capables de lui donner de l'argent aussi, ou bien son père lui donne un peu d'argent à sa fête. (Gilberte)

Berthe raconte que son fils gère mal son argent car deux ou trois jours après avoir reçu son chèque d'aide sociale, il ne lui reste plus rien. Bien qu'il ne réside pas au domicile familial, elle doit l'aider financièrement car il ne parvient pas à établir un budget adéquat et la Curatelle publique dont il dépend ne semble pas avoir réglé ce problème. Et comme elle lui défend de venir chez elle, elle va elle-même lui porter ses repas.

> Le mois dernier, à la banque, [la Curatelle] dépose 240 dollars pour Ovide, qui doit être donné une fois par semaine. Parce qu'il dépense tout le premier jour! Puis après ça, il s'en vient ici, il tourne autour de la maison, il quête, et puis il achale tout le monde! Là ils se sont trompés, ils lui ont donné tout son montant, et le lendemain il avait plus un sou! (...) Qu'est-ce que vous voulez que je fasse? Je lui donne 4 dollars pour du tabac, pas de cigarettes bien sûr. Le reste, il le quête. (...) Mais seulement, moi, je suis obligée de me priver beaucoup, j'ai pas les moyens, comprenez-vous? Ça me met dans le trou sans bon sens!

Certaines ont négocié des arrangements financiers particuliers avec leur proche dépendant en vue de l'accommoder.

> Je trouvais que c'était trop cher. Dans ma maison c'était pas trop pire, j'avais une maison de six logements puis je l'avais installé dans le sous-sol. Mais il fallait qu'il paie son loyer pareil. Même si c'était à moi, il fallait qu'il s'habitue à payer son loyer. (...) Et puis disons que je lui louais un petit peu meilleur marché. (Rosanne)

ANALYSE: LA SPÉCIFICITÉ DE LA PRISE EN CHARGE D'UN-E PROCHE ADULTE DÉPENDANT-E

Les expériences personnelles que nous ont communiquées les soignantes tendent à confirmer notre hypothèse de départ, à savoir que la prise en charge d'un-e proche adulte dépendant-e revêt un caractère spécifique, différent à certains égards de celle d'un enfant et que cette responsabilité englobe un vaste ensemble d'activités physiques et de support qui dépassent largement le cadre de soins normalement dévolus aux familles. L'examen de ce matériel riche d'information permet en effet de dégager un ensemble de caractéristiques qui constituent la spécificité de la prise en charge d'adultes dépendants. Parmi celles-ci, on retrouve l'état de chronicité de la personne dépendante, la diversité et la fragmentation des tâches, la complexité du travail de soignante et le caractère monopolisant de la prise en charge.

L'état de chronicité des personnes dépendantes

Les deux populations étudiées au cours de cette recherche nous renvoient une image de chronicité qui s'inscrit en continuité avec les constats de nos recherches antérieures[1] corroborés par plusieurs études[2]. La désinstitutionnalisation a refoulé et tente de maintenir dans leurs familles des individus dont les maladies durent plus longtemps, provoquant une perte graduelle de leur autonomie. Ces personnes présentent d'énormes besoins de prise en charge, d'encadrement et d'attention continue.

Jeunes adultes aux prises avec des troubles mentaux sévères et récurrents, caractère «quasi inguérissable de la maladie mentale», graves difficultés d'adaptation à la vie sociale, itinéraire de réinsertion sociale ponctué de nombreuses hospitalisations et de va-et-vient entre les institutions publiques et les familles, conditions socio-économiques précaires, telle est la description que les soignantes ont faite, à leur manière, de l'état chronique de leurs proches dépendant-e-s psychiatrisé-e-s. Le problème de la chro-

---

1. N. Guberman, H. Dorvil et P. Maheu, *op. cit.*

2. Ministère de la Santé et des Services sociaux, *Rapport de la Commission d'enquête sur les services de santé et les services sociaux, op. cit.*; L. Garant et M. Bolduc, *L'Aide par les proches. Mythes et réalités,* Direction de l'évaluation, ministère de la Santé et des Services sociaux, Québec, Les Publications du Québec, 1990.

nicité des maladies mentales est jugé par le *Rapport Rochon*[1] particulièrement alarmant dans le cas des jeunes adultes.

Du côté des personnes âgées, ce dont nous ont parlé la majorité des soignantes, ce n'est plus seulement de personnes en légère perte d'autonomie — la clientèle qui est l'objet original du programme de maintien à domicile —, mais bien de personnes non autonomes: personnes ayant plusieurs maladies, handicaps et troubles de fonctionnement, personnes confuses, avec pertes de mémoire, ayant des difficultés à se déplacer et à pourvoir à leurs besoins personnels. Dans leur revue de littérature sur les personnes âgées, Garant et Bolduc[2] soulignent que l'enquête Santé Québec indique que pour chaque personne âgée en lourde perte d'autonomie prise en charge par le milieu institutionnel, il y en a au moins une autre de niveau d'incapacité similaire qui demeure dans son milieu naturel. Ces mêmes auteurs expliquent que l'espérance de vie étant plus grande de nos jours, les maladies aiguës, souvent fatales, ont été remplacées par des maladies chroniques et les limitations fonctionnelles qui leur sont fréquemment associées entraînent par le fait même de plus longues dépendances pour un nombre plus important d'individus.

La diversité et la fragmentation des tâches

L'analyse des témoignages nous a révélé un fait étonnant: peu importe le type ou la lourdeur de la prise en charge, une caractéristique est récurrente dans la très grande majorité des situations, c'est la diversité et la fragmentation des tâches accomplies. Il s'agit là d'un trait commun avec le travail ménager[3], tra-

1. Ministère de la Santé et des Services sociaux, *Rapport de la Commission d'enquête sur les services de santé et les services sociaux, op. cit.* , p. 62.

2. L. Garant et M. Bolduc, *op. cit.,* p. 14.

3. Selon l'analyse de Louise Vandelac dans *Du travail et de l'amour*, Montréal, Saint-Martin, 1985.

vail se définissant lui aussi par son morcellement, par la multiplicité des petites choses qui en constituent la trame.

En les comparant, on peut observer que certaines tâches sont communes à la prise en charge de personnes âgées et à celle de personnes psychiatrisées: la coordination des services médicaux et sociaux, le travail domestique et l'organisation de la vie quotidienne, le soutien affectif et l'accompagnement, la surveillance. Par ailleurs, d'autres tâches sont spécifiques à la prise en charge de personnes psychiatrisées, notamment tout ce qui a trait aux problèmes d'ordre judiciaire; cet aspect est revenu fréquemment dans les témoignages qui nous ont été livrés, phénomène assez nouveau et qui mériterait d'être étudié. On se rend compte en effet que ceci est en voie de devenir un véritable problème de société, illustrant bien les conséquences désastreuses de la désinstitutionnalisation telle qu'elle s'est réalisée dans le contexte québécois. De même, certaines caractéristiques sont propres au travail auprès de personnes âgées: les tâches axées sur les soins médicaux et infirmiers.

Néanmoins, on retrouve davantage de points communs que de différences dans la prise en charge d'une personne âgée et celle d'une personne psychiatrisée. Le fait de prendre soin d'une personne ayant des besoins particuliers amène à accomplir une foule de petits gestes, effectués dans le cadre d'un tout, la prise en charge, et impliquant de l'aide dans les activités de la vie quotidienne — les soins personnels, les repas, l'habillement, etc. — et les besoins d'ordre affectif.

La complexité de la tâche de soignante

Les données obtenues révèlent on ne peut plus clairement le caractère complexe de la tâche de soignante, qui oblige cette dernière à assumer une multiplicité de rôles exigeant des compétences et des capacités physiques, intellectuelles et morales comparables aux tâches des travailleurs et travailleuses de la santé et des services sociaux[1] comme les infirmières, les infirmières-auxiliaires, les auxiliaires familiales, les préposés aux malades, les thérapeutes et les travailleuses sociales et ce, sans l'équipement nécessaire.

Certaines tâches font appel à des capacités de support moral, voire thérapeutique, telles que conseiller, écouter, accompagner, surveiller, contrôler des comportements et gérer des crises, etc. D'autres exigent des capacités physiques, notamment dans le cas de personnes âgées, et ce pour aider à marcher, se lever, se déplacer, etc. La nature des besoins de la personne dépendante nécessite une connaissance des ressources institutionnelles et communautaires et de bonnes habiletés pour se débrouiller à travers l'organisation bureaucratique des services publics. Enfin, un des éléments les plus complexes de la tâche consiste à devoir «gérer» plusieurs rôles différents souvent conflictuels: femme, épouse, mère, travailleuse, soignante. La surcharge des rôles, les tensions associées aux conflits potentiels entre ces derniers et les pressions exercées sur les soignantes pour répondre à de multiples besoins risquent de les mener à l'épuisement physique et mental, comme nous le verrons plus loin.

Le caractère monopolisant de la prise en charge

Un des traits majeurs de la prise en charge qui émerge des témoignages et qui est corroboré par les recherches citées plus haut renvoie à son caractère astreignant et monopolisant surtout dans les cas de dépendance sévère, tels ceux rencontrés dans notre recherche. Présence et soins continus, surveillance constante, inquiétude, appréhension, nuits écourtées, manque de som-

1. N. Guberman, H. Dorvil et P. Maheu, *op. cit.*; R. Therrien, *La politique de maintien à domicile et les femmes comme aidantes naturelles*, communication présentée au 57e congrès de l'ACFAS, mai 1989.

meil, tel est le lot quotidien des soignantes que nous avons rencontrées. Il découle de ces conditions un état de captivité, de «cabin fever[1]», un sentiment d'emprisonnement dans sa propre maison, sans répit: on n'a plus de temps pour soi.

Progressivement on s'isole, on ne sort plus, on ne reçoit plus, on décline les invitations, on annule les activités sociales. L'impossibilité de laisser seule la personne dépendante, de laisser la maison sans être inquiète, les craintes associées aux réactions négatives à l'égard de ses comportements bizarres et embarrassants, ses agissements imprévisibles, l'impossibilité de planifier quoi que ce soit, tous ces facteurs font qu'on décide de «ne plus voir personne» et de «se terrer» dans sa maison... tant le prix est lourd pour maintenir à flot sa vie sociale.

> J'ai pas d'autre temps, c'est sept jours par semaine... ça fait trois ans et demi que j'ai pas pu avoir de vacances. Là cette année comment vous voulez que j'en aie? Quelles Fêtes vous pensez que je vais passer? J'aurais voulu aller au sous-bassement de l'église, je peux pas y aller, je peux toujours ben pas amener ma mère en couche ou en culottes, et pis qu'elle me fait des dégâts à 500 personnes et que je suis obligée de nettoyer ça. Je peux pas. Je vais passer les Fêtes ici. Une minute elle est comme il faut, pis tout d'un coup ça part. (...) Je vais devenir folle, sept jours par semaine, 24 heures sur 24. (Marthe)

> Le dernier mois qu'elle est rentrée à l'hôpital, c'était jour et nuit — ç'a toujours été jour et nuit. Vous savez, depuis le mois de septembre qu'on a pas sorti moi et mon mari — on a pas eu une veillée tout seuls — on a pas parti tout seuls depuis la Fête du travail. Avant je prenais des cours de tricot — on sortait plus souvent — tu partais quand tu voulais, si ça te tentait, si t'as de quoi à faire comme l'après-midi, j'avais de quoi à faire, il fallait que j'aille faire une commission à la banque, j'ai pas pu y aller. Un des problèmes majeurs, c'est la disponibilité, il faut que vous soyez toujours là. C'est des problèmes tout le temps, tout le temps, il faut toujours quelqu'un ici. (Mathilde)

1. J. Goldstein *et al.*, *loc. cit.*, p. 24-30.

> Ben c'est que nous autres, on a appris à vivre avec Claudette. (...) Une journée à la fois. On peut pas faire de projets à long terme, on peut pas planifier de voyages, de vacances parce qu'on connaît pas la condition de Claudette. On peut même pas planifier un voyage à Québec pour la fin de semaine! (Mireille et Fernand)

> Je vais vous dire, quand il est pas à la maison, on est presque jamais tranquilles. Vous savez, on est inquiets 24 heures sur 24. Il fume comme une cheminée, même ici les draps sont brûlés, les tapis. Vous savez, on est très inquiets. Alors l'avoir à la maison, c'est plus d'ouvrage naturellement mais c'est une situation terrible! Je me demande s'il y a une porte de sortie. (Anita)

> Puis quand il était en période de vagabondage, j'avais beaucoup d'inquiétude, beaucoup d'angoisse, je voulais savoir par sa garde-malade comment il se sentait, lui. Puis c'était quoi la maladie? Quelles étaient ses ressources? (Alberte)

> Parce que moi, je dors pas des nuits, puis quand je dors c'est des cauchemars, je pense à ça tout le temps. (...) Jour et nuit, mon cerveau est pris comme ça. (Berthe)

Non seulement les soignantes coupent les liens avec l'extérieur, mais il y a aussi risque que leur famille éclate de l'intérieur: c'est le climat familial qui en prend un dur coup. La concentration des soins sur les besoins d'une seule personne hypothèque gravement les relations du couple et de leurs enfants: tensions, absence d'intimité, baisse totale ou partielle de l'attention accordée aux autres membres de la famille.

Le fardeau provenant du caractère souvent ardu et monopolisant du travail de prise en charge, notamment dans le cas de dépendance sévère, comporte des effets importants sur plusieurs plans dans la vie des femmes soignantes. Même si cette question n'a pas fait l'objet de cette recherche, il n'en demeure pas moins qu'elle est présente dans plusieurs témoignages, plus particulièrement en ce qui a trait à l'impact de la prise en charge sur le travail salarié des femmes et sur leur santé physique et mentale.

L'impact sur le travail salarié

L'effet monopolisant de la prise en charge déborde la sphère familiale et exerce un impact direct sur le travail salarié des femmes. Certaines ont dû abandonner leur travail à l'extérieur, ou envisagent de le faire, la pression étant trop grande pour pouvoir maintenir tant de responsabilités. D'autres doivent cumuler travail salarié, prise en charge et responsabilités familiales. Elles doivent faire face à des difficultés de concentration au travail; réduire ou éliminer leur temps libre et de loisir; réaménager leur horaire de travail selon les besoins du dépendant; utiliser au maximum les divers types de congés (sans solde, maladie, etc.); s'absenter pour intervenir en temps de crise ou accompagner le dépendant à ses rendez-vous à l'hôpital; assurer une présence ou surveillance par téléphone ou utiliser leur temps de lunch pour effectuer une visite-contrôle à domicile; réorganiser leur vie personnelle et familiale; gérer les contraintes financières accrues dues à la réduction des heures de travail, à l'abandon de leur emploi ou à des dépenses supplémentaires (gardienne, etc.); ou enfin refuser des promotions.

Comme l'écrit une chercheure québécoise[1], ces conditions présentent plusieurs risques pour les femmes soignantes. Dans l'immédiat, leur sécurité financière est restreinte. De plus, le fait de participer moins activement au marché du travail ou de le quitter accroît grandement les risques de pauvreté à la vieillesse car cela veut dire aussi réduire ou abandonner les contributions à un régime de retraite. Finalement, ces conditions renforcent une fois de plus la dépendance financière des femmes envers le conjoint. Bref, pour avoir aidé les autres, ces femmes augmentent une fois de plus leur vulnérabilité financière tout en sacrifiant leur autonomie personnelle et sociale.

1. R. Therrien, *op. cit.*, p. 12.

Le risque d'épuisement

Les messages d'épuisement, de fatigue, de frustration, d'impuissance et même de dépression ont ponctué les témoignages: «je suis fatiguée, je suis vidée, j'ai peur de claquer, je suis rendue au bout, je suis pognée, je suis au coton, j'ai peur de devenir folle». Autant de bribes de témoignages qui traduisent le risque d'épuisement physique et mental auquel est confrontée la soignante, risque évoqué dans les conclusions des études américaines et québécoises menées sur le sujet.

> Je pensais jamais que ce choix-là serait aussi difficile. Puis combien de temps il va durer, personne le sait... Moi j'ai accroché ma vie dans le fond du garde-robe puis je la reprendrai le jour où [ils] vont être placés. (Angèle)

Bien sûr, les soignantes ne sont pas toutes confrontées à ces difficultés avec la même intensité. Le fardeau peut être différent selon les besoins de la personne dépendante, les ressources personnelles et socio-économiques de la personne soignante, la nature du soutien apporté à cette dernière. Il n'en demeure pas moins que ces caractéristiques ont été observées de façon récurrente dans toutes les recherches effectuées dans ce domaine[1]. La nature, la complexité, la lourdeur des tâches associées à l'état de chronicité de la personne dépendante, les capacités et les habiletés requises par les soignantes font de la prise en charge d'un proche adulte dépendant une responsabilité qui revêt un caractère spécifique et qui en ce sens appelle un soutien particulier. Les soignantes ont-elle trouvé un tel soutien?

1. Voir le chapitre 1.

Chapitre 3

LE SOUTIEN

Nous l'avons vu au chapitre précédent, s'occuper d'un-e proche dépendant-e est une lourde tâche. Pour faire face aux multiples exigences que comporte une telle responsabilité, peut-on compter sur l'aide et le support extérieurs? Quel soutien les soignantes ont-elles reçu et vers quels recours se sont-elles tournées? Quelles ont été la provenance et la nature de ce support? Enfin, quel est l'apport de ce soutien, quelles en sont les limites et quelle est l'évaluation qu'en font les soignantes?

Nous suggérons des réponses en examinant trois différents réseaux d'aide: le réseau familial et l'entourage immédiat, le réseau communautaire et le réseau institutionnel. Nous avions préalablement formulé l'hypothèse que la prise en charge est assumée principalement par une personne, une femme (mère, fille, belle-fille) et qu'elle fait rarement l'objet d'un partage de tâches entre les membres de la famille. Nous avancions que les responsables d'une prise en charge reçoivent un support variable de la part des réseaux formels ou informels et qu'il existe une nette différence dans les formes de support reçu par des femmes ayant charge d'une personne psychiatrisée et par celles qui s'occupent d'une personne âgée. Nous avons analysé les commentaires ayant trait au soutien en présumant que toute forme d'aide aux personnes dépendantes allège d'autant la tâche de la soignante. Pour des raisons de clarté, l'analyse fera d'abord état des formes de soutien offert aux soignantes de personnes âgées et traitera dans un deuxième temps du soutien des soignantes de personnes psychiatrisées.

LES PERSONNES ÂGÉES

L'aide de l'entourage

Devant l'ampleur et la lourdeur de la prise en charge d'une personne âgée, beaucoup de soignantes se tournent vers les membres de leur entourage, qu'il s'agisse d'une sœur, d'un conjoint, des enfants, d'amies ou encore de personnes proches de la personne dépendante et, dans certains cas, de voisins et voisines. Dans la très grande majorité des cas, les soignantes y trouvent, à divers degrés, une forme ou l'autre de soutien: relais ou gardiennage occasionnel, support moral, matériel ou financier. Mais, conformément à notre intuition de départ, il s'est avéré que ce soutien reste, la plupart du temps, limité et que la prise en charge est le lot des femmes. Examinons l'aide qu'elles peuvent trouver dans leur entourage.

Pour s'occuper de sa mère, Céline peut largement compter sur son père qui est totalement autonome et qui en fait beaucoup dans la maison. Un de ses frères est aussi impliqué alors que les autres restent très distants.

> J'ai un frère (...) il m'a remplacée deux jours. Il l'a gardée très bien. (...) Les autres, j'ai pas grand nouvelle.(...) Mon frère, il m'a offert deux jours dans tout ça. Je les ai pris, je les ai acceptés, c'était un cadeau, vraiment j'étais brûlée! J'ai besoin d'aide.

Dans plusieurs cas, ce sont des frères et sœurs, c'est-à-dire les autres enfants de la personne âgée, qui contribuent aux soins, chacun à sa façon.

> La fin de semaine, le dimanche, ils sont tous ici. Même dans la semaine, ils viennent faire leur tour. Ou ça téléphone deux, trois fois dans la veillée: comment va maman? A-t-elle besoin de quoi? Et puis là, il y a des petites choses (...) s'il y a quelque chose à payer, on paie tout entre nous autres. (...) Nous autres, la famille est tellement unie que ça s'entraide tous. (Louise)

> J'ai une sœur (...) je suis très proche d'elle. Elle vient tout le temps, même que c'est elle qui vient passer un mois parce que je m'en vais. (...) Elle vient avec son mari. (Lucette)

> (...) comme ma sœur, elle va la [ma mère] faire dîner. Il y en a toujours une qui va faire dîner maman. Moi je vais la faire souper (...). Puis mes sœurs s'arrangent entre elles, parce qu'il y en a une qui me parle pas. (Juliette)

Agathe peut compter sur l'aide de ses sœurs et d'un beau-frère dans la prise en charge d'une troisième sœur.

> Mon beau-frère aussi il vit là. Fait que c'est du secours qu'on a entre nous (...) il est bien bon pour nous autres. Ah! il dit jamais un mot, puis tout de suite, vous savez, il retontit aussitôt [qu'on l'appelle]... des fois elle est tombée à terre, puis j'étais pris pour... fait que dans l'espace de deux, trois minutes, juste le temps de s'habiller quand c'est en hiver, puis ils sont rendus. (Agathe)

Les soignantes expliquent jusqu'à quel point cette aide du réseau familial est importante pour elles.

> Bien je trouve que ça m'apporte, c'est... elle a beaucoup de sympathie, elle a peur que je sois malade, et je trouve que c'est très sympathique de m'appeler tous les jours pour s'informer. Parce que c'est moi la vieille là. C'est ça. J'ai 73 ans. (Juliette)

> C'est sûr que l'aspect de la famille est quand même très important, parce que même si je suis bien organisée, si je me sers des connaissances acquises bon, si j'ai pas un appui dans mon

> entourage immédiat, ça je pourrai pas tenir le coup au niveau physique et santé mentale. (Christine)

Dans d'autres situations, la participation des frères et sœurs n'est pas aussi intense mais constitue néanmoins un élément important de la dynamique d'ensemble. Ainsi, Annie peut aussi compter sur la collaboration de sa sœur qui habite au-dessus de chez leur mère atteinte de la maladie d'Alzheimer (elle-même habite un peu plus loin).

> Des journées que je pouvais pas sortir, je l'appelais [ma mère] ça fait que, comme cet hiver quand il faisait trop froid pour que les enfants sortent, j'y allais pas. Là elle passait des journées toute seule; ces journées-là, ma sœur montait à manger chez elle ou elle allait chez ma sœur pour souper.

Il arrive aussi que le support des frères et sœurs soit surtout financier. Ainsi, Marthe obtient de sa sœur qu'elle paie le chauffage annuel de sa maison, où elle vit avec leur mère. Mais sa sœur n'en fait pas plus et exerce un certain chantage avec cet argent. Dans d'autres cas, ce sont les enfants ou le conjoint qui donnent un bon coup de main.

> Il y a beaucoup de dialogue avec mes enfants, et elles sont conscientes aussi de... c'est sûr de ce que je fais. Alors très souvent, elles essaient de s'assumer, puis elles essaient de prendre la relève, parce qu'elles sont conscientes qu'un moment donné mentalement ou physiquement j'ai des limites, alors elles sont très attentives et elles sont assez ouvertes à m'aider. (Christine)

> Papa, avec mon mari, ça va très bien. Ils peuvent avoir des conversations ensemble, toutes sortes de choses. Tu sais papa est plus vieux que lui, il a connu des choses. Puis mon mari il a 55, ça fait qu'il a connu des choses puis ils font du bricolage des fois. (Alice)

> Mon mari (...) quand il voyait là que j'en avais assez, il disait bon «habille, on va aller au centre d'achat». Il m'amenait au centre d'achat (...), puis là il me faisait me promener dans les

> magasins. Il s'assoyait sur un banc puis il m'attendait pour que je me change les idées un peu là. (Lucette)

Mais, en général, on ne s'attend pas à une grande contribution de la part des autres membres de la famille.

Les limites de l'aide de l'entourage

«Faut pas se leurrer, ça viendra jamais.»

Pour plusieurs soignantes, l'aide du réseau familial est ponctuelle et assez limitée, leurs sœurs et surtout leurs frères n'étant pas intéressés ni disponibles.

> Eux autres, il y a personne de disponible. Leurs femmes travaillent toutes. (...) J'ai trois de mes frères... ils ont leur commerce, c'est des hommes très actifs dans la société, fait qu'ils ont pas tellement le temps! (Annie)

Gertrude considère aussi qu'il faut surtout compter sur ses propres moyens, sans attendre trop des autres. Ses sœurs et frères ayant refusé de s'impliquer dans la prise en charge de leur mère atteinte de la maladie d'Alzheimer, elle envisage de trouver un foyer pour sa mère.

> C'est pas la question de vouloir m'en débarrasser, mais c'est, par contre, de se rendre compte de nos possibilités, face à tous nos problèmes. Parce que de l'aide des autres faut pas se leurrer, ça viendra jamais.

Angèle résume en ces mots l'aide qu'elle reçoit de ses sœurs et frères: «C'est des visites finalement, pas plus!» Par ailleurs, elle raconte que ses enfants lui offrent à l'occasion de la remplacer auprès de ses parents âgés, mais qu'une telle aide comporte divers inconvénients qui compliquent souvent les choses.

> Il y a ma fille qui va venir de temps en temps, elle va dire: «Si tu veux, je vais y aller leur faire à souper.» Mais là il faut tout

> que je leur explique! Ça aussi, ça devient compliqué parce qu'elle est pas là souvent [ma fille]; tu sais, la petite routine que tu as établie puisque tu fonctionnes là-dedans, il faut que ça marche. Il faut que tu expliques tout avant de partir, ça te prend une heure à expliquer les affaires. Finalement tu perds une heure sur le temps qu'on voudrait te donner, je trouve même plus ça valable! (...)[Mes enfants], ils disent: «Bon, je vais arriver à 4 heures.» Ils arrivent, il est 5 heures, 5 heures 30, tes affaires sont déjà sur la table parce que c'est des personnes âgées qui ont des habitudes, puis eux autres, le souper c'est pas à 6 heures que ça se sert, pas à 7 heures, c'est à 5 heures que le souper doit être sur la table (...). C'est dur d'avoir de l'aide de l'extérieur, c'est pas qu'ils veulent pas!

Pour Nicole, les arrangements pris avec son fils aîné ont mené à un quasi-désastre.

> Je m'étais arrangée avec mon garçon pour que au moins après son travail, il vienne le samedi soir, lui faire à manger. Fait que là, lui a dit: «Oui maman, pas de problème, je vais être là, je vais venir.» Le dimanche, j'arrive, il devait être 2 heures et demie à peu près. Mon fils était pas venu. Fait que ça veut dire qu'elle avait pris son déjeuner, samedi matin, mangé sa pomme, peut-être des biscuits dans la journée. Je peux pas me fier... j'ai personne.

Enfin, c'est parfois la personne dépendante elle-même qui n'accepte pas l'aide de l'entourage et qui refuse d'être prise en charge, ne serait-ce que quelques heures, par quelqu'un d'autre que la soignante principale.

> C'était ma fille qui venait la garder puis elle [ma belle-mère] me faisait toutes sortes de mauvais coups comme les enfants. Comme à Noël, puis au Jour de l'An, elle a juste fait à terre dans sa chambre parce que j'étais sortie la veille, j'étais allée à la messe de minuit. (Mathilde)

On peut donc conclure qu'à l'exception de quelques cas, le support reçu de l'entourage reste ponctuel et ne libère pas les soignantes de leur rôle de première responsable. Plusieurs témoignages traduisent d'ailleurs un profond sentiment de frustration;

ces soignantes reprochent aux membres de leur entourage de se défiler de leurs responsabilités en tenant pour acquis qu'elles-mêmes veilleront au bien-être de la personne dépendante.

Il est néanmoins intéressant de noter qu'une aide relativement faible n'implique pas nécessairement qu'elles ont peu de relations avec la famille ou avec l'entourage. Nous avons voulu évaluer le type de liens que les soignantes entretenaient avec ces deux milieux, car il existe un rapport entre le fardeau ressenti par les soignantes et la faiblesse du support de l'environnement. Or, bien qu'il soit difficile d'estimer avec précision la force de ces liens, on constate qu'en très grande majorité, les soignantes entretiennent des relations suivies avec le réseau familial. Les rapports avec le voisinage sont cependant moins prononcés, mais il faut rappeler que notre échantillon est urbain et qu'un tel environnement a pour effet d'affaiblir les relations de voisinage.

Une minorité de soignantes reçoivent un peu d'aide, surtout pour des situations d'urgence, de certains voisins. Agathe et ses sœurs âgées peuvent faire appel à leur propriétaire qui habite à côté. Il a dit: «Vous savez, si vous avez besoin des commissions, des choses, vous n'avez rien qu'à prendre la peine de m'appeler puis...»

La très grande majorité des soignantes entretiennent toutefois des contacts importants avec des amies. Dans certains cas d'ailleurs, ce sont celles-ci qui leur apportent de l'aide, soutien pratique et affectif.

> J'ai une amie, une confidente, une infirmière, qui a déjà beaucoup travaillé en médecine à domicile, une amie de dix ans passé (...) qui est très consciente, en étant infirmière, de tous les aspects de la maladie de maman. Ça me sécurise aussi... on échange beaucoup aussi intellectuellement, on s'adonne très bien, et j'ai d'autres copines, d'autres amies à qui je peux parler facilement. (Christine)

Mais c'est la famille qui demeure, pour les personnes interviewées, la principale source de contacts et de soutien, aussi faible soit-elle.

Le recours aux services publics

Les services les plus fréquemment utilisés par les soignantes sont ceux offerts par les programmes de maintien à domicile du CLSC. Ce sont dans l'ordre, par fréquence d'utilisation: l'auxiliaire familiale, le médecin, l'infirmière, la gardienne, le dépannage/gardiennage pour plusieurs jours et autres professionnels (physiothérapeutes, ergothérapeutes). Ensuite viennent l'hôpital ou le centre de jour, les urgences des hôpitaux, le service 9-1-1, les services de répit et les institutions résidentielles.

On combine souvent différents types de services. En fait, c'est généralement l'état de santé de la personne dépendante ainsi que le fait d'habiter avec elle ou non qui déterminent l'utilisation des services. Par exemple, les soignantes qui habitent avec leur proche âgé n'ont pas recours à l'auxiliaire familiale du CLSC pour préparer les repas, ce service profitant surtout aux personnes âgées seules. L'aide d'une auxiliaire pour les soins corporels (bain) est le service le plus utilisé: ce geste peut en effet représenter une corvée au-dessus des forces de plusieurs soignantes. On fait également appel aux services de médecins et d'infirmières à domicile, élément majeur dans la stratégie de maintien à domicile de personnes fortement handicapées.

Christine, dont la mère est très malade et handicapée, explique la gamme de services qu'elle reçoit du CLSC:

> J'ai beaucoup de soutien, j'ai quand même deux heures et demie d'hygiène corporelle par jour, j'ai une infirmière trois fois par mois, j'ai une physiothérapeute, ergothérapeute, puis la travailleuse sociale qui est toujours quand même à ma disposition. (...) Si je sentais qu'il y avait un problème majeur, c'est sûr que ça serait la principale ressource, j'irais vers la travailleuse sociale du CLSC, et d'ailleurs quand il y a eu des problèmes là, au niveau d'organisation des auxiliaires et tout ça, c'était elle. À ce niveau-là, je me sens quand même bien appuyée. Ils connaissent bien le dossier, ils savent qu'on s'implique, on veut vraiment participer, on collabore avec eux et eux sont prêts à faire la même chose. Ils nous offrent beaucoup... en plus des

> heures qu'ils nous donnent, c'est qu'ils sont ouverts à nous donner des ressources disponibles, si eux peuvent pas nous donner plus d'heures de gardiennage, ils vont nous donner des organismes alternatifs, comme les Messagères de l'espoir, comme le centre de bénévolat aussi qui en offre.

Les centres de jour[1], services habituellement intégrés dans un plan de traitement à long terme, qu'on fréquente à raison d'une ou de plusieurs visites par semaine, sont aussi très utiles pour un certain nombre de répondantes. On peut en effet y recevoir des traitements (physiothérapie) ou participer à des activités socioculturelles qui aident à stimuler les facultés mentales des personnes en perte d'autonomie.

> Ma mère va au centre de jour, deux jours semaine, elle allait trois jours mais c'était trop, trois jours. (...) Des fois, ils vont lui faire faire du petit bricolage. Des fois, ils ont des jeux, des jeux organisés, ils vont jouer au bingo, puis ils ont toujours quelqu'un alentour pour les aider, tu sais... il y a des (...) un genre de marché aux puces qui se fait une journée de la semaine, puis ils vendent des choses. Elle part le matin à peu près vers 9 heures, puis elle revient dans l'après-midi vers 3 heures 30, 4 heures. (Alice)

Ces soignantes font aussi appel, souvent en collaboration avec les professionnels et professionnelles des hôpitaux, à une série de services pour trouver l'équipement spécialisé dont leurs parents ont besoin.

> Là, après ça, ils ont fait tout un «check up», ses yeux... elle était suivie par le docteur à l'hôpital Rosemont, ils sont rentrés en communication avec, tout s'est fait. À partir de là, ils ont donné une marchette parce qu'ils ont vu que son équilibre était pas fameuse, elle a appris à marcher avec la marchette. (...)

---

1. Les centres de jour sont des milieux de vie offrant des programmes d'activités thérapeutiques et préventives pour des personnes âgées en perte d'autonomie et vivant à domicile; accueil et information, réadaptation physique, soins de santé, suivi médical, support psychosocial, soutien à la famille, transport, repas et animation.

> puis là, j'ai demandé: «Écoutez qu'est-ce que vous en pensez d'une chaise roulante?», ils ont dit: «C'est pas une méchante idée.» J'ai été voir Lucie-Bruneau. Ils ont donné une lettre à Lucie-Bruneau puis on a fait toutes les démarches pour la chaise roulante. Maintenant elle a sa chaise roulante. Elle a tout à maison, mon Dieu Seigneur! Elle a son petit banc pour s'asseoir dans le bain, elle a un bain pour les pieds avec un massage, on lui met ça, il y a une barre sur le bord du bain pour... (Alice)

Peu de soignantes utilisent les services de gardiennage offerts par le réseau public. Néanmoins, la visite de l'auxiliaire familiale pour le bain leur offre souvent un peu de répit, ce qui leur permet alors de s'absenter pour quelques heures.

> Celle qui vient garder le jeudi après-midi, elle lui lave la tête, elle lui donne son bain, elle lui coupe les ongles. (...) Je sors, je vais faire ma grocerie. Puis l'été passé, la gardienne a gardé trois jeudis, bien là j'ai pu aller plus loin, j'ai été passer une journée au Jardin botanique. (Murielle)

Enfin, en cas d'urgence, on utilise le service téléphonique d'urgence (9-1-1) ou encore on se présente directement à l'hôpital. «Quand il arrive (...) qu'elle tombe là, j'appelle à 9-1-1 (...) puis je leur demande toujours qu'est-ce qu'elle a et ils jugent à propos s'ils m'envoient (...).» (Agathe)

Plusieurs femmes ont eu recours à un autre type de service offert par les CLSC, soit les groupes de rencontre pour soignantes de personnes âgées et les sessions de formation spécialisée. Celles-ci portent sur le vieillissement et les diverses maladies s'y rattachant, ainsi que sur la façon d'intervenir auprès d'un proche en perte d'autonomie. Les groupes de rencontre, eux, s'adressent plus directement aux soignantes; on y échange sur les problèmes vécus et les solutions qu'on a trouvées.

L'évaluation de l'aide reçue: les CLSC

Quelle évaluation fait-on de l'aide reçue? Quelques soignantes sont très satisfaites de la réponse des CLSC aux besoins de leurs parents et apprécient beaucoup les groupes animés par les membres du personnel où elles peuvent échanger avec d'autres personnes vivant la même situation. Par ailleurs, beaucoup de soignantes nous ont parlé des limites de l'aide reçue. Deux thèmes ressortent dans leurs commentaires et méritent d'être soulignés: la difficulté d'accéder aux services de maintien à domicile, la rareté des ressources, et les réticences à utiliser les services disponibles, réticences pouvant provenir soit de la personne dépendante ou encore de la soignante elle-même.

Le CLSC, dans les cas de prises en charge lourdes, est la principale source extérieure de soutien, un endroit où trouver les conseils recherchés, où discuter des démarches à entreprendre, où amorcer une demande de placement.

> Je me rendais compte qu'elle avait besoin de l'aide extérieure, fait qu'à ce moment-là, avec le CLSC, on a décidé d'avoir quelqu'un de temps en temps. (...) Progressivement, on a eu plus de services du CLSC. Le médecin vient quand même assez régulièrement parce qu'elle veut pas toujours se rendre à la clinique. (Gertrude)

> Quand j'ai vu que papa était rendu à un point que sa santé commençait à branler (...) je me suis rendue au CLSC. J'ai été voir le médecin, je lui ai dit: «Écoutez là, je vais vous expliquer ce qu'on vit actuellement chez nous (...) nous autres, on a besoin d'aide.» C'est à ce moment-là que tout a commencé à se mettre en marche. Ils sont venus les visiter [mes parents] et comme ils ont vu que nous autres on collaborait, ben là, ça a donné un peu plus de chance (...) Ils voyaient que nous autres on travaillait avec eux autres, donc on aidait quand même nos parents. On les visitait, on allait donner des bains, on faisait quand même pas mal de choses. Ça fait qu'eux autres ils disaient: «C'est pas un service qu'ils nous demandent vraiment», comme les gens

> qui disent: «Envoyez quelqu'un pour les bains, envoyez quelqu'un pour faire à manger.» (Alice)

Francine, la sœur d'Alice, qui s'occupe également des parents, porte elle aussi un jugement très favorable sur le soutien venant du CLSC.

> Les gens du CLSC se sont impliqués énormément! Le maintien à domicile, au niveau du ménage, à tous les niveaux! (...) C'est très avantageux. Ils [mes parents] n'ont pas à se déplacer. L'infirmière va aller faire la prise de sang à ma mère, bon elle va prendre la pression de mon père, elle va jaser avec eux autres pour voir comment ils vont, s'il y a un petit problème. (...) Je pense qu'avec ce qu'ils ont présentement, ils manquent de rien!

Agathe a aussi trouvé réponse à certains de ses besoins au CLSC:

> Ils me demandaient qu'est-ce qui était le plus fatigant pour moi, pour lui donner. Mais j'ai dit «c'est surtout la laver», vous savez, ça c'est... Fait qu'ils nous envoient une personne deux fois par semaine pour lui donner un bain.

Les soignantes qui ont participé aux groupes d'entraide ou aux sessions de formation en font une évaluation très positive. Angèle, qui a suivi de tels cours dans une résidence pour personnes âgées liée à un CLSC, nous en a parlé en ces termes:

> Chapeau pour eux autres! En tout cas, ils te donnent des cours où on t'explique c'est quoi une thrombose, c'est quoi le dégât qui est fait au cerveau, à quoi il faut s'attendre en termes de réhabilitation, c'est quoi les réactions que ces gens-là peuvent avoir, comment réagir face à eux autres, de pas se laisser embarquer non plus parce que, quand ils font des colères, ils peuvent t'embarquer dans un beau bateau (...). On peut poser des questions, puis c'est par petits groupes, on peut vraiment jaser!

Joseph, qui a suivi le même genre de cours au CLSC, a retiré des bénéfices de cette formation: «Ça m'a éclairé... Ce qui m'a beaucoup aidé, c'est quand ils m'ont parlé d'avoir de la patience, de pas monter la voix pour pas les perturber.»

Mathilde nous a raconté que c'est à la suite d'une de ces rencontres qu'elle a pris la décision de placer sa belle-mère atteinte de la maladie d'Alzheimer en centre d'accueil, chose qu'elle ne pouvait envisager auparavant sans se culpabiliser et sans craindre les réactions de son mari.

Ces groupes ont permis à Lucette de parler avec des personnes dans la même situation qu'elle:

> Ça m'aidait parce que chacune des personnes qui étaient autour vivait la même situation que moi (...). Chacun contait ses choses puis eux autres essayaient de trouver des solutions. Fait que ça m'a aidée beaucoup.

De plus, ces cours l'ont amenée à faire une demande de placement pour sa mère, de moins en moins autonome.

> Ça faisait une fois ou deux que j'essayais de la placer puis j'étais pas capable d'aller jusqu'au bout de mon idée. (...) C'est le médecin qui venait pour elle qui avait donné mon nom au CLSC. (...) Le médecin avait dit: «Attendez pas, placez-la, ç'a plus de bon sens, elle est vraiment pas fine.»

Néanmoins, la majorité des soignantes ont formulé des critiques à l'égard des services des CLSC.

> Le CLSC, j'aime pas bien ça. Parce qu'avec toutes les annonces qu'ils ont faites, avec toute la publicité qu'ils ont faite, c'est faux leur affaire! Qu'ils ont tous les soins... puis que c'était facile... C'est complètement faux! J'ai [pour ma mère] un bain par semaine. Deux bains par semaine, ç'a été refusé. Je comprends que leur budget est limité, seulement qu'ils fassent pas la publicité (...). Je veux pas les critiquer, je suis certaine qu'ils perdent pas leur temps, seulement c'est ça que j'aime pas, nous dire qu'ils vont faire ci et vont faire ça et ils le font pas! (Rollande)

Angèle, ayant la charge de ses deux parents invalides, partage elle aussi ce point de vue: «Avec le CLSC, on a eu des rencontres puis c'est assez difficile aussi d'avoir de l'aide. Le plus qu'ils peuvent couper, ils le coupent.»

N'habitant pas avec ses parents, elle doit veiller sur eux plusieurs heures par jour et elle déplore les limites de l'aide qu'elle reçoit présentement. «Je peux avoir des gardiennes qui viendraient me remplacer le soir, [mais] il faut que je paie, c'est six ou sept dollars de l'heure.»

Robert, qui s'occupe de sa mère âgée, est conscient du fait que l'accès aux services de maintien à domicile des CLSC n'est pas universel. Sa mère, possédant quelque fortune, ne serait pas considérée comme un «cas prioritaire» par le CLSC.

> Moi-même, je travaille dans le réseau des affaires sociales, je connais comment on est obligés de hiérarchiser les besoins et les critères qu'on est obligés d'appliquer. Tu fais pas ce que tu veux. Je savais qu'il était pas tellement question, c'était même pas équitable de demander des services dans le cas de ma mère. Et quand je dis pas équitable, c'est (...) qu'elle aurait été en mesure de payer quelqu'un qui vient une couple de fois par semaine. Je veux pas porter de jugement genre: les services publics c'est pour les pauvres, quelque chose comme ça, mais (...) ça valait pas le trouble qu'elle ait un dossier au CLSC.

D'autres soignantes se sont fait offrir des services inadéquats: ainsi on a offert à Murielle qui a plus de 70 ans et qui vit seule avec sa mère âgée les services d'une personne pour faire le ménage. Elle a répondu en ces termes:

> Désespoir! j'ai dit. C'est grand comme ma main ici, à tous les jours je passe le balai puis la vadrouille. (...) Fait que je me fais pas mourir là-dessus! (...) Ça fait juste un an que j'ai une gardienne parce qu'on m'a quasiment forcée à la prendre. Puis j'ai jamais rien demandé à personne.

Des soignantes déplorent aussi l'inexpérience du personnel qui est envoyé à domicile.

> On m'avait envoyé un moment donné une personne qui pouvait même pas retourner maman dans son lit, alors là je devais être

présente constamment. C'était plus une ressource. Moi, je me fatiguais autant. Une autre qui faisait des soins corporels, ça prenait à peu près 15 minutes le matin, 15 minutes le soir, puis moi j'ai pas accepté ça pour maman. J'ai dit «Écoute, c'est pas un morceau de production, maman c'est une personne qui a besoin d'attention, pas d'être manipulée comme un morceau de viande, tu sais, vite, vite, vite.» (Christine)

C'est effrayant, en tout cas, toutes les femmes qu'ils ont essayées. Il n'y a pas une femme qui est capable de faire un lit comme du monde... Je suis obligée de faire les lits quand je les défais le soir... c'est fait à moitié. (Angèle)

La sœur de Joseph, vivant seule, a obtenu, grâce aux pressions de son frère, la visite quotidienne d'une auxiliaire pour préparer ses repas. Cependant, un problème particulier a surgi:

Ils nous ont envoyé quelqu'un une heure par jour, l'après-midi, pour lui préparer ses repas du soir. Puis cette personne-là les préparait pas, ça fait que [ma sœur] mangeait pas! Cette personne disait: «Mlle S. je viens vous aider à préparer votre souper», ma sœur lui disait: «J'ai pas besoin de personne pour voir à mes repas!» L'auxiliaire disait: «Bon, je vais m'asseoir et attendre que mon heure soit finie!» J'ai trouvé que c'était de l'argent dépensé pour rien, j'ai dit au CLSC: «C'est pas utile de lui envoyer quelqu'un pour une heure, quelqu'un qui veut pas s'occuper de la patiente!» Parce qu'envoyer à une personne de 78 ans une petite fille de 18, 19 ans qui sait pas quoi faire, c'est pas utile de payer de l'argent pour rien!

Les personnes qui ont eu recours aux services de maintien à domicile déplorent aussi l'insuffisance des ressources disponibles, la complexité des démarches à faire pour y avoir accès ainsi que la lenteur administrative. Plusieurs parmi celles qui bénéficient déjà d'un certain nombre d'heures de service par semaine estiment ces heures nettement insuffisantes. Angèle, qui s'occupe de ses deux parents n'habitant pas avec elle, abonde dans ce sens:

(...) le gouvernement veut pas leur donner quelqu'un vingt-quatre heures par jour. Ça c'est bien clair dans ma tête. Y'a pas d'aide du gouvernement vingt-quatre heures par jour à moins

> d'être hospitalisée ou d'être en foyer d'accueil... Comme là, on a [l'aide] le matin, donc tu peux pas avoir seize heures, vingt heures par semaine (...). Dans le moment, on a pas ça ... (soupir). On a aux alentours de onze heures par semaine.

Deux autres soignantes ajoutent:

> Je calculais depuis que maman était malade, qu'elle était portée à transpirer plus, moi je la lavais à la serviette, mais je trouvais qu'au lieu de quatre bains par mois, il y en aurait besoin de plus. Je l'ai pas demandé ça, parce que c'était impossible. J'en voulais... peut-être pas à toutes les semaines là, mais essayer d'avoir... tu sais, des fois tu as quelqu'un qui cancelle, qui a quelque chose, qui est parti en voyage, alors si tu peux m'envoyer une... ça lui ferait du bien. Parce qu'il y a beaucoup d'ouvrage, ils ont pas beaucoup d'employés. (Céline)

> À l'intérieur des services gouvernementaux, vous savez, on a souvent à se battre pour avoir ce qui nous est dû, enfin pour avoir ce qu'il y a à l'intérieur, bien, il faut se battre pour ça, il y a certains programmes, des fois, dont on parle pas trop. (Christine)

Enfin, Christine a accepté de recevoir la visite du député provincial chez elle:

> On avait sélectionné mon cas, pour faire des pressions gouvernementales au niveau du maintien à domicile, pour augmenter les budgets au niveau des CLSC, qu'ils se rendent compte sur place. C'était le député libéral du comté et le directeur général du CLSC qui sont venus sur place et c'était surtout pour sensibiliser monsieur le député à ce qui se passe dans les domiciles qui ont besoin de plus de ressources financières et c'est quoi une personne qui a des soins prolongés. Alors j'ai accepté et ça m'a fait plaisir, parce que je me suis dit: j'en ai besoin du CLSC, c'est une ressource et s'il y a d'autres personnes à aider, si on peut améliorer encore, c'est bon de le faire.

Par ailleurs, plusieurs personnes ont subi les conséquences des budgets insuffisants du programme de maintien à domicile des CLSC. Marthe nous dit:

> Le CLSC a été coupé par le gouvernement et un autre organisme du gouvernement, de qui j'avais des gardiennes l'an dernier, a été coupé de neuf gardiennes à deux; alors là, je suis prise encore avec trois heures par semaine puis... pas le soir, eux c'est des gardiennes de jour.

Dans d'autres témoignages, ce n'est pas seulement le gardiennage qui est abordé mais bien l'ensemble des services dispensés par les CLSC, et plus particulièrement le volet des services de maintien à domicile.

> Je pense bien que toute l'histoire du CLSC serait à repenser. L'organisation en soi, je pense bien que c'est bon, seulement je pense qu'ils sont mélangés dans leurs papiers. Celles qui travaillent au CLSC, c'est pas elles qui seraient les coupables. Eux autres, ils marchent par les ordres qu'ils ont. Mais les têtes dirigeantes, là, je pense qu'elles ont jamais mis les pieds dans un CLSC! Eux autres, ils auraient besoin de voir qu'est-ce qui se passe. Moi, quand je les entends à la télévision qui... «Ah! il y a tant de places pour les gens âgés, ils sont bien ici.» (...) Moi, je disais à maman justement cette semaine: «C'est des femmes qu'il faudrait à la tête de tout ça! » (Rollande)

Annie qui prend soin de sa mère atteinte de la maladie d'Alzheimer, sans habiter avec elle, nous a livré la réflexion suivante:

> Il y a beaucoup de services qui sont donnés, mais je trouve que ça prend beaucoup de temps avant d'avoir les services. Pourquoi? Parce qu'il doit y avoir un manque de personnel, les travailleuses sociales sont surchargées. Mais je trouve que ça prend beaucoup de temps! Disons qu'on demande un hébergement, ça prend trois à quatre mois avant que la travailleuse sociale vienne. La personne, elle peut changer d'idée, ou elle peut être morte d'ici ce temps-là! Je trouve ça vraiment effrayant! (...) Je trouve que pour la population de Montréal, il devrait y avoir plus de services sociaux ou plus de travailleuses sociales, je sais pas quoi, mais le budget est très précaire.

D'autres commentaires portent sur l'absence de support et de mesures transitoires lorsqu'on attend le placement.

> Mais pour les placements je trouve qu'ils sont pas vite, c'est comme dans tous les domaines, j'ai l'impression qu'ils ont des dossiers assez hauts sur les bureaux, puis ils ont pas assez de personnel ressource. (Nicole)

> Ah! moi je trouve que ça prend du temps puis il y a trop de gens, fait que c'est pour ça que les gens sont un peu comme des numéros. Je pense que d'une certaine façon, si tu fais pas un peu de pression pour qu'elle rentre au centre d'accueil (...), les gens vont prendre des années et des années. (Alberte)

Par contre, s'il arrive souvent qu'on ne reçoive pas toute l'aide demandée ou encore qu'il faille attendre longtemps avant de l'obtenir, il est également vrai que les personnes dépendantes ou les soignantes se montrent parfois elles-mêmes réfractaires à cette forme d'aide. En effet, on nous a rapporté à plusieurs reprises les réticences exprimées par les personnes dépendantes envers tout service dispensé par une personne étrangère, comme en témoigne Nicole.

> J'ai même parlé [à ma mère] qu'au CLSC il y avait des gens qui venaient à domicile... parce qu'elle est toute seule toute la journée, je sais jamais le soir si je vais rentrer, si je vais la trouver là, ou morte en quelque part, parce qu'elle tombe, elle tombe assez souvent. (...) Elle veut pas de gens étrangers dans la maison, parce qu'elle dit qu'ils vont fouiller dans ses affaires.

Nicole s'est d'ailleurs fait dire par le personnel du CLSC qu'ils ne pouvaient intervenir sans le consentement de sa mère.

> J'ai appelé au CLSC un moment donné parce que j'étais dépourvue... je savais plus. J'étais toute seule qui assumait toute la tâche puis j'étais après devenir folle (...) au CLSC, ils m'ont dit que si elle refuse toute aide, eux autres, ils peuvent pas [intervenir]. Ils m'avaient dit par exemple qu'ils enverraient quelqu'un, le travailleur social à qui j'ai parlé, que la personne ferait comme si c'était une personne que je connaissais, une amie là, qui observerait le comportement, puis à ce moment-là qu'ils pourraient, je sais pas moi, monter un dossier, mais finalement ils ont jamais envoyé personne.

Annie s'est aussi butée aux résistances de sa mère face à l'aide extérieure.

> Pour le service à domicile, pour le ménage, ma sœur puis moi on y a pensé mais avec sa maladie, elle craignait toujours les personnes étrangères; on avait peur que quelqu'un d'étranger vienne chez eux faire son ménage, puis qu'elle commence à leur dire que... je sais pas, ils ont volé des choses ou quoi que ce soit. Fait qu'on a pris ça sur nous autres de faire le ménage.

Une dernière critique concerne les difficultés à communiquer avec les médecins ou le personnel du CLSC. Ainsi, Angèle, qui a demandé le placement de ses parents et dont la mère est gravement paralysée, déplore l'inaccessibilité des médecins et l'impossibilité de se faire expliquer clairement la maladie dont souffre sa mère.

> Moi je suis une courailleuse de docteurs: «Explique-moi, j'aurai pas peur mais dis-moi-le! Dis-moi à quoi je peux m'attendre!» Et puis tu as de la misère à avoir des réponses (...). T'es pas capable d'avoir des renseignements concernant la maladie elle-même, c'est quoi que ça fait, c'est quoi qui est arrivé, pourquoi... J'aime ça savoir pourquoi, je sais pas, mais ça me rassure.

Gertrude déplore cette absence de communication de la part du personnel fortement impliqué dans le plan de maintien à domicile de sa mère. Elle suggère de mettre sur pied des rencontres régulières entre le personnel des CLSC et les soignantes à domicile.

> On pourrait rencontrer peut-être un peu plus souvent les gens [du CLSC] puis discuter un peu plus de nos problèmes. Parce qu'ils sont pas toujours faciles d'accès. Faudrait qu'une fois par mois, peut-être par deux mois, ils viennent parler avec nous autres pour savoir les changements qui pourraient se faire à ce niveau-là. T'as pas (...) une personne ressource avec qui tu aimerais jaser un moment donné (...) qu'elle soit quand même assez disponible, disons dans les 24 heures ou dans les 48 heures, pour que tu puisses t'accrocher à quelque chose.

Le discours des personnes qui assument une prise en charge depuis quelques semaines seulement n'est pas aussi critique que celui des personnes qui vivent cette situation depuis une longue période. Leurs demandes sont davantage formulées au conditionnel; on souhaite avoir accès aux services si l'on en a besoin. Par exemple, une femme actuellement en chômage souhaite obtenir un service de gardiennage pour sa mère lorsqu'elle aura trouvé un emploi.

L'évaluation de l'aide des autres services publics

Les centres de jour

Plusieurs personnes âgées fréquentent les centres de jour quelques fois par semaine. Selon Annie, le centre de jour a bien répondu aux besoins de sa mère atteinte de la maladie d'Alzheimer.

> L'alternative du centre de jour est très bonne, très efficace d'après moi. C'est une chose idéale pour les gens, même les gens autonomes d'un certain âge, je leur recommande. Ma mère était assez heureuse quand elle était au centre de jour!

Céline partage cette opinion: «Ça lui fait du bien de voir ses amis (...). Ils font une chorale, ils font des jeux, ils font faire des devinettes, toutes sortes d'affaires. En tout cas, ils passent des belles demi-journées...»

Mais si les centres de jour peuvent aider les personnes âgées, ils ne fournissent pas toujours assez de répit aux soignantes.

> Le centre de jour, elle y allait pour de la physiothérapie (...). Ils venaient la chercher à midi et demi et à trois heures il fallait que je sois ici. J'avais une heure pour m'amuser pendant qu'elle était là-bas. C'était pas bien long. (Rollande)

Le service de répit

Il existe dans le secteur public un service de placement temporaire qui permet aux soignantes de prendre des vacances ou bien de disposer de quelques jours ou quelques semaines pour reprendre leurs forces. Les femmes que nous avons rencontrées ont peu fait appel à cette ressource qui a pourtant été utile à quelques-unes.

> Le dépannage, c'était une pension, qu'on prenait une pension pour [ma mère] (...). Il y a des fois que j'ai eu droit jusqu'à un mois. Mais des fois c'était juste trois semaines, ça dépendait de la liberté qu'il y avait de la chambre. (Juliette)

Les services d'urgence

Lors des situations d'urgence, certaines soignantes se tournent avec succès vers les CLSC tandis que la majorité fait appel au service 9-1-1.

> Si c'est le jour, je peux appeler le CLSC, là, une infirmière qui connaît maman facilement, elle va faire une intervention rapide, c'est quand on arrive le soir, ou en situation de crise la nuit, que là c'est très difficile parce qu'il faut passer par une grosse machine, qui est le 9-1-1, puis tout ça (...). On a 9-1-1 comme tout le monde, puis on a l'urgence 24/7. L'urgence 24/7, c'est un service qui est ouvert où les bénéficiaires du CLSC sont enregistrés. Ce service-là est ouvert lors des heures de fermeture du CLSC. Un moment donné, il s'était produit un problème de sonde, bon ils sont venus, ça c'était assez bien. (Christine)

Pour Lucette, le fait qu'un médecin du CLSC vienne à domicile aide à pallier les problèmes qu'elle rencontre avec le service d'Urgences-santé.

> Le plus gros du problème, c'est que j'avais même pas un médecin qui venait ici. C'était Urgences-santé, puis c'était jamais le même. Il y avait personne qui connaissait son cas, fait que

> j'étais toujours, s'il arrivait de quoi, mal pris. Là ils m'ont présenté un médecin du CLSC, puis ce médecin-là venait régulièrement.

D'autres femmes nous ont parlé des difficultés énormes qui surgissent en temps de crise ou d'urgence lors d'une chute, par exemple, ou bien d'une détérioration subite de la santé de leur proche. De plus, elles soulignent les angoisses qu'elles vivent quand personne n'est disponible dans les services publics pour répondre à leurs questions ou inquiétudes.

> J'appelais le CLSC, j'appelais le médecin général avant de signaler le 9-1-1, c'est pas toujours 9-1-1, ils peuvent nous dire quelle ressource. J'appelais le médecin, bien là: «Il vous rappellera, ou il n'a pas de bureau aujourd'hui.» J'appelais le CLSC, je demandais pour parler à l'infirmière: «Elle est sur la route.» Personne pour te répondre. Elle vous rappellera. (...) j'accuse pas la fille, elle a été super avec moi tout le temps qu'elle avait pour me donner, mais elle était pas là au moment où j'appelais, puis qu'est-ce que tu veux faire? (Céline)

> Cet été quand justement il y a eu la thrombophlébite de ma mère, puis vraiment, là, j'étais certaine que c'était assez grave, la glycémie avait baissé à 40, j'ai eu l'impression que j'ai été obligée de me battre pour qu'on m'envoie même Urgences-santé avec un médecin. (Christine)

Céline, dont la mère a fait une crise psychiatrique, s'est rendue à l'urgence de l'hôpital où il lui a fallu se battre pour que quelqu'un s'occupe de sa mère la journée même.

> Les gardes-malades, on est pas capables de parler, elles sont pas là. J'ai dit: «Moi, c'est plus un cas de maison là, la noirceur s'en vient, puis je sais plus où on s'en va avec maman.» (...) Ils nous ont donné un autre nom de neurologue, j'avais eu... pour forcer la note là, j'avais eu une urgence pour le lendemain, mais c'était plus le lendemain, c'était aujourd'hui. Là ils m'ont fait rencontrer la travailleuse sociale et l'infirmière vers 4 heures et quart. Puis ils m'ont dit: «Bien attendez demain!» J'ai dit: «Vous le savez que je veux garder maman chez nous, j'ai dit, là elle est plus dans un état pour fonctionner chez nous, elle s'as-

> soit ici, elle a l'air très calme, parce qu'elle est en sécurité avec moi, vous voyez pas qu'est-ce qui se passe quand elle est pas bien avec moi, vous voyez pas qu'est-ce qui se passe quand elle est pas bien avec papa. On se promènera pas toute la nuit comme ça, hors de la maison, les restaurants ferment, je m'en irai pas m'asseoir sur un banc de neige avec elle.» J'ai dit: «C'est pas demain, c'est aujourd'hui! trouvez-y une place pour être en sécurité.» (...) Là, elle m'a dit: «Je vais appeler... va-t-en chez vous! je vais appeler pour toi le 9-1-1», puis elle a dit: «Ils vont aller la chercher, ils vont la mettre en observation pour quelques jours.»

Nicole a réussi à faire venir Urgences-santé, mais ni elle ni les ambulanciers n'ont pu convaincre sa mère de monter dans l'ambulance.

> À l'été, elle a été malade, j'ai fait venir l'ambulance, parce que là, j'en pouvais plus. (...) mais elle a jamais voulu. Je lui ai dit: «Maman, tu vas t'habiller, on va aller à l'hôpital, je vais y aller avec toi, je te laisserai pas toute seule, on va voir ce qu'il y a.» Mais elle a jamais voulu. Quand les ambulanciers sont arrivés, elle a jamais voulu aller, puis ils m'ont dit: «On peut pas la forcer.»

L'aide financière

S'occuper d'une personne âgée peut entraîner des dépenses relativement importantes pour l'équipement médical, les couches ou encore pour un déménagement requis par la prise en charge. Actuellement, il n'y a pas d'aide financière accordée aux soignantes.

Christine, chef de famille monoparentale, qui a quitté ses études pour s'occuper de sa mère, explique comment l'aide sociale ne tient pas compte de sa situation.

> C'est que financièrement, on est très démunis, c'est-à-dire qu'on reçoit du Bien-être social. Moi, je vais vous dire le montant, c'est 621$ par mois; ça me coûte 350$ de loyer, ça c'est à part

> mon électricité pour 62 jours, ç'a coûté 593$ ici. À part du téléphone, à part de la nourriture, à part de ci, à part de ça, l'entretien des jeunes, les études, toi-même, la médication, etc. C'est insuffisant! (...) je dois camoufler la situation parce que le gouvernement n'accorde pas... il n'y a pas de loi d'exception. Donc s'ils apprenaient que moi dans le moment je prends soin de ma mère, je serais pénalisée. C'est-à-dire qu'il faudrait que je retourne sur le marché du travail. À ce moment-là, le placement, il est obligatoire.

En effet, faisant partie de la catégorie des gens «aptes au travail», Christine doit être disponible à tout moment pour accepter un emploi, bien qu'elle doive prodiguer de façon régulière des soins très complexes à sa mère.

Le recours au placement comme forme de soutien

Certaines soignantes se tournent vers les ressources d'hébergement quand elles ne peuvent plus continuer à prendre soin de leur parent âgé. Souvent, la santé de ce dernier s'est détériorée à un point tel qu'elles ont besoin de support important pour poursuivre la prise en charge. Mais la décision de faire appel à une ressource d'hébergement n'est pas toujours facile à prendre et plusieurs soignantes ont été appuyées dans leur démarche par des professionnelles et des professionnels des services publics: médecins, travailleuses sociales, infirmières.

Le médecin et le travailleur social ont aidé Mathilde à convaincre son mari de placer sa mère atteinte de la maladie d'Alzheimer.

> Eux autres, ils trouvaient que c'était plus un cas de maison, qu'elle demandait trop (...). Le médecin a dit ça à mon mari, doucement là, tout ça avec beaucoup de ménagements... qu'il faudrait qu'elle soit placée.

Il arrive également que l'état de santé de la soignante entre en ligne de compte dans la décision de placer la personne dépendante et les professionnel-le-s incitent les femmes à penser à elles-mêmes. C'était le cas de Rita. Ici le personnel médical a joué un rôle particulièrement important en la convainquant d'entreprendre les démarches nécessaires au placement de sa mère.

> J'étais fatiguée (...). Je me disais: «Elle en aura pas pour longtemps, elle est pas forte.» Je patientais. Mais le docteur m'avait dit il y a deux ans qu'il faudrait que je pense à la placer: «Vous savez, elle en regagnera pas en vieillissant, puis ça vous fatigue, je suis certain.» J'ai le dos pas mal ankylosé.

Toutefois, la prise en charge d'une personne dépendante ne se termine pas au moment où celle-ci entre en institution. Malgré un certain soulagement, le soutien offert par les ressources d'hébergement reste justement un soutien. Les institutions n'assument pas toujours la totalité du travail de prise en charge.

Juliette, qui a placé sa mère récemment, parle des deux facettes du placement en résidence ou en centre d'accueil. Si elle est contente de sentir sa mère en sécurité, le placement ne lui a enlevé qu'une partie du fardeau puisque la direction du centre d'accueil lui a demandé de collaborer aux soins, en en faisant plus ou moins une condition à l'admission.

> [la directrice du centre d'accueil] a dit: «Je vais la prendre si vous êtes capable de venir la faire manger.» J'ai dit: «Oui, oui, je vais y aller certainement.» (...) Il manquait de personnel. (...) Mais elle a dit que c'était pas une obligation. N'importe quel temps que j'irais pas, ils vont la faire manger pareil.

Outre cette tâche qu'elle accomplit le soir — deux autres sœurs se relayant pour le repas du midi —, Juliette lave aussi les vêtements de sa mère et lui prodigue quelques soins. Elle va donc rendre visite à sa mère quotidiennement et passe plusieurs heures avec elle.

D'autres femmes continuent aussi d'assumer certaines tâches à l'égard de leur parent placé en institution.

> Faut faire son lavage quand même, puis faut pas l'abandonner, parce que les fins de semaine, au moins le samedi ou le diman-

> che, faut aller la chercher pour qu'elle vienne souper en quelque part. (Annie)

> Puis le temps qu'il a été placé, bien, tous les soirs, je partais d'ici, je m'en allais là, je le faisais souper, je lui donnais son bain, je le préparais pour le coucher, je rapportais son linge sale. Pendant un an, je m'en suis occupée comme ça. (Nicole)

Néanmoins, même s'il leur faut continuer à assumer beaucoup de responsabilités, la majorité des soignantes ayant pris cette décision sont grandement soulagées de sentir que leur proche est en sécurité.

Ce tour d'horizon nous permet de constater que la plupart des soignantes ont recours à un moment ou l'autre aux services publics. Le principal organisme auquel on fait appel reste le CLSC bien que la majorité déplore la difficulté d'accès des services et le manque de ressources au niveau du maintien à domicile. Par ailleurs, certaines y trouvent un support moral, notamment par le biais des groupes de soignantes qui y ont été mis sur pied. Les autres services du secteur public, centre de jour, dépannage, Urgences-santé ou les urgences 24/7, sont moins utilisés et leur évaluation est très partagée. La majorité des soignantes qui ont placé leur proche sont satisfaites des services d'hébergement, même si leur responsabilité face à la prise en charge ne se termine pas là pour autant.

L'aide du réseau communautaire

Certaines soignantes, ne trouvant pas réponse à tous leurs besoins dans les services publics, se tournent vers le réseau communautaire. Ce réseau est composé d'une panoplie de groupes et d'associations à but non lucratif dont un certain nombre s'adressent plus spécifiquement aux personnes âgées et à celles qui s'en occupent. On offre des services concrets: gardiennage, repas, ménage, information et entraide.

Quelques autres soignantes font appel à des groupes communautaires quand le CLSC ne peut suffire à leurs besoins: «Alors si, toi, une semaine un gardiennage ne te suffit pas, tu as toujours un organisme alternatif qui peut te le donner...» (Christine)

Angèle, qui n'habite pas avec ses parents malades, peut compter sur les services de la «popote roulante» pour leur faire livrer des repas chauds le midi trois fois par semaine à domicile. Certains organismes offrent aussi des services de grand ménage, comblant ainsi un vide laissé par les coupures dans les services du maintien à domicile des CLSC.

> J'aurais un grand ménage à faire, je sais que physiquement je pourrai pas le faire. Je peux pas me lancer dans des lavages de murs ou de peinture ou quoi que ce soit avec maman, alors ça, ça veut dire que je devrai avoir recours à une ressource communautaire. (Christine)

D'autres se tournent vers des associations d'entraide lorsqu'elles cherchent de l'information sur la maladie de leur proche.

> J'ai appelé l'organisation d'Alzheimer. Ils m'ont envoyé un pamphlet (...) je l'ai passé aux autres membres de la famille. J'ai acheté le livre *Vivre avec l'espoir*, j'ai lu ça aussi. Moi je veux me renseigner complètement, le plus que je peux, pour savoir à quoi m'en tenir. L'organisation d'Alzheimer aussi avait des ateliers. Ça m'aide beaucoup. Aussi, le petit calepin qu'ils envoient est très utile. (Annie)

Il existe aussi des groupes qui tentent de briser l'isolement des personnes âgées malades en organisant avec des bénévoles des visites à domicile ou en les invitant à des fêtes ou à d'autres activités. Finalement, certains organismes communautaires ont mis sur pied des groupes d'entraide, semblables à ceux organisés par les CLSC, qui sont très appréciés.

> Puis il y avait une association qui se rencontre, pour les gens qui gardent un parent, un enfant ou tout ça. Puis ça m'intéressait, ça fait des contacts, des fois tu as besoin de parler, puis t'es pas pour déranger la voisine, ou ta *chum* ou n'importe quoi.

> Tandis que là, ils sont dans le même cas que toi, ta mère est malade et puis tu peux parler des mêmes choses. Ça te fait un contact ami, ça m'intéressait. (Céline)

Les soignantes se tournent donc vers ce réseau principalement pour trouver réponse à des besoins non comblés par les services publics. Toutefois, les groupes communautaires sont pour la plupart peu connus et, dans les faits, quelques-unes seulement y font appel.

Les stratégies personnelles: un coup d'œil

Face aux exigences de la prise en charge, les soignantes ne restreignent pas leur demande de soutien à l'entourage immédiat et à la famille ni aux services publics ou communautaires. L'aide que ces divers réseaux peuvent apporter étant limitée, elles doivent prendre des initiatives personnelles et compter sur leurs propres moyens: c'est ce que nous avons appelé les stratégies personnelles.

Devoir, souvent de façon subite, prendre en charge une personne âgée aux prises avec de nouveaux handicaps physiques ou mentaux demande toutes sortes d'adaptations. Comme nous l'avons vu, la prise en charge exige l'acquisition de certaines connaissances: soins à donner, approche à adopter et connaissance des ressources institutionnelles disponibles.

La recherche d'information

Les propos recueillis à ce sujet font ressortir une caractéristique dominante chez la majorité des répondantes: leur souci de s'informer et d'élargir leurs connaissances. Cette démarche peut prendre des formes diverses, de la lecture d'articles sur les personnes âgées jusqu'aux cours de gérontologie en passant par la consultation d'ouvrages spécialisés. Quelques-unes avaient préalablement acquis une certaine forme d'expérience dans le cadre d'un emploi ou d'un engagement bénévole assidu. Par exemple, une femme nous a dit s'être toujours intéressée aux personnes âgées; comme bénévole, elle avait participé activement à la «popote roulante» de son quartier.

On remarque également que plusieurs avaient suivi des cours en gérontologie pour leur formation personnelle, ce qui témoigne d'un intérêt pour les personnes âgées antérieur à la prise en charge. Ainsi, Agathe nous a signalé que le fait d'avoir suivi de tels cours avant la paralysie de sa sœur lui avait été d'un grand secours. Christine, qui s'était aussi inscrite à un cours de gérontologie, raconte que c'est à ce moment-là que s'est déclarée la maladie de sa mère.

> C'est bizarre parce que j'avais pris ce cours-là parce que ça m'intéressait, mais comme ça, et on aurait dit que le cours suivait la maladie de maman, c'était vraiment incroyable!

Elle nous a également parlé du soutien que lui avait procuré un tel cours.

> Ça m'a aidée parce que j'ai pu comprendre le cheminement d'un dossier dans le réseau, savoir c'était quoi un soin prolongé, c'était quoi un cas lourd, qu'est-ce qui arrivait, c'était quoi l'éventualité. Ç'a été une grande ressource.

Plusieurs autres avaient déjà acquis certaines connaissances de par leur expérience professionnelle: Robert travaillait dans le réseau des affaires sociales, Francine comme auxiliaire familiale pour un CLSC et Sophie dans un centre d'accueil pour personnes handicapées. Mais c'est surtout une fois engagées dans un processus de prise en charge que la majorité des répondantes ont cherché, par différents moyens, à se renseigner sur leur rôle. Les principales sources d'information sont la lecture et les associations spécialisées, comme la Société Alzheimer.

Plusieurs femmes qui s'occupent de personnes atteintes de la maladie d'Alzheimer ont lu des ouvrages sur le sujet. Annie nous a signalé que ces lectures l'ont aidée à prendre la décision de ne pas habiter avec sa mère.

> J'ai lu un livre sur la maladie d'Alzheimer puis j'ai vu qu'elle pourrait même pas vivre avec nous autres d'une façon... parce que moi j'ai deux petits enfants.

Christine, elle, se propose de suivre des cours pour avoir plus d'autonomie dans les soins à donner à sa mère.

> L'infirmière me donne beaucoup de suggestions au niveau des ressources, comme l'Association du diabète, où je me propose d'aller prendre quatre jours de cours quand je pourrai, pour être capable moi-même d'ajuster l'insuline un moment donné, de pas avoir recours au médecin à toutes les fois.

Dans les deux cas les plus récents de prise en charge, on nous a signalé ce besoin d'information et raconté les recherches entreprises. Il ressort que l'information est un des besoins les plus importants et ce, dès le début de l'implication auprès d'une personne âgée. David, qui garde sa mère depuis un mois, nous explique:

> [Il y a des informations] que j'aimerais savoir, les expériences d'autres places, s'il y a des informations qu'on peut recevoir par écrit, je sais pas, comme par exemple: une personne âgée, c'est normal qu'elle dorme de même toute la journée? (...) Comme moi, mon cas, elle dort toute la journée puis elle prend le jour pour la nuit. [Il faudrait un système] où ce genre d'informations va sur un document, puis là ça se transmet à d'autres foyers.

Henriette nous a dit rechercher activement des informations dans le but de mieux comprendre les besoins de sa sœur qu'elle garde depuis peu avec elle.

> Là, j'ai décidé d'essayer de me renseigner. (...) J'aimerais aller éventuellement voir ce qu'on peut me donner comme information. Parce que je manque d'informations. (...) toute la question des hôpitaux, de la santé (...), je suis pas au courant de ça.

Se divertir et se distraire

Une deuxième stratégie utilisée par des soignantes pour faire face à leurs responsabilités c'est se trouver d'autres occupations ou s'organiser des loisirs afin de se ressourcer. Pour Juliette, c'est le bénévolat qui joue ce rôle:

> [Je fais du bénévolat] pour me distraire. Pour me tenir le moral. Je pouvais pas prendre trop d'heures de liberté non plus. Je peux pas m'en aller jouer aux cartes, je peux pas m'en aller jouer au bingo, je peux pas... j'ai toujours payé mon Âge d'or, j'y ai jamais été. Il y en a qui vont danser, j'aimais ça moi, je pouvais pas sortir le soir. Je sortais jamais le soir. Fait que mes réunions, c'était dans l'après-midi, fait que je prenais des choses que je pouvais faire, comme distraction. Ça aurait pu être d'autre chose, mais j'ai jamais fait d'autre chose que ça.

Christine, quant à elle, s'assure quelques sorties quand elle sent qu'elle est sur le point d'être débordée.

> Je connais mes limites aussi, mes limites physiques, en tout cas, quand il y a un signal d'alarme, je le détecte puis là je fais en sorte justement de pallier à une fatigue physique ou à un épuisement mental là, bon bien je vais dire: «Parfait, faut que je m'organise un souper, ou faut que je m'organise une soirée au théâtre ou quelque chose comme ça.» Dans ma disponibilité de temps, j'essaie d'aller me ressourcer.

Elle considère aussi que son attitude face à la vie l'aide à vivre.

> Il y a aussi les ressources intérieures. C'est sûr c'est ma façon peut-être de voir la vie, mais je pense que c'est quand même une grosse ressource. Tu sais, je suis une personne qui a beaucoup, je suis quand même pas négative, je suis une personne super positive, je me ressource dans ma spiritualité.

***

Nous avons pu constater l'étendue de l'aide offerte par les CLSC, ces derniers constituant la principale source de soutien utilisée par les soignantes. Les programmes de maintien à domicile offrant des services dirigés plus vers les personnes âgées elles-mêmes (bain, ménage, repas, soins médicaux) agissent comme forme de soutien indirect en allégeant leurs tâches. Les soignantes apprécient énormément les sessions de formation et les groupes d'entraide qui leur sont directement adressés. Par ailleurs, elles soulignent les limites de l'aide des CLSC en termes de manque de ressources et de difficulté d'accès. Elles déplorent le refus de la personne dépendante d'accepter de l'aide. Elles ont recours au besoin à d'autres services publics, tels les centres de jour, le dépannage, le service 9-1-1 et les ressources d'hébergement et formulent à leur égard les mêmes critiques quant aux limites de l'aide qu'elles y reçoivent.

Les témoignages portant sur le soutien de l'entourage font ressortir l'importance de l'aide procurée par la famille, mais aussi son caractère ponctuel et souvent aléatoire. Pour la majorité des soignantes, il est difficile de parler d'un partage de la prise en charge. Au plus, elles se voient offrir un certain répit et du soutien moral.

Elles font plus rarement appel aux organismes communautaires mais les services offerts et l'aide fournie semblent bien appréciés. Finalement, comme nous l'avons vu, la quête d'information et les loisirs sont les stratégies personnelles que privilégient plusieurs femmes pour alléger leur tâche.

LES PERSONNES PSYCHIATRISÉES

L'aide de l'entourage et l'isolement de la famille

L'analyse du support donné par le réseau familial et l'entourage (ami-e-s, voisin-e-s) à celles qui s'occupent d'un proche psychiatrisé tend à montrer, comme pour celles qui s'occupent des personnes âgées, qu'un noyau très restreint de personnes (famille immédiate) contribue à la prise en charge de la personne dépendante et que ce noyau est pourvoyeur de «l'aide morale» (réconfort, écoute, participation à la thérapie, etc.) apportée à la soignante principale et assume également le peu de répit qui lui est offert.

La prise en charge d'une personne âgée ou psychiatrisée amène un très grand isolement des soignantes et de leur famille. Cet isolement est en grande partie dû au fait que toutes leurs énergies et tout leur temps sont consacrés aux soins de la personne dépendante. Dans le cas de la prise en charge d'une personne psychiatrisée, cet isolement est vécu de façon plus aiguë en raison de la perception sociale de la maladie mentale, qui tend à ghettoïser ces familles. En contrepartie, la famille développe ses propres mécanismes de réclusion/exclusion sociale (honte, déshonneur, gêne liés à la maladie mentale), bouclant ainsi la boucle de l'isolement. L'aide de l'entourage s'en voit alors d'autant plus réduite et/ou limitée.

Stigmatax Très imp

«Dans la famille, personne veut en entendre parler.»

Gisèle, qui n'a pour toute aide que l'appui moral d'une belle-sœur, résume bien l'état des relations sociales des familles de malades psychiatrisés:

> J'ai une belle-sœur qui est à l'aise pour me poser des questions, «comment ça va?», puis tout ça. Mais c'est pas beaucoup. Non, on fait vraiment le vide autour de soi. (...) Puis, en tous cas, on sent que ça nous isole. Dans la famille, c'est pareil comme si... j'essaie de m'imaginer quelque chose de pire... peut-être le sida (rire), c'est comme si c'est tabou.

Dans deux situations, nous avons observé un rejet total des malades par leur famille, reportant l'entière responsabilité de la prise en charge sur la soignante principale. Berthe ne peut compter sur l'aide de sa famille pour s'occuper de son fils handicapé à la suite d'une tentative de suicide, lourdement atteint mentalement, souffrant d'autres problèmes (alcoolisme, toxicomanie, etc.) et devenu itinérant parce que rejeté de tous. La fille et les deux frères de Berthe «ne veulent rien savoir de lui», et refusent de le voir quand ils sont à la maison.

> J'ai juste un frère qui me reste puis il peut pas sentir Ovide. Même si c'est son parrain, il veut même pas en entendre parler, il le déteste parce qu'il me fait trop souffrir. Mon frère m'aime beaucoup puis il essaie de me protéger quand il voit à quel point Ovide me fait souffrir, ça lui fait de la peine! Donc il aime pas Ovide du tout, puis il fera jamais rien pour lui.

Et par un malheureux effet de ricochet, il ne fera rien pour elle non plus! Berthe subit les reproches de la famille parce qu'elle persiste à s'occuper de son fils et, dans une certaine mesure, elle est elle-même rejetée.

> Ma famille d'ailleurs, ils sont tous en maudit contre moi parce que je le laisse pas tomber, ça fait que tout le monde m'aime pas, tu sais, ils m'aiment bien mais... ils me condamnent!

Suzanne a pris en charge un beau-frère âgé alcoolique, schizophrène depuis sa jeunesse, à tendances suicidaires, atteint d'emphysème et incapable de garder un logement, dont «personne ne veut entendre parler», bien qu'ils soient neuf dans cette famille. Elle se voit adresser des reproches pour ses services. En fait, dans beaucoup de ces cas de rejet, la maladie mentale est niée: «Ils ont jamais accepté que Paul était malade. (...) Il est pas fou. Il est malade mais il est pas fou.»

Dans certaines familles, ce sont les frères et sœurs qui n'acceptent pas la maladie. Par exemple, la sœur de Jean-Marie n'accepte pas la maladie de son frère et ceci constitue un objet de litige entre elle et sa mère. Gilberte, elle, raconte que son fils cadet ne va pas visiter son frère à l'hôpital:

> Comme je vous dis, la première [hospitalisation], franchement, j'ai été pas mal toute seule. Et puis il [mon mari] y allait de temps en temps, le dimanche. Mais à part de ça, non. Non, mon garçon, il y a pas été du tout. Il voulait pas, il acceptait pas, mon garçon.

Citons aussi le cas de Johanne qui prend soin de sa mère schizophrène et qui ne peut pas compter sur l'aide de son frère.

> C'est parce qu'il a pas d'intérêt. Maman l'a trop blessé. Mon frère a dû suivre des soins, des soins professionnels, par un psychologue ou un psychiatre, puis le psychologue disait que c'était important qu'il se tienne le plus loin possible de maman parce qu'elle a une emprise qui lui fait toujours revivre ces émotions-là.

Enfin, il y a aussi quelques cas où la personne dépendante refuse toute forme d'aide. Divers autres facteurs restreignent l'aide apportée par le réseau familial: l'absence, l'éloignement, les responsabilités des autres membres de la famille ou l'âge des parents.

«Mon mari accepte pas la maladie.»

Les pères, en particulier, nient ou n'acceptent pas la maladie de leur fils ou de leur fille. Ils en ont peur. Selon France, «ils sont atteints dans leur virilité». Cette négation réduit leur participation à une aide sporadique, généralement limitée à quelques services.

> Mon mari, je pense qu'il comprend quand même un peu plus. Mais il le considère pas comme une maladie mentale. Mais ça, la drogue peut avoir affecté comme ils ont dit, ou bien la colle, les cellules puis ça fait partie des maladies mentales, je suppose! (...) Mais mon mari, il vient puis il joue avec lui au pool, le billard, mais avant ça un peu moins. Parce qu'il l'acceptait pas, mon mari. (Gilberte)

Il arrive souvent, dans les cas où le mari s'implique peu, que l'épouse soit alors obligée de négocier avec lui, et ce nouveau problème s'ajoute au fardeau de la prise en charge.

> Non, je lui en fais le reproche d'ailleurs cette année, il vient de prendre sa retraite. (...) Par exemple, quand il a offert d'aller à la campagne visiter une propriété pour une Caisse populaire, il aurait bien pu dire: «Georges, ça te tente-tu?» Je le voyais pas faire ça! Puis un moment donné, j'ai fait une espèce de colère puis j'ai dit: «Tu lui fais pas de place dans ta vie!» Je parle pas de s'en occuper comme si c'était un enfant là! S'il mettait de la

> place dans sa vie comme il fait avec un autre fils avec lequel il partage des activités! Puis la réponse c'est: «Non, Christ! il en est pas question.» (Gisèle)

Claire, dont le mari décédé n'acceptait pas la maladie de son fils, a néanmoins perdu l'unique support moral qui lui venait du réseau familial.

> Mon mari acceptait pas, a pas accepté la maladie d'Yves. Il a peut-être pas eu le temps, je le sais pas, ça se serait peut-être fait finalement... Peut-être jamais! Mon mari est décédé trop vite, mais j'avais quand même un peu de support, on pouvait en parler à deux.

Avant son décès, survenu cinq ans après la première crise du fils, le mari d'Angéline n'acceptait pas non plus cette maladie. Autoritaire, il croyait qu'il suffisait de corriger son fils récalcitrant et «trop gâté». Ces conflits dégénéraient en bataille entre le père et le fils et lors d'une crise, le fils a attaqué ses parents et tenté de les tuer...

En général, les mères séparées ou divorcées reçoivent peu d'aide de leur ex-mari, excepté une aide pratique et ponctuelle. La séparation ou le divorce n'explique cependant pas ce désintérêt du père, car dans beaucoup de cas où les répondantes vivent avec le père de l'enfant psychiatrisé, celui-ci ne s'implique pas pour autant. L'absence du père (éloignement physique, désintérêt, refus de la maladie, etc.) diminue encore l'aide reçue par la soignante et, dans certains cas, allonge même parfois la liste des tâches effectuées par la mère, qui doit le contacter, lui donner des nouvelles, prendre son avis, etc. Carole souligne qu'au moment du divorce, son époux s'est battu pour obtenir la garde de leur fils. Mais quand ce dernier est devenu malade, le père n'a plus voulu s'en occuper, il ne voulait même plus le voir et est parti dans une autre ville. Ce rejet affecte profondément leur fils et c'est Carole qui doit contacter son ex-conjoint pour lui donner des nouvelles.

> Il en garde pas [de contact], c'est moi qui lui en donne (...). Mais avec la maladie, là, il a disparu... il est sûrement très soulagé que je m'en occupe et, depuis deux ans, je pense, deux ans

> et demi, il est à Toronto, parce qu'il travaille à un ministère du gouvernement provincial, il revient l'an prochain. Mais c'est moi qui l'appelle à l'occasion (...) je lui apporte toujours des nouvelles épouvantables aussi, comme Nicolas a fait une tentative de suicide en janvier.

Le témoignage d'Alberte, qui est aussi séparée, montre bien qu'elle ne peut compter sur l'aide du père et que la responsabilité de leur fils lui incombe totalement.

> Bon, c'est moi qui a la responsabilité de mon fils. Je veux dire, lui [mon mari], il me donne son approbation dans les démarches, il comprend ce que je fais, il comprend aussi la maladie mentale, mais il est absent. Il est pas là, il veut pas s'en occuper, c'est trop difficile, bon la loi du moindre effort! (...) oui c'est des bons copains, c'est des bons copains, c'est pas... mon mari, c'est pas un homme aidant. D'abord, c'est un ex-alcoolique, lui aussi il a eu des problèmes, là maintenant il est abstinent ça fait quinze ans. Mais il est centré sur lui-même, Jean-Marie a pas beaucoup d'aide du côté de son père. (...) c'est un peu le même problème du côté de mon ami, c'est un peu des machos.

L'aide que reçoivent ces soignantes de leur ex-mari reste très ponctuelle et jamais spontanée. Ainsi, désespérée de son fils suicidaire dont aucune institution ne veut s'occuper — «ils me le renvoient tout le temps» —, et à l'extrême limite de ses capacités, Berthe téléphone à son mari; lui aussi refusera finalement de s'en charger.

> Même quand il s'est jeté par la fenêtre, mon mari est venu, je lui ai téléphoné, j'ai dit: «Écoute là, c'est grave, viens, je t'attends!» Il est venu tout de suite, c'était un dimanche, il est venu le dimanche soir, le psychiatre est venu après dîner puis on a fait beaucoup de conversation à ce sujet-là. Mon mari me le ramène et il a dit: «Il y a pas d'autres moyens, faut que tu le reprennes! Où veux-tu qu'il aille tout seul?»

Pour cette femme, âgée et fatiguée, le soutien que le père apporte à son fils se résume ainsi:

> Son père, quand il venait à Montréal, il le recevait à l'hôtel, puis il louait une chambre à l'hôtel, il le gardait à coucher, puis ils prenaient des grands repas, 150, 200$ pour un repas, et puis apéritif, vin, liqueur puis tout ça et puis il lui achetait des vêtements. Et puis c'est tout ce qu'il a fait pour lui.

Le fils a même vendu ses beaux vêtements pour avoir de l'argent de poche, incapable qu'il est de gérer son maigre revenu du Bien-être social (il dépend de la Curatelle publique).

«Les malades mentaux, ça fait peur au monde.»

Dans l'entourage, les gens ont généralement peur de la maladie mentale.

> Les malades mentaux, on dirait que ça éloigne les gens. Ils ont peut-être peur, mais ça veut pas dire qu'ils sont tous dangereux.(...) Même, il y en a qui ont peur d'aller dans des hôpitaux dans un étage de psychiatrisés! Alors, ma belle-sœur est venue peut-être une fois, tu sais, ou deux pendant tout le temps que j'ai été là. (Gilberte)

Les malades et certaines familles subissent l'ostracisme et l'intolérance, ce qui les force à se replier sur eux-mêmes.

> Il y a pas de portes de sortie, non. (...) On est tout seuls avec notre problème! Même ici dans la bâtisse, on peut pas en parler à d'autres. Ah! ça va placoter! D'abord, ils en ont peur! (...) même le propriétaire, dernièrement, il est allé voir le médecin en bas puis il lui a dit qu'il avait peur de le garder, qu'il pensait même de nous renvoyer. (Anita)

Cette peur, selon les femmes que nous avons rencontrées, s'explique par l'ignorance des gens en matière de santé mentale.

> Ça énerve les gens! Des fois, elle [ma belle-sœur] vient chez nous puis Claudette, des fois, elle est un petit peu agitée. La peur! La peur de la schizophrénie! La peur du malade mental! Les gens ont peur de ça, ils connaissent pas ça! (Mireille)

Toutefois, reconnaît une autre, les gens commencent à être plus sensibilisés à cette réalité: «La maladie mentale, les gens commencent tranquillement à être au courant un peu de qu'est-ce que c'est mais... c'est quelque chose d'inconnu pour eux autres.» (Diane)

«C'est rendu que ce sujet-là, on en parle plus.»

Si les tabous sociaux qui entourent la maladie mentale ont pour effet d'isoler les familles des psychiatrisé-e-s, ces mêmes familles, quant à elles, développent leurs propres mécanismes de réclusion, comme en témoignent les propos suivants:

> Les premiers temps que mon garçon a été bien malade, on dirait que moi et mon mari, c'était un déshonneur, pour nous autres. (...) On avait honte, honte de se montrer dehors. On dirait qu'on se renfermait. (...) Puis même mes sœurs s'en sont aperçues, elles me l'ont dit après, après que mon garçon s'était replacé un peu. Elles me l'ont dit: «C'est effrayant! on avait peur de venir chez vous, on dirait que tu voulais pas nous recevoir!» Moi je me dépêchais tout le temps pour qu'elles s'en aillent au plus vite. Pour pas qu'elles voient ce qui se passait dans la maison. (Angéline)

Et Angéline ajoute en pleurant qu'elle a aussi coupé les ponts avec l'entourage:

> J'avais peur, on dirait, je cachais tout! C'était comme un déshonneur, une honte de voir ton garçon malade de même. (...) Puis, ils ont commencé à nous aider parce qu'ils ont vu qu'on était bien mal pris. Mais nous autres, on voulait pas être aidés de personne. On voulait rien savoir, on le gardait peut-être pour nous autres, on voulait rien savoir. On a été longtemps, moi puis mon mari, à pleurer tous les deux dans le sous-sol puis on disait: Ça se peut-tu? Ça se peut-tu? (...) La voisine des fois, elle venait faire son tour, vu qu'on était bien amis avec les voisins, nous autres on parlait à tout le monde, puis après ça on parlait plus à personne.

De son côté, France a décidé de choisir les personnes à qui parler de sa situation, pour éviter de devenir, elle et son fils, des objets de curiosité malsaine.

> C'est rendu que ce sujet-là, on en parle plus! J'en parle plus à mon fils, puis j'en parle plus à ma fille. Ça les rendait trop malheureux puis ils avaient pas de réponse, ils avaient pas de solution. Je me suis dit: on va les laisser tranquilles, ils vont faire leur vie! Ils sont aussi impuissants que nous.

Par contre, d'autres personnes cachent la maladie ou décident de ne plus en parler pour mettre les parents âgés à l'abri, pour ne peiner personne ou tout simplement parce qu'au fond, on croit que personne ne peut nous venir en aide. Ce profond sentiment d'impuissance est partagé par plusieurs parents.

> Quand il arrive des affaires de même, tu essaies qu'il y ait moins de personnes possible. Ma famille le sait qu'il est de même, puis ma femme a été comme ça, elle aussi. Mais je veux dire, dans les amis, il y en a pas gros, il y en a deux qui le savent que mon gars est de même (...) il y a des amis proches là, mais à part de ça, d'autres amis, il y en a pas d'autres. Ils peuvent pas nous aider, qu'est-ce que vous voulez qu'ils fassent là-dedans? (...) mais quelle aide vous voulez qu'ils nous donnent là-dedans? (Philippe)

D'autres personnes trouvent trop douloureux d'en parler:

> J'ai quand même des bons amis, j'ai de très bonnes et de très bons amis. Même que des fois, je trouve que les gens vont m'en parler un petit peu trop, ça m'épuise d'en parler. Complètement! parce que je revis tout ça... j'essaie d'en parler le moins possible. (Carole)

Une autre rapporte que ses amies évitent de lui parler de son fils, et qu'elle, de son côté, leur en parle peu; elle interprète leur attitude comme une façon de lui changer les idées, un moyen de l'aider en quelque sorte.

Le support moral

Il y a des soignantes pour qui le réseau familial et l'entourage constituent la principale source de support moral. Ainsi, une mère peut compter sur son fils et sa fille, une autre, sur son fils et sa sœur; ces deux femmes ont d'ailleurs développé une excellente communication et un partage équitable des tâches domestiques avec leurs enfants. Pour une autre, dont le mari est décédé, c'est son frère qui agit comme un «vrai père pour mon fils». Quant à Johanne, voici comment elle établit le rôle des personnes qui la soutiennent dans la prise en charge de sa mère.

> Mon mari premièrement, Sylvie [ma sœur], quand il y a des choses qui me fatiguent vraiment là, je vais pouvoir lui en parler, ou la travailleuse sociale aussi, j'en ai besoin: principalement, ces trois personnes-là. (...) Mon mari principalement, ça va être sur le moment, quand il est là puis qu'il est plus accessible! (...) c'est beaucoup un support émotif, beaucoup! Quand je suis tannée, quand j'ai besoin d'être consolée. (...) Sylvie, c'est un défoulement, un défoulement [rire], elle va en avoir plus, elle! essayer de défouler toute cette peine. (...) Puis la travailleuse sociale, elle, elle me repositionne toujours un petit peu!

Ce témoignage montre à quel point le besoin de réconfort, de compréhension, de confidence et de défoulement est grand. Plusieurs répondantes peuvent compter sur le support moral immédiat de leur conjoint ou leur ami. Quant à Philippe qui est veuf, il s'est appuyé sur sa fille pour assumer la charge de son fils. «On est passés à travers, on était deux», dit-il. Trois autres soignantes trouvent chez leur sœur l'aide morale et psychologique dont elles ont besoin.

> Bien en fait, j'ai un frère puis une sœur. Ma sœur m'a supportée beaucoup. Mais elle pouvait pas le prendre en charge non plus! Elle a sa famille aussi. Elle m'a aidée dans le sens de l'encourager un peu [le malade] puis de me comprendre; puis en fait c'était à peu près la seule personne avec qui je pouvais parler de ça, puis elle me comprenait. (Rosanne)

Le support moral est également fourni par d'autres femmes de la parenté. Certaines ont également trouvé chez des ami-e-s un support bien apprécié. Une soignante très isolée obtient de ce réseau un appui moral fort précieux; ainsi, une amie est venue lui tenir compagnie toute une nuit quand son fils disparu était recherché par la police. France peut compter sur l'amitié d'un couple:

> C'est un couple qui ont pas d'enfant, puis ils ont du temps... ils nous ont aidés de leur soutien moral, comme l'autre soir, tu as le goût de brailler, tu vas veiller chez eux, puis tu brailles! Puis ils acceptent ça!

Si plusieurs soignantes n'ont pas trouvé d'appui dans leur entourage, pour d'autres, par contre, l'aide apportée par des membres de la famille afin d'objectiver des situations très chargées émotivement (culpabilité, inquiétude, stress, etc.) a été cruciale. Lors de la première crise du malade, le soutien nécessaire pour se déculpabiliser, pour accepter la maladie et prendre un recul salutaire, elles l'ont reçu de leur mari, de leur ami, de leurs enfants.

Certains enfants participent à la thérapie de leur frère, en assistant à des rencontres (hebdomadaires, mensuelles ou trimestrielles) en la présence du malade, de la mère et de l'équipe médicale.

> Quand il était hospitalisé, le médecin nous a fait demander avec son équipe multidisciplinaire. J'ai appelé mon fils, j'ai dit: «Viens avec moi! Il faut qu'on soit tous les deux, que j'oublie rien!» Il est au courant de tout ce qui se passe. Il est venu puis il a donné son point de vue aussi et puis on a expliqué notre cas; dans ce sens-là, il m'aide, il m'aide beaucoup. Il m'a beaucoup aidée aussi à mettre mes limites. (Rosanne)

En effet, le fils de Rosanne l'a beaucoup aidée à accepter la maladie de son frère et à «mettre des limites» à la prise en charge, lui conseillant d'ailleurs de se remarier: «Refaites votre vie, maman», lui dit-il, lui rappelant ainsi de ne pas sacrifier sa vie pour son fils malade.

Ces enfants aident aussi leur mère à se renseigner sur la maladie.

> Ma fille s'est mis à étudier la maladie (...) c'est un support, ça. Parce que comme de raison si j'avais pas eux autres, probablement que je me ferais des amies, des gens avec qui... mais comme j'ai mes enfants, je leur donne un coup de main puis ensuite on s'entraide. (Lisette)

Une relève occasionnelle

Des femmes se font également relayer à l'occasion par leurs proches, aide qui s'avère aussi importante qu'il y ait cohabitation ou non, car même lorsque la personne dépendante ne réside pas au domicile familial, elle passe souvent deux à trois jours par semaine chez ses parents. Ces psychiatrisé-e-s, de par la nature de leur maladie et l'imprévisibilité de leur comportement, exigent une attention et une surveillance constantes. Ce genre de répit, ardemment désiré mais jugé encore trop rare par les soignantes, leur permet de refaire leurs forces, de dormir, de se reposer sans inquiétude. Par exemple, Philippe qui a la charge de son fils, hébergé en maison d'accueil mais autorisé à passer trois jours par semaine au domicile familial, peut se faire remplacer par sa fille pour s'accorder des vacances bien méritées.

Lisette, qui considère son travail à l'extérieur comme une bénédiction, parce qu'elle n'a pas «toujours cette préoccupation-là», peut compter sur la présence quotidienne de son plus jeune fils auprès de son frère.

> Finalement, c'est lui qui est là dans la journée. Il faut qu'il ait de la patience. (...) Mon garçon, je le trouve bon parce qu'il le traite pas justement comme un malade. (...) Là, il saute dans l'auto puis il va reconduire Marc chez l'infirmière. Mais tu sais, c'est des services comme ça. (...) Il s'occupait toujours des affaires de tout le monde. (...) Quand il sera pas là, je sais pas comment ça va tomber!

Elle souligne le caractère très aléatoire de la relève du réseau familial qui dépend des disponibilités de l'un et de l'autre et des miracles d'organisation qu'elle-même parvient à réaliser. Cuisinière pour une communauté religieuse, Lisette bénéficie d'une pause grâce au chalet mis à sa disposition par ses employeurs pendant l'été. L'atmosphère plus détendue de ces vacances semble lui procurer un soulagement appréciable.

Rosanne se fait également remplacer par son fils qui a accepté d'héberger son frère pendant un mois, le temps nécessaire pour lui trouver un foyer d'accueil. Il l'invite tout l'été à la campagne. Rosanne est ainsi déchargée même si elle demeure la personne-ressource en cas de besoin.

> Encore présentement, il va passer tout l'été sur le terrain que mon autre fils a dans le Nord. Il a sa maison là, son chalet puis il lui laisse un bout de terrain à lui. Mais il vit pas dans la même maison. Je lui ai fait construire un petit cabanon là, ça va être mieux qu'une tente, il va être plus confortable. Alors tout l'été, c'est mon autre fils qui le surveille.

Mais ce genre de relève reste exceptionnel pour la majorité des soignantes. Par ailleurs, quelques-unes acceptent mal de confier la personne dépendante à des substituts. Parfois, ce sont les malades qui réagissent mal à tout nouvel environnement. Après une première expérience désastreuse, certains remplaçants ne veulent plus recommencer:

> Parce qu'on est allés en vacances une fois, on est partis deux semaines, ma belle-sœur est venue chez nous, elle l'a gardée, ç'a bien été. Deux ans après, on est retournés en Europe pour trois semaines, puis là, elle est allée chez mon beau-frère, mais elle était changée complètement de milieu là, quand on est arrivés, Claudette était plus agitée. (...) Il y a eu une de mes sœurs qui est venue passer deux semaines avec Claudette, ç'a bien été. Maintenant, ma sœur sait que Claudette est schizophrène, puis ça fait trois rechutes qu'elle fait, ça fait trois fois qu'elle va à l'hôpital: «Je me sens pas capable d'aller passer deux semaines avec Claudette», elle dit, «ça m'énerve trop!» Ça énerve les

> gens! Parce qu'elle connaît Claudette maintenant, elle a vécu l'expérience deux semaines avec. (Mireille)

Depuis ces expériences malheureuses, Mireille et Fernand en sont réduits à partir en vacances chacun leur tour.

Un neveu de Gisèle avait accepté de la remplacer pour lui donner un peu de répit, mais il semble que l'entreprise se soit avérée plus difficile que prévu:

> Il y a un cousin qui a essayé de donner un coup de main, puis Georges allait passer une journée chez lui, mais au bout d'une demi-journée, il est venu le reconduire. Il s'est aperçu que c'était bien plus difficile de l'aider qu'il pensait.

Les autres formes d'aide

Certains membres de l'entourage s'offrent pour organiser des loisirs ou des sorties avec la personne psychiatrisée. On remarque d'ailleurs sur ce plan une plus grande contribution des hommes. Ainsi, les mères peuvent compter sur leur mari, leur frère ou leur fils pour les balades en auto, les parties de billard et de scrabble, les spectacles, le restaurant, etc.

> Mon mari s'en occupe beaucoup aussi, parce qu'elle aime faire des randonnées en auto, puis ces choses-là, puis souvent il va avec elle. Quand il sort, il l'emmène avec lui si elle veut aller. (Mireille)

«Mes frères et mes sœurs s'en occupent», confie Claire, dont le frère joue un rôle paternel auprès du fils psychiatrisé. En fait, il remplace le père biologique qui n'acceptait pas la maladie de son fils et qui est décédé quelques mois après que la maladie se soit déclarée. En plus des sorties (cinéma, sports) organisées par son frère, Claire peut être assurée de sa présence en cas de crise.

Les femmes apportent elles aussi une aide de ce type. La sœur de Rachel fait des sorties culturelles avec sa nièce psychiatrisée (musées, cinéma), alors que son fils l'invite à souper de temps à autre. Toutefois, Rachel ne demanderait pas à celui-ci de s'occuper plus de sa sœur: «Il faut qu'il fasse sa carrière», dit-elle. Accompagnée de son ami, une autre jeune femme emmène son frère psychiatrisé faire du sport:

> Elle s'en occupe de son frère, elle va faire du ski avec; avec son ami, ils l'ont sorti une couple de fois. Elle s'en occupe, elle le rejette pas! Puis elle a pas honte de ce qui est arrivé non plus. (France)

Quelques répondantes peuvent aussi compter sur d'autres membres de la famille pour transporter le malade à l'hôpital en cas de crise ou pour un rendez-vous médical, ainsi que pour les visites à l'hôpital. Certains acceptent également d'entreprendre les démarches pour placer la personne psychiatrisée ou la faire hospitaliser.

> Ma fille, la plus vieille, celle qui a travaillé à l'hôpital, c'est elle qui a envoyé un travailleur social, c'est elle qui a téléphoné pour ça. (...) Elle a dit: «Maman peut plus le garder, elle a déjà sa mère.» (Suzanne)

> [Mon mari] il dit:«Tu iras pas toute seule.» Il voulait pas que je conduise l'auto en étant énervée de même. Il est venu avec moi, mais ç'a été peut-être un malheur pour lui.(...) C'est lui qui est allé aux policiers, c'est lui qui est allé à l'hôpital pour avoir de l'aide. Il a dit: «Personne veut nous aider, qu'est-ce qu'on va faire?» (Rosanne)

C'est la sœur et le frère de Johanne qui se sont chargés d'obtenir un mandat de la Cour, seul moyen d'hospitaliser la mère dont l'état de santé mentale inspirait les plus grandes craintes, tant pour sa sécurité personnelle que pour celle de son entourage.

> Ma sœur puis mon frère sont allés, puis ils ont expliqué le cas, ils ont expliqué que maman était très malade puis qu'elle avait besoin des soins. La police est venue chercher maman, ça a été un peu plus traumatisant, puis ils l'ont rentrée à l'hôpital. Puis de là, il y a eu quand même un bon support, par rapport aux médecins, par rapport à la travailleuse sociale. (Johanne)

Une autre forme d'aide matérielle apportée par le réseau familial touche la question du logement de la personne dépendante: recherche d'un appartement, déménagement, aménagement des lieux. Ce sont les hommes qui sont plus fréquemment impliqués dans ces tâches.

Le recours aux services publics

L'urgence de l'hôpital et les centres de crise sont les principaux lieux et services auxquels s'adressent les familles lors de la première crise. Par la suite, elles peuvent adopter d'autres stratégies: téléphoner à l'infirmière, demander l'aide de la famille, ou encore, faire appel à la police et ultimement se procurer un mandat de la Cour en cas de crise violente (il semble que ce dernier recours soit plus souvent utilisé pour une deuxième ou une troisième hospitalisation, le malade refusant de se faire traiter après une première expérience).

L'autre type de services auquel les répondantes font référence en termes de soutien indirect, ce sont les ressources d'hébergement et leurs services connexes, tels le centre et le foyer d'accueil, l'appartement supervisé, la résidence surveillée, l'atelier protégé.

Enfin, dans plusieurs cas, quand les comportements sont violents et dangereux, les parents n'ont d'autre choix que de recourir au système judiciaire: police, Cour, Curatelle publique.

> Lui, quand il paniquait de même, il fallait pas le contrarier, il fallait pas lui parler trop bête, fallait que tu sois toujours douce, toujours calme, parce que si tu osais ouvrir (...) lui parler un peu *rough*, il était sévère avec nous autres, il nous battait. (...) Puis là, il a commencé sa crise, il a commencé à courir après moi, il voulait m'étrangler. Mon mari a essayé de me protéger, il arrache la chemise à mon mari, on ferme la porte ici, puis on ferme la porte en bas, là j'appelle la police puis durant ce temps-là, il criait après moi. Il voulait nous avoir, nous avoir

> réellement, il me donnait des coups, il m'a jetée sur le lit, puis il me donnait des coups de poing. (...) Et là on a appelé la police, six polices sont arrivées parce qu'on avait déjà appelé une fois! Puis ils l'ont amené à l'hôpital, la première fois. (Angéline)

Dans d'autres circonstances, l'aide de la police s'avère nécessaire pour rechercher les malades en état de crise, car on redoute les conséquences de leurs actes. Par contre, Rachel a refusé de faire appel à la police pour maîtriser sa fille au moment d'une crise, mais elle utilise cette menace pour essayer de la calmer. Pour certaines, le recours à la police est devenu une pratique routinière, «car personne ne veut s'occuper de lui, les médecins démissionnent».

> Quand il avait des grosses crises, on appelait la police (...) la police, c'est la seule aide. (Rosanne)

> J'ai appelé le docteur, j'ai dit: «Qu'est-ce que je fais? Il est pas bien! Il a pas l'air bien, c'est sûr que je pourrai pas l'amener par la main à l'hôpital, il voudra pas! Il a pas six ans, hein! Il a 25 ans, puis il est grand et gros.» Le docteur a dit: «Appelez la police!» (France)

> On l'a fait rentrer par la police, on est allés chercher un mandat (...) parce que quand la personne veut pas rentrer à l'hôpital, faut que tu ailles chercher un mandat au palais de justice. (Philippe)

Enfin, certains parents ont recours à la Curatelle publique dans les cas de détérioration grave de l'état mental de leur proche.

L'aide accordée aux familles par le réseau des services de santé et des services sociaux reste avant tout de nature médicale et pratique. Une mère interviewée fait d'ailleurs bien la distinction entre l'aide plus «technique» dispensée par les institutions et l'aide morale, en soulignant que celles-ci n'en apportent guère aux parents. Le soutien professionnel s'adresse plus directement aux malades mais, indirectement, il a des effets positifs pour les parents. Savoir leur fils, leur fille en sécurité dans un foyer d'accueil, une maison de transition ou un centre de jour, par exemple, tranquillise beaucoup de parents.

L'évaluation de l'aide reçue

Les centres de crise et les urgences

Parmi les personnes que nous avons rencontrées, quelques-unes ont eu recours à un centre de crise et trouvé satisfaisant ce service relativement nouveau. Gilberte s'est sentie rassurée de savoir son fils hors de danger et pris en charge:

> Léon était rendu au centre de crise. Les avantages, c'est que je suis sûre qu'il mange trois repas par jour, ils ont pas de gâteries mais... il a trois repas par jour et puis il a une place pour coucher.

En revanche, Gisèle déplore le manque de communication entre le centre et les résidences surveillées; son fils en crise a détourné les fonds d'un groupe de bénévoles et mis le feu à son appartement:

> Puis là, il s'est retrouvé au centre de crise. Le centre de crise a appelé la police. (...) Moi je le cherchais. Je sentais que ça allait pas trop bien et j'ai réussi à rejoindre son infirmière. (...) Au centre de crise, j'appelle puis il était pas sur cette liste-là, on m'avait pas prévenue, absolument rien, choc pour le moins! Pour eux autres, c'était pas un cas de psychiatrisé, c'était un cas de délinquance.

Le centre de crise, plus que l'urgence de l'hôpital, semble malgré tout mieux répondre aux besoins des patients et des parents. À l'hôpital, les heures d'attente pour consulter un spécialiste en psychiatrie sont interminables: des parents ont attendu tellement longtemps que leur fils s'est enfui. L'urgence peut représenter une aide dans un moment critique mais on n'y fait pas de prévention, on se contente de ramasser les pots cassés.

> À l'hôpital, je peux toujours espérer tomber sur quelqu'un qui devrait m'aider. Je l'ai fait, mais j'ai pas eu tant d'aide que ça non plus à l'urgence. (Carole)

Carole a demandé sans grand succès s'il existait une équipe médicale spécialisée pour venir en aide à son fils qui menaçait de se suicider:

> C'est comme si tout le monde attendait, en voulant dire: «Eh bien! qu'il fasse son *move* puis là on verra!» Ça m'a énormément frustrée, et puis sûrement lui aussi! Lui aussi, il avait besoin d'aide, puis on était tous les deux pas mal paniqués.

L'accessibilité des ressources en temps de crise et surtout des ressources en personnel est un problème souvent soulevé:

> Mais il faudrait pas que ce soit par exemple de 9 heures le matin à 5 heures le soir là, parce que la période de crise, tu le sais jamais... Ça peut être dans la nuit, ça peut être n'importe quel temps! C'est pas facile quand il y a une période où est-ce que tout est fermé pendant trois jours! C'est pas facile de rejoindre l'équipe médicale! (Alberte)

Les services de santé

«Trop de médicaments, pas assez d'informations pour moi.» Cette phrase d'une des personnes interviewées résume bien l'opinion qu'ont les soignantes de l'aide fournie par les services médicaux. Cette critique de la stratégie médicale s'adresse surtout aux psychiatres. L'absence de communication entre les traitants et la famille fait en sorte que certains parents se sentent parfois rejetés par «les autorités médicales».

> Le docteur D., je l'ai jamais vu de ma vie, moi! (...) J'ai été bien déçue... je pensais que quand vous avez quelqu'un de malade, vous pouvez tout de même aller voir le médecin puis vous faire expliquer ce que votre enfant a. Mais là, c'était les portes fermées, il y avait rien puis j'étais vraiment en détresse dans ce temps-là, quand c'est arrivé, c'était pas croyable! (Lisette)

En effet, la première hospitalisation est une expérience très pénible pour les soignantes qui ne comprennent pas ce qui se passe, qui ne savent pas comment réagir et qui ne connaissent pas encore les ressources susceptibles de les aider. Carole nous a avoué s'être sentie comme une «aveugle» au début de la maladie de son fils. Elle a cessé temporairement de travailler et annulé un court séjour à Québec pour s'occuper de son fils suicidaire.

> Alors je vivais du petit peu d'argent que j'avais en banque à ce moment-là. C'était vraiment la panique, je savais pas non plus à ce moment-là qu'il y avait un recours pour obliger un examen psychiatrique, comme je l'ai su par la suite, qu'on pouvait aller en Cour. Ça existait mais je le savais pas, j'avais rien, j'avais pas de notion d'association de parents.

Gisèle insiste également sur le besoin d'informations, surtout lors d'une première hospitalisation.

> La première hospitalisation, on est tout à fait dans le noir, on sait rien. À un moment donné, j'ai posé une question, puis l'infirmière a dit: c'est la première fois? Ils sont tellement dedans qu'ils sont pas conscients qu'il y a quelqu'un à qui ça arrive pour la première fois, non, c'est un manque de conscience. (...) C'est rien qu'à sa sortie que j'ai parlé au psychiatre: qu'est-ce qu'il a, Georges? C'est quoi la cause? «On le sait pas!»

Certaines soignantes, par exemple, n'ont pas été prévenues des effets secondaires des médicaments administrés à leur fils ni de la nécessité de continuer la médication à son retour à la maison.

> On lui a donné une injection sans lui dire de quoi il s'agissait, puis on nous a dit: ramenez-le à la maison, et on reviendra lundi. J'ai su par la suite que c'était une injection de neuroleptiques très très forts qui a en fait augmenté ses angoisses. (...) Fait que là, il a fallu retourner à l'hôpital. (...) On nous avait pas prévenus du tout, puis quand je dis qu'on aurait dû nous prévenir qu'il y avait des effets secondaires, c'est parce que je le sais aujourd'hui; à ce moment-là, je le savais pas. D'ailleurs, le psychiatre qui l'a vu a dit: «Inquiétez-vous pas, c'est pour renforcer

> le mal qu'ils ont pour qu'ils acceptent mieux l'hospitalisation.» (...) Je trouve ça effrayant! (Gisèle)

Gisèle critique fortement l'ignorance dans laquelle sont laissés les parents pendant ces moments émotivement très difficiles. Elle croit d'ailleurs que les groupes d'entraide de soignantes comme celui dont elle fait partie jouent le rôle que l'hôpital n'assume pas.

> C'est que les hôpitaux ont leur rôle à jouer, puis ils le font pas. (...) C'est l'hôpital qui reçoit toutes les premières crises, puis qui voit l'entourage et puis qui sait à quel moment ça peut se produire, qui pourrait agir... l'hôpital, je pense pas que ça se doive d'aller en profondeur. (...) Il y a une petite expérience qui s'est faite dans un hôpital près d'ici, six rencontres. Ça, l'information de base qui permet à la famille de mieux fonctionner puis qui va amener les familles au groupe d'entraide plus rapidement, je suis convaincue de ça!

Plusieurs femmes critiquent le faible soutien qui leur est offert:

> Alors des fois, j'aime ça parler à quelqu'un, quand j'ai un petit peu de temps libre: «Comment vous le trouvez?» Pour essayer de savoir s'il y a des progrès, des choses comme ça qui se font. C'est beaucoup plus sur place que je vais faire ça, on dirait que quand on téléphone, on a toujours un petit peu l'air de déranger, ou bien ils sont très occupés, ou bien ils peuvent pas nous parler; à ce moment-là, ils nous retournent l'appel, et alors là, c'est moi qui vais être occupée. (Carole)

> Ah non! les professionnels s'occupent pas des parents! Heureusement, ça change un petit peu. Au moins, ils veulent nous écouter quand le malade fait une crise, ils commencent, il y en a quelques-uns qui nous reçoivent. (...) Les cinq premières années, j'avais rien! J'avais personne! (Rosanne)

Pourtant, la bonne volonté et l'amour des soignantes sont loin de suffire à l'ampleur de la tâche, comme l'affirme cette mère:

> Avec le temps, je peux te dire, dans les crises graves, l'amour c'est pas assez, ça prend des professionnels bien capables. (...) Ils sont payés pour faire ça. (...) On a pas à se gêner pour faire appel à une travailleuse sociale, une infirmière. (...) Faut s'en servir, la même chose pour les médecins. (Gisèle)

D'ailleurs, pour plusieurs soignantes, l'information et l'encadrement ne sont venus que très tardivement, après plusieurs années ou, dans certains cas, après la deuxième ou troisième hospitalisation du malade... Elles attribuent plus particulièrement la responsabilité du manque de communication et d'information aux psychiatres, qui ne sont pas accessibles: «C'est un mur qu'on peut pas traverser» (Gisèle). Certaines n'ont jamais pu parler aux psychiatres et plusieurs déclarent ne recevoir aucun soutien de leur part. Ce n'est qu'à force d'insistance que d'autres ont pu obtenir quelques échanges avec eux.

> Le psychiatre, il est bien correct avec nous autres, j'ai pas un mot à dire. (...) Mais je peux pas dire qu'il nous aide! Comme là, au début de la semaine, j'ai dit: je voudrais vous parler, bien il a dit: «Vous pouvez me parler!» J'ai dit: «Je veux vous voir, moi, parler au téléphone quinze minutes de temps, je suis pas d'accord avec ça. Quand j'ai besoin de parler à quelqu'un, c'est en personne, c'est pas au téléphone!» Il dit: «Bien, venez demain après-midi, je vais vous recevoir quinze minutes entre deux rendez-vous à la clinique externe!» Il est correct avec nous autres, mais... (France)

Rosanne affirme que les médecins n'ont pas le temps ou ne prennent pas le temps de répondre aux parents.

> [De l'information] oui, c'était vraiment ça qui manquait. (...) puis j'ai essayé d'en avoir à ce moment-là, j'ai demandé au médecin: «Combien de temps ça va durer? Les médicaments qu'il prend, est-ce qu'il peut s'habituer à ça?» Là, j'avais des réponses tellement vagues, il voulait pas me répondre, il avait pas le temps. J'étais assise puis je parlais, je voulais avoir des renseignements puis le médecin se levait, il s'en allait à la porte, tu sais, en voulant dire: «C'est assez! J'ai été dix minutes avec toi, c'est assez!» Tu sais, c'est plus longtemps que j'aurais voulu

avoir, moi! Effectivement, je suis allée voir un psychologue pour moi à ce moment-là.

Rares sont les médecins, d'après ces femmes, qui les écoutent ou tiennent compte de leur point de vue ou de leurs observations, comme en ce qui concerne la médication, par exemple; celles qui habitent avec la personne psychiatrisée sont pourtant à même d'en observer les effets. En fait, ce sont souvent les infirmières ou les travailleuses sociales qui jouent le rôle de relais entre le médecin et la famille et qui fournissent les renseignements d'ordre médical.

> Garde G., quand je l'appelais pour les médicaments ou quelque chose, parce que je trouvais que Léon était drôle quand ils lui avaient augmenté sa dose, elle disait: «Je vais en parler au docteur D. et puis on va baisser les médicaments.» Garde G. a été toujours bien gentille (...), elle m'a toujours bien répondu. (Gilberte)

> Le psychiatre, je lui ai pas parlé souvent non plus, c'était toujours une infirmière quelconque qui était comme en charge là. (Carole)

Une des critiques les plus souvent formulées à l'endroit des psychiatres vise la surmédication et ses effets sur les patients:

> Les psychiatres? Ils seraient pas là, puis je pense que ça serait bien mieux! Ils donnent des pilules aux patients pour s'en débarrasser parce qu'ils ont pas le temps de s'en occuper! (...) Je suis comme agressive face à ça, puis je me suis engueulée avec un psychiatre à l'hôpital. On voulait que le psychiatre nous dise effectivement ce que Claudette avait. Puis Claudette était là et il voulait pas le dire, dans son rapport. (Mireille)

> Je trouvais qu'ils le mettent tellement *down*, ils le droguent complètement. Alors qu'ils nous disent de pas prendre de médicaments, pas prendre de drogues, puis ils les droguent, tu sais? Il est à terre complètement, puis vous savez comment... je sais pas si vous avez déjà été, mais quand on les voit, ils marchent... ils ont toujours les mains pendantes, c'est un drôle de

comportement. (...) C'est pour ça que je trouvais qu'il était pire quand il est rentré à l'hôpital. (Gilberte)

Ils l'avaient renvoyé... Il savait pas où il allait tellement qu'il était drogué, et ils l'ont mis dans la rue comme ça. C'est épouvantable, comprenez-vous? (Gisèle)

La plupart des soignantes estiment que la médication n'est pas une thérapie, c'est pourquoi Rosanne voudrait que son fils consulte un psychologue.

Son psychiatre s'adonne bien avec lui heureusement. (...). C'est plutôt du côté médical, les médicaments, c'est surtout sur ce côté-là, c'est pas... une thérapie. C'est pour ça que je me demande si l'hôpital, son médecin pourrait pas nous conseiller un psychologue, je sais qu'ils en ont des psychologues. Ça lui ferait une personne à qui parler. Quand il va voir son médecin, il peut pas prendre une heure aussi!

Problèmes de sectorisation

Certaines femmes trouvent arbitraire et trop rigide le fait qu'on impose le psychiatre selon le secteur de résidence.

Si tu as commencé avec un psychiatre, tu peux pas changer d'endroit. C'est localisé dans chaque secteur, ça fait que si t'es pas satisfait du traitement, il faut que tu restes toujours avec la même personne; les autres te prennent pas, c'est très difficile. (Alberte)

Le dossier de Danièle, suivie par la Clinique des adolescents après son hospitalisation, a dû être transféré pour une question de sectorisation. Ce transfert a entraîné une discontinuité des services médicaux, expérience vécue comme un rejet par la malade, tel que le raconte sa mère:

J'ai commencé par aller au CLSC; ensuite de ça, elle a été hospitalisée. Je rencontrais les médecins puis les travailleuses sociales, puis tant qu'elle a été à la Clinique des adolescents ça allait bien, on rencontrait le médecin de temps en temps, (...)

> mais du moment qu'ils l'ont mis dehors, elle se sentait rejetée, pour elle, elle était rejetée, elle a pas compris... Comme je disais au docteur L., ils devraient pas, en psychiatrie, les transférer comme ça (...) une question de zonage, c'est terrible! Mais du moment qu'elle a eu dix-huit ans, ils l'ont transférée à un autre hôpital qui était pas organisé en psychiatrie. Fait que ça a pris un an pour avoir le dossier, puis le médecin qui était là se fichait de nous autres comme de l'an quarante, il a fallu tout recommencer. Ça fait que là, elle voulait plus rien savoir de se faire soigner. (Rachel)

Par ailleurs, des parents disent avoir reçu de l'aide de certains psychiatres lorsque les malades étaient aux prises avec la justice, ou encore, des conseils en matière de lectures traitant de la schizophrénie.

L'information sur la maladie

Tout comme les soignantes de personnes âgées, celles qui s'occupent de proches psychiatrisés recherchent de l'information sur leur maladie. Ainsi, l'encadrement apporté par l'équipe médicale et les groupes d'entraide mis sur pied par le CLSC ou l'hôpital sont très appréciés. De toute l'aide reçue du réseau institutionnel, ce sont les séances d'information qui ont été les plus bénéfiques pour Claire:

> Nous autres, on a eu des séances d'information d'abord avec la clinique de l'hôpital. À ce moment-là, j'ai téléphoné beaucoup pour avoir de l'information et on m'a dit: «Il y a quelqu'un qui fait un stage présentement, une travailleuse sociale qui veut donner de l'information aux parents.» C'est primordial! Il faut savoir quoi faire! Puis si on veut aider notre fils, il faut quand même savoir c'est quoi la maladie! Il faut se mettre des instruments, des outils dans les mains pour aider quelqu'un. (...) Alors on a dit: «Une fois par semaine, on va vous réunir, si vous voulez bien. Et vous allez rencontrer toute l'équipe médicale.» (...) On a rencontré le psychiatre qui a passé une soirée

> avec nous, et là on a pu poser toutes les questions qu'on pouvait. (...) Il nous a expliqué la maladie, il nous a expliqué... tout le comportement. Le mardi suivant, on a rencontré l'infirmière qui verrait Yves aux quinze jours au commencement, après une fois par mois pour lui donner ses médicaments, puis le suivre, voir son état puis s'il avait des choses à parler. C'est pas le psychiatre qui fait ça. Après, on a rencontré la travailleuse sociale... en fait, on a rencontré l'équipe. Pour nous, ç'a été très... efficace d'une certaine façon parce que ça nous a montré comment agir avec une personne qui est atteinte de schizophrénie. Ç'a été important.

Claire a acquis au cours des rencontres avec cette équipe un «savoir-faire» ignoré jusque-là. Elle s'estime très privilégiée d'avoir eu, dès les débuts de la maladie de son fils, accès à un encadrement et à une bonne information.

Depuis la mise sur pied d'une équipe médicale spécialisée à l'hôpital, les parents de Claudette ont noté une nette amélioration des services, notamment au niveau de la disponibilité du personnel.

> La dernière fois, l'année passée, on s'est aperçus qu'ils étaient mieux organisés à l'hôpital. Le médecin travaille avec une équipe, c'est moins difficile de le voir maintenant. La travailleuse sociale, on peut la voir à toutes les semaines si on veut. Ils nous ont dit: «Il y a des rencontres pour les parents.» (Mireille)

Ils ont décidé d'assister à ces rencontres pour mieux connaître la maladie et ils y ont trouvé un soutien moral.

> Il y a beaucoup de conférences qui se donnent sur le sujet maintenant, ça va mieux parce qu'on sait où on s'en va. (...) Au moins, il y a des gens avec qui on peut parler! Il y a des gens à qui on peut expliquer le cas de Claudette, puis ils ont le même problème que nous autres, alors ça fait du bien (...) avant on savait pas, on cherchait partout pour avoir de l'information! (...) On a été à une conférence sur la formation, sur la schizophrénie, ensuite les médicaments, il va y avoir un film demain soir sur la communication puis les comportements d'un

schizophrène. C'est toutes des choses qui nous aident parce que nous, on était pas trop trop informés de ça.

Le partage de la prise en charge avec les institutions d'accueil et de résidence

Les ressources d'hébergement profitent aussi aux familles, leur apportant répit en partageant la prise en charge et, finalement, leur apportant aussi un appui moral (sécurité, tranquillité, etc.). Les parents ont cependant des critiques à formuler et nous présenterons leurs principaux commentaires.

Pour Gilberte, le foyer d'accueil constitue un endroit sûr pour son fils. Après un essai infructueux en résidence surveillée, c'est la travailleuse sociale qui a pu le placer dans ce foyer: «Vous voyez qu'il est pas capable d'être en appartement; ils l'ont mis au foyer, moi, au foyer, je me sens sécurisée, parce que j'ai pas peur qu'il lui arrive quelque chose.»

Pour une autre, le fait que sa mère soit hébergée et prise en charge la rassure vraiment.

> Elle a été à l'hôpital pendant quelques mois, puis ils l'ont stabilisée, puis c'était certain qu'elle voulait pas retourner dans son appartement; alors ils ont commencé à faire des recherches au niveau des centres d'accueil, puis elle a été assez chanceuse d'être placée dans un centre d'accueil comme tel, elle vit là, elle est constamment paranoïaque, elle peut dire des choses blessantes pour moi, mais reste qu'elle a quand même des bons soins.(...) Puis la travailleuse sociale, elle a assumé beaucoup de recherches... elle s'est vraiment occupée de maman. (Johanne)

Sans le foyer d'accueil pour son fils sorti de l'hôpital mais incapable de réintégrer son appartement, Rosanne, totalement épuisée, n'aurait jamais pu tenir le coup.

> J'étais dans tous mes états! Il était rendu vers 7 heures du soir, il arrive (...) le mettre dehors de l'hôpital! Moi, ces moments-là, j'oublierai jamais ça de ma vie! Vu que l'hôpital pouvait pas le

> garder, moi je pouvais plus m'en occuper non plus, je suis allée au Centre des services sociaux lui trouver une famille d'accueil le plus vite possible.

Toutefois, certaines répondantes évoquent un manque de communication et de collaboration entre le foyer et la famille.

> Au foyer, c'est arrivé une couple de fois (...) ils l'ont envoyé au centre de crise parce qu'il avait eu des comportements bizarres et moi, j'avais téléphoné, puis ils m'avaient dit: «On peut pas vous parler au téléphone.» (Gilberte)

> Il y a un manque de coopération, ils nous demandent d'aider nos parents, mais je trouve que si on parle pas... ils vont nous demander des affaires qui ont pas de bon sens! Faire dix-huit milles, bien plus que ça, c'est vingt-cinq milles aller-retour... partir pour aller lui porter un paquet de cigarettes! (Suzanne)

Philippe estime que ces services d'accueil ne peuvent être considérés comme une tentative de réintégration sociale des malades psychiatrisés.

> C'est un centre d'accueil, où ils accueillent ces gens-là qui ont des problèmes. Ils appellent ça la réinsertion sociale, mais ils font pas vraiment de réinsertion sociale. (...) Je suis pas un connaisseur là-dedans, mais je sais toujours bien que si tu laisses une personne à rien faire de même à la journée longue comme ils font là-bas, c'est impossible de réhabiliter quelqu'un. (...) Ce qu'ils essaient de leur montrer, eux autres, c'est d'aller dans le parc là-bas, puis se promener. Mais de les renseigner sur quelque chose, non il y en a pas de centre de même. (...) C'est parce qu'ils ont pas de programme.

Si leur état de santé le permet et s'il y a des places disponibles, les malades peuvent vivre en appartement supervisé où, tout en étant dans un logement autonome, ils sont assurés d'un encadrement.

> C'est une travailleuse sociale qui s'en est occupée. Faut dire que Georges a toujours changé de travailleuse sociale. (...) Il s'agissait soit de me trouver une autre famille d'accueil dans le

> nord ou un foyer de transition. (...) En tout cas, il a pas été content du tout, les familles d'accueil, il en voulait pas, le foyer de transition, il y avait pas de place... Georges s'est ramassé dans son propre appartement. Ça, il l'a pas détesté, il faisait partie des appartements supervisés. (Gisèle)

Pour certains, c'est le centre de jour rattaché à l'hôpital qui a constitué jusqu'ici la meilleure solution. C'était pour Carole la première fois qu'on offrait de les aider, elle et son fils qui habite avec elle.

> Disons que j'ai trouvé que le centre de jour était pas mal plus humain que l'hôpital... des appels de personnes du centre de jour... qui s'offraient même de m'aider (...) Jamais l'hôpital m'avait fait aucune espèce d'offre d'aide dans ce sens-là.

Elle y apprécie l'intégration des services et la disponibilité du personnel, son caractère communautaire et familial. Tous ces facteurs sécurisent Carole, «qui panique facilement», dit-elle.

Enfin, si on critique abondamment le réseau institutionnel, ces ressources demeurent souvent une bouée de sauvetage...

Le soutien aux soignantes

Parallèlement aux services qui s'adressent aux psychiatrisés, les répondantes font mention d'un soutien qui leur est plus spécifiquement destiné ou, en tout cas, qu'elles ressentent comme tel. Il s'agit d'une aide très personnalisée essentiellement offerte par des femmes, travailleuses sociales, infirmières et éducatrices. Les entrevues témoignent notamment de la qualité du support apporté par les travailleuses sociales.

> Ç'a apporté beaucoup de réconfort, beaucoup de stabilité, une sécurité (...) il y a quelqu'un d'autre qui prend une part de cette responsabilité-là avec moi, on est pas toute seule. (....) Elles essaient de nous faire réaliser davantage que ma mère est très malade, elles vont toujours trouver une façon de me réconforter un petit peu. (Johanne)

C'est la travailleuse sociale qui, lors de rencontres avec les parents et le malade, assure un suivi et allège la solitude et le fardeau de la prise en charge.

> Avant, la travailleuse sociale, on la voyait une fois de temps en temps, maintenant c'est à toutes les semaines. (...) Là maintenant, il y a une travailleuse sociale qui s'occupe d'elle. (...) Ce qui nous supporte le plus, c'est d'avoir parlé avec quelqu'un d'autre de la maladie, avant on en entendait pas parler, on était juste les deux! (Mireille)

C'est encore elle qui conseille ces parents sur les comportements à adopter avec les malades:

> Mais là, le seul recours, c'est la travailleuse sociale. (...) Quand on la rencontre, on discute avec elle, puis des fois elle nous donne des petits trucs. (...) Elle nous disait: «Telle ou telle chose, vous devriez essayer ça», elle nous faisait des petits programmes pour Claudette, pour nous. Quelque chose de bien simple puis là, on essayait ça! (Mireille)

La travailleuse sociale a aussi aidé Mireille et Fernand à doser leurs interventions, à relativiser les situations.

> La travailleuse sociale, elle dit: «Il faut penser à vous autres aussi! »(...) Je l'admire beaucoup, c'est parce que quand on va la voir, on va toujours les trois ensemble, moi, ma femme puis Claudette (...) parce qu'elle voit jamais Claudette toute seule. (...) la travailleuse sociale, elle se préoccupe pas juste de Claudette, elle nous le dit des fois: «Vous autres, vous êtes importants dans tout ça!» Parce qu'elle s'est rendu compte à un moment donné qu'on en faisait trop! C'est elle qui nous l'a dit, puis là on pense à nous maintenant; elle nous a donné des petits trucs, il faut connaître ses limites, pas se laisser manipuler par le bénéficiaire, par le patient. (Fernand)

C'est souvent la travailleuse sociale qui facilite les «négociations» entre la famille et le malade et favorise une meilleure communication. Et généralement, c'est elle qui donne l'information, suggère des lectures, parle de l'existence des groupes de parents, des ressources alternatives.

Gisèle a trouvé dans la disponibilité et la compréhension d'une des animatrices de la résidence surveillée fréquentée par son fils une source de communication et de sécurité.

> Une des animatrices a été la personne la plus ouverte que j'ai jamais rencontrée. Si j'étais pas à l'aise avec une question, je pouvais l'appeler, puis j'avais jamais l'impression de la déranger; au contraire, elle m'a comme rassurée avec mon mari.

Le support du réseau judiciaire

• *Le recours à la police*

Tout en reconnaissant qu'ils n'ont eu aucun autre choix que celui de recourir à la police et à la Cour, des soignantes s'interrogent sur ce type de mesure comme soutien réel à la famille. Le recours à l'aide policière a ses limites et peut entraîner, comme dans le cas suivant, des conséquences nuisibles au climat familial déjà tendu.

> Quand il avait de grosses crises, on appelait la police (...) puis là quand il revient, il est en maudit contre son père parce qu'il a fait venir la police (...) des fois, c'est les voisins aussi qui appellent la police parce qu'un soir, il a défoncé une porte dans sa chambre... les voisins ont entendu alors ils ont fait venir la police. Puis là, la police est allée le reconduire, dans ce temps-là, il était sur le mandat du Lieutenant Gouverneur, alors il rentrait à l'hôpital, ils pouvaient pas le refuser! (Anita)

Mais, poursuit Anita, c'est une solution temporaire et inefficace: «Ils vont nous le renvoyer au bout de deux jours!» Pour Berthe, le recours à la police est devenu une pratique routinière qui ne brise en rien le cercle de violence physique et morale dans laquelle la plonge la situation désespérée de son fils. «Personne veut s'occuper de lui, les médecins démissionnent (...) La police est venue ici peut-être dix-huit ou vingt fois! Ils sont tellement en panique, là, qu'ils m'ont dit: "N'appelez plus parce qu'est-ce que vous voulez qu'on fasse?" Ils le sortent d'ici, puis il revient quand même.»

Alors que plusieurs se disent satisfaites du comportement des policiers à l'égard de leur fils, d'autres déplorent leur dureté et leur incompréhension totale dans des situations suicidaires ou violentes.

> J'ai appelé la police, puis il m'a entendue appeler la police, il est parti. Quand la police est arrivée, il était plus ici! (...) Ça faisait pas une demi-heure qu'il était parti, il revient, je le vois tourner au coin puis j'appelle la police:«Je veux pas qu'il rentre dans la maison», parce que je voulais pas qu'il se suicide ici... Alors là, il pensait que les policiers étaient partis, il est arrivé, j'ai pas parlé. Là, la police arrive, ils ont réussi à le maîtriser en haut. Je rappellerai plus jamais la police! Puis je lui ai dit à la police aussi! Parce qu'en plus de venir ici à six voitures en avant, ils ont mis une accusation contre Charles de voies de fait contre un policier. Charles a été obligé d'aller en Cour pour ça! (...) Ils appellent l'ambulance, puis après ça, ils lui foutent une accusation de voies de fait. C'est quoi la logique dans ça? Il est malade, il est malade! (...) Moi j'acceptais pas qu'il soit en prison. Sa place était pas là! Sa place était à l'hôpital! Quand il est malade, sa place est à l'hôpital, puis quand il est bien, il est encore malade! Mais quand il va un peu mieux, sa place est pas ici, mais il en a pas de place, c'est aussi simple que ça. (France)

• *La Cour, la prison, les avocats*

Celles dont le fils a eu des démêlés avec la justice (comparution et procès pour vol, vagabondage, obstruction, etc.) ont formulé plusieurs critiques à l'endroit du système judiciaire.

> Les parents sont toujours à l'écart. Pour communiquer avec l'avocat de mon fils, il a fallu que j'appelle à l'assistance judiciaire, que j'appelle à la Cour où sa sentence était donnée pour savoir le lieu, la date, l'heure, le nom de l'avocat, en tout cas, un paquet d'affaires! (Alberte)

Elles ont beaucoup de difficultés à faire reconnaître la non-culpabilité de leur fils en état de crise lors d'un délit.

> Il était déjà rendu en prison quand je l'ai su et puis son procès était remis au début du mois d'août, alors il a été plus d'un mois là. Commencer à prendre un avocat, puis raconter toute une histoire, je me suis débattue comme une folle pour avoir une lettre aussi de l'hôpital (...) j'ai appelé le psychologue qui le voyait aussi à l'occasion pour être sûre d'avoir ce qu'il fallait pour faire tomber les charges. J'avais pas envie qu'il ait un dossier criminel en plus, pauvre lui! Il était déjà assez mal pris d'être là-bas! (Carole)

Elles ont également évoqué le problème des conditions de détention ainsi que le traitement inapproprié des psychiatrisés à cause d'un manque de ressources:

> Le pire de tout, c'est qu'il a fait trois mois de prison, puis il était même pas capable de faire la vie d'un prisonnier normal! Je veux dire, pour pas incommoder les autres prisonniers qui étaient là, puis qui avaient de la misère à le supporter. Parce qu'il y avait eu de la violence envers Jean-Marie, il a mangé deux coups de poing par des détenus. Puis là pour sa protection, on le renfermait 24 heures sur 24 dans sa cellule. Puis à Noël, puis au jour de l'An, il a même pas eu de permission de sortir! (Alberte)

Enfin, certaines soignantes ont recours à la Curatelle publique. C'est le cas de Berthe, dont le fils est incapable de gérer son budget.

> Le jeune homme qui s'en occupe (...) qui a 22 ans, il est trop jeune, il arrive pas à avoir la poigne que ça prend. Il écoutait monsieur D. [le dernier fonctionnaire], mais là il écoute plus! Alors lui [le jeune fonctionnaire] il commence à vouloir le laisser tomber aussi… Le mois dernier, il met de l'argent à la banque (…) il lui a trouvé une chambre trop chère, 375 $ par mois c'est trop cher, sans nourriture, surtout qu'il fume. Mais là le mois dernier, à la banque, il dépose 240 $ pour Ovide qui doit être donné une fois par semaine parce qu'il dépense tout le premier jour! (...) Puis après ça, il s'en vient ici, il tourne autour de la maison, il quête et il achale tout le monde! Là, il avait plus un sou. Alors, comment est-ce qu'il va manger? Puis il veut pas aller à la soupe, monsieur! Parce qu'il dit que c'est pas un

> endroit distingué pour lui, c'est pas sa place! Alors on peut pas le laisser mourir! Il est mince comme ça!

- *Les droits des adultes psychiatrisés*

Pour terminer l'évaluation du système judiciaire, nous estimons important d'aborder une zone conflictuelle entre les soignantes et les institutions, à savoir, les droits des malades de refuser le traitement et l'hospitalisation. Plusieurs femmes voient dans ce droit un obstacle à l'aide qu'elles peuvent leur apporter car, tout compte fait, les soignantes qui veulent contourner le refus des malades de se faire traiter se heurtent au système légal, à la Charte des droits et libertés. Elles expriment certaines doléances quant à la reconnaissance de ces droits à des adultes mentalement malades. Par exemple, Anita aimerait que son fils, qui vit enfermé dans sa chambre, reçoive l'aide d'une travailleuse sociale ou qu'il prenne régulièrement ses médicaments.

> Je suis allée frapper à la porte d'un CLSC, j'ai téléphoné ce matin, la travailleuse sociale m'a dit: «Il faudrait qu'il voie un médecin.» J'en ai parlé dernièrement à mon fils: «Tu devrais aller chez un médecin, tu devrais te faire traiter, ça t'apporterait quelque chose!» Et vous savez, il s'en va dans sa chambre. S'il est pas traité, ils peuvent rien faire pour nous autres (...) traiter, c'est d'avoir un psychiatre, prendre des médicaments, aller régulièrement...

De plus, soulignent d'autres mères, l'argument de la confidentialité et le fait que le malade soit majeur tend à les exclure, notamment en ce qui concerne leur avis lors du retour à la maison. La confidentialité les prive d'informations auxquelles elles devraient avoir accès afin de pouvoir joindre leurs efforts à ceux de l'équipe médicale.

> On avait de la misère à rencontrer le psychiatre, à comprendre! (...) J'ai téléphoné, téléphoné, puis on me disait: «Jean-Marie est majeur! Ça regarde le psychiatre et lui! Ça vous regarde pas, vous autres! C'est confidentiel!» (...) Le psychiatre s'arrange toujours avec le patient. Tu es pas au courant, vu que la per-

> sonne est majeure, généralement c'est tous des gens majeurs, donc tu as aucune autorité. (Alberte)

> Ce qui arrive, c'est que la minute que quelqu'un est majeur, le psychiatre traite avec le patient, il traite pas avec la famille du patient. C'est pas correct parce que, nous autres, on a aussi un rôle à jouer avec le médecin, parce qu'admettons que le garçon est à l'hôpital pendant x temps, il va sortir éventuellement et il s'en vient à la maison; je sais pas mais ce serait élémentaire de savoir quoi faire puis de quoi il souffre, le patient. (France)

Des femmes avouent franchement leur totale impuissance quand le malade refuse de se faire aider. Elles ne recourent pas au mandat du tribunal de gaieté de cœur. Carole raconte comment elle a hésité avant de s'en servir «contre» son fils.

> Je demande mon ordre de Cour et, à ce moment-là, c'était un peu différent de maintenant, il faut l'exécuter le jour même, tandis qu'à ce moment-là... j'étais pas capable de me décider, il était calme, pas violent... envoyer la police puis dire: on l'amène! Je me disais: je veux attendre qu'il y ait vraiment quelque chose, que j'aie peur, qu'il revienne plus ou que ça aurait l'air plus dangereux. Alors on pouvait le garder notre papier d'ordre de Cour et puis appeler la police, par exemple... C'est ça que j'ai fait.

Alberte tient à ce que soit souligné le déchirement que ressentent certaines soignantes quand elles décident de se procurer un tel mandat, la culpabilité et l'humiliation éprouvées au cours de cette procédure judiciaire.

> Mon Dieu Seigneur, c'est déjà un fardeau que d'aller chercher une ordonnance de la Cour pour faire traiter quelqu'un qu'on aime... et l'autre qui est super hautain, au-dessus de ça, puis un peu méprisant... C'est presque toutes des femmes qui vont chercher ça pour leur enfant parce que les hommes, soit qu'ils sont au travail, ou le père est absent... C'est un problème de femmes, ça.

Le support du réseau communautaire

Plus que l'entourage ou les institutions, c'est le réseau communautaire qui apporte le plus d'aide et de soutien aux soignantes de personnes psychiatrisées: «Bien moi, si j'avais pas eu le groupe d'entraide, je vais vous dire franchement, je serais avec lui à l'hôpital! (France) »

Insatisfaites de l'approche médicale en psychiatrie, des soignantes se sont dirigées vers des ressources communautaires. Ce sont des associations de parents, des groupes d'entraide, des groupes pour personnes psychiatrisées qui constituent les noyaux d'aide les plus actifs en matière de support moral et d'information, parce qu'ils sont animés par les parents ou les psychiatrisés et répondent à leurs besoins spécifiques. Ils bénéficient du support de spécialistes et fournissent un soutien très précieux à divers niveaux (hébergement, dépannage pour les vacances, aide juridique, consultation, service d'urgence, activités et travail supervisés, etc.). En général, les ressources communautaires s'opposent à la psychiatrie traditionnelle et à toute médication.

Les groupes d'entraide pour parents

Les groupes d'entraide pour parents ont été mis sur pied par les proches des malades mentaux et leur servent de lieu de rencontre, d'échange et d'information face à la maladie d'un des leurs.

Toutes les femmes que nous avons rencontrées connaissent l'existence de ces groupes d'entraide bien que certaines ne les aient découverts que plusieurs années après le début de la maladie. Pour la majorité d'entre elles, ces groupes ou associations ont joué un rôle significatif. Certaines personnes s'y sont même engagées et y agissent comme personnes-ressources pour faire profiter les autres de leur propre expérience. Comme le dit

Lisette: «Je reçois et je donne.» Les groupes et les associations sont d'abord des lieux où l'on se reconnaît, des lieux de solidarité qui rompent l'isolement des soignantes.

> J'ai vu d'autres personnes qui étaient au désespoir! Vous savez, ces assemblées-là, c'est très difficile! Parce que le témoignage de l'un et de l'autre, on se rejoint tous, parce qu'on a à cœur que nos enfants fonctionnent bien. Puis on a aussi à cœur d'être écoutés, entendus, compris! (Alberte)

Ce sont des lieux d'organisation et d'encadrement. Et même si parfois on n'y trouve guère plus qu'un soutien moral, le partage d'autres expériences permet de relativiser sa propre situation.

> On suit régulièrement les séances du groupe d'entraide. Quand on revient de là, ça nous donne rien, excepté qu'on sait qu'il y en a qui sont plus mal pris que nous autres! Ça va pas plus loin que ça! (...) On fait partie du mouvement des parents et amis du malade mental, mais on peut pas dire que ça nous apporte grand-chose, c'est tout des cas comme nous, puis ils discutent. (Anita)

Il reste que pour Anita, «c'est à peu près la seule place où on peut se défouler». Pour certaines personnes, les réunions de groupes et d'associations ont agi comme une véritable thérapie qui les a aidées à «survivre». Cette thérapie consiste d'abord à se déculpabiliser.

> Quand on commence à vivre un problème comme ça, on se figure que c'est rien qu'à nous autres que ça arrive. Et puis on se sent coupables, il y a une grande culpabilité qui s'empare de nous autres. Parce que tu repasses dans ta vie toutes les erreurs que tu peux avoir faites, tu examines ta vie à la loupe (...) tu commences à prendre conscience qu'il y a une maladie qui s'appelle comme ça. Puis tu te rends compte qu'il y a des parents qui ont vécu ça avant toi, puis qui le vivent aujourd'hui, puis tu t'associes avec eux autres. (Alberte)

France explique que l'association lui a aussi apporté la force et le courage de se battre. De plus, elle y a trouvé de véritables amies.

> Je me serais repliée sur moi-même, j'aurais pleuré tout le temps... je me serais pas battue pour avoir ce que j'ai eu à date. (...) La déculpabilisation, premièrement, parce que je me suis dit: c'est moi qui a fait quelque chose, certain! Puis la connaissance de la maladie. Avec les spécialistes qui viennent, on apprend à connaître la maladie, puis cou'donc, on est pas coupables! (...) Vous êtes responsable de lui avoir donné la vie mais vous pouvez quand même pas culpabiliser toute la vie pour ça! C'est ça que le groupe d'entraide m'a apporté, une tranquillité que j'avais pas, que j'aurais pas trouvée toute seule. (...) C'est que là j'ai rencontré des femmes, parce qu'en majorité c'est des femmes (...) on pourrait en reparler, pourquoi c'est des femmes là aussi! Mais c'est des femmes qui ont été mes amies. C'est (...) le mot, c'est vraiment des amies, pas juste des connaissances.

Le groupe en aide plusieurs à accepter la maladie de leur fils, de leur fille, à s'y adapter et à en surmonter le stress.

> Je suis pas venue pour Georges, dans le fond, je me souviens d'avoir appelé la personne qui a commencé ça. J'ai dit: «J'y vais pas pour mon fils, j'y vais pour moi. Comment je vais faire pour vivre avec cette affaire-là?» Je savais pas (...) comment réagir aux événements, je savais pas vraiment où je m'en allais avec ça. (Gisèle)

Elles y apprennent qu'il existe des alternatives à la prise en charge par la mère: «Oui, c'est là que j'ai réalisé que j'étais pas la seule puis que mon fils pouvait faire appel à d'autres personnes que moi.» (Gisèle)

C'est aussi dans ces groupes qu'on découvre d'autres options que la psychiatrie traditionnelle, souvent insatisfaisante.

> C'est aux assemblées que j'ai eu le plus de support. C'est là qu'on a rencontré des spécialistes, qu'on a vu aussi des gens des ressources alternatives. Ils sont venus aussi, ils nous ont donné de l'information, c'est à la suite de ça que tu fouilles dans des volumes. (Alberte)

Cette information de base incite en effet les soignantes à continuer à se documenter sur la maladie. On apprend également à connaître les médicaments.

> Je lis, j'ai lu une couple de fois sur la schizophrénie, *Vivre et travailler avec la schizophrénie*. Je suis des cours, j'arrête pas, dans ce domaine-là, puis on parlait qu'on pouvait donner des fois des anti-dépressifs, même du lithium, pour régulariser le caractère et l'humeur. (Carole)

Certaines femmes ne fréquentent pas ou ont cessé de participer à ces groupes d'entraide. Berthe ne voit pas en quoi ces groupes pourraient l'aider.

> Je communique jamais avec d'autres personnes de ce cas-là. Parce qu'on m'a souvent demandé de faire partie de groupes de parents, cependant j'ai déjà assez à penser à ça, sans aller en parler avec quelqu'un d'autre (...) mais aller là pour jaser de nos petites misères, j'ai bien assez de les supporter pour aller en discuter!

Le fils d'Angéline refuse que sa mère participe à ces réunions. D'ailleurs, celle-ci se dit insuffisamment «instruite» pour y participer et s'oriente plutôt vers les organismes du Troisième Âge. Suzanne, qui s'occupe de son beau-frère, ne se sent pas très concernée par ces groupes et reçoit, selon elle, un assez bon support de plusieurs médecins. Enfin, Philippe n'a pas donné suite à l'invitation de la travailleuse sociale d'assister aux réunions de parents, les rencontres avec elle, son fils et sa fille lui apparaissant suffisantes.

Trois autres personnes ont diminué la fréquence de leur participation aux groupes d'entraide. Jugeant les conférences de l'association répétitives, l'une d'elles a opté pour les cours donnés aux parents par le centre de jour que fréquente son fils. Une autre estime que l'association lui a été très utile au début de la maladie de son fils mais qu'ils bénéficient maintenant d'autres ressources.

Les ressources alternatives en santé mentale

En dehors des groupes d'entraide, certaines répondantes ont trouvé dans des ressources alternatives en santé mentale l'aide dont elles avaient besoin, pour elles ou pour la personne dépendante. Ces ressources s'adressent plus particulièrement aux personnes psychiatrisées tout en offrant du support à leur entourage. Pour deux soignantes, c'est un centre communautaire pour personnes psychiatrisées qui constitue leur lieu de référence et de communication en toutes circonstances.

Ne trouvant aucun service efficace et stable sur la Rive-Sud, Rachel a finalement découvert l'existence de ce centre:

> J'ai contacté une intervenante au centre (...) puis ils sont venus et ils m'ont beaucoup aidée. Ils sont venus ici, ils sont venus la rencontrer, et puis chaque fois que j'avais un trop-plein, j'allais rencontrer l'intervenante, je partais une journée puis j'allais la rencontrer.

Sa fille est hébergée chez les religieuses et Rachel se voit quelque peu libérée des responsabilités de la prise en charge: «C'est le centre qui prend la responsabilité maintenant.» Cela lui donne enfin le répit — temporaire — dont elle a besoin.

> Je lui ai dit à la religieuse, que si elle faisait des choses pas correctes, qu'elle appelle l'intervenante du centre, je lui ai donné le numéro de téléphone. Puis elle va s'en occuper, elle va la déménager, c'est là où elle sera traitée.

Danièle ne va donc plus chez ses parents que les fins de semaine et Rachel peut compter sur la disponibilité du personnel du centre.

> Ils ont été très gentils, ils sont venus ici, puis ils ont dit: «N'importe quel temps, on viendra la chercher si elle est trop violente.» Puis là-bas, c'est pareil, si à la résidence ça va pas, ils iront la chercher, alors je me sens en confiance, je me sens soulagée. Je veux bien faire ma part, je veux bien l'accepter de temps en temps, mais quand ça fait pas l'affaire, je veux pas l'accepter.

Au centre, on l'a également aidée à dire à sa fille qu'il n'était pas question de revenir vivre à la maison.

> C'est l'intervenant qui disait: «Bien, vous avez l'air un peu hésitante. Vous lui dites pas clairement que vous en voulez pas.» Mais là maintenant, c'est fait, c'est dit, mais elle insiste toujours. (...) [l'intervenant] m'appelait puis il me demandait: «Comment vous sentez-vous, avez-vous accepté d'être capable de dire à Danièle que vous la voulez pas? » J'ai dit: «C'est ma fille, j'en ai juste une... puis elle sait que je suis bonne puis elle abuse, elle sait qu'en insistant peut-être...»

Berthe explique que ce même centre lui sert de point de référence. On y a pris en charge son fils pendant près de deux ans. Mais comme le centre a aussi ses limites, c'est à la mère qu'on «renvoie le problème».

> C'est lui [l'intervenant] qui a pris Ovide en charge dernièrement, depuis un an et demi à peu près, deux ans, pas plus que ça. Puis là il a fini, il a dit: «J'ai tout fait, j'ai tout essayé, je suis plus capable d'aider Ovide! Il y a rien à faire! Il écoute absolument pas.»

Toutefois, elle reçoit encore beaucoup d'aide.

> Bien là, j'appelle justement le centre, parce que je peux appeler jour et nuit (...) ils disent quoi faire ou bien ils appellent la police (...) jour et nuit, oui. Puis même on m'a envoyé une enveloppe la semaine dernière, le CLSC fait le service aussi, fait que si je suis mal prise, jour et nuit, il y a quelqu'un qui répond, qui aide, c'est ces deux services-là.

Ce même centre a aussi aidé une autre femme en lui procurant une aide juridique et un service de dépannage la déchargeant de son fils pendant trois semaines.

Lisette apprécie le travail des centres communautaires de jour, qui contribuent à responsabiliser la personne dépendante et lui offrent également des loisirs.

> Mais je trouve très bon le centre où il va. Eux autres, je les trouve admirables ces gens-là, parce qu'ils lui ont donné beau-

> coup de confiance en lui et puis d'abord, ils lui donnent des choses à faire le jeudi, il a des responsabilités au café-rencontre, c'est lui qui s'occupe de la petite caisse. (...) Voyez-vous, ces temps-ci, il passe une mauvaise passe. Là, il serait collé en arrière de nous autres, mais il a de la gymnastique douce puis le jeudi, il va le soir. Puis là (...) il va prendre son cours de bureautique.

Lisette souligne aussi le rôle important des groupes qui tentent de trouver du travail et de soutenir les psychiatrisés dans leur réinsertion sociale. Elle estime que l'amélioration de la situation des psychiatrisés passe nécessairement par la coopération des différents intervenants: famille, hôpital, communauté.

Enfin, Carole, qui a cherché de l'aide auprès d'organismes communautaires durant la période suicidaire de son fils, déplore cependant le manque de ressources lors de ces moments de crise:

> Il était très suicidaire (...) et finalement il a fait une tentative. Moi, entre-temps, je cherchais partout, j'essayais de trouver de l'aide, un organisme qui pouvait par exemple avoir des thérapeutes qui seraient venus pour lui parler. Il était prêt. Il était complètement ouvert à ça. Mais il y en a pas. (...) Il faut que notre crise ou notre tentative de suicide se fasse entre telle et telle heure.

Il est important de souligner que le recours aux ressources alternatives peut fermer les portes du réseau institutionnel (hébergement et autres services). Après le départ précipité de son fils d'un groupe de ce type, Alberte ne peut pas se tourner vers l'hôpital.

> Il faut que je vous dise aussi qu'avec [le groupe communautaire] et les hôpitaux, je sais pas si c'est dans tous les hôpitaux, mais je sais que l'équipe médicale de l'hôpital... était en désaccord que Jean-Marie aille [au groupe]. On m'a même dit: «Si Jean-Marie va au [groupe communautaire], nous autres on se retire du dossier.» Parce que les philosophies sont pas identiques, je veux dire, ça c'est une alternative, tandis que l'autre, c'est médical.

Il semblerait donc que les parents doivent rester dans le réseau de la psychiatrie «traditionnelle» sous peine de se voir privés de tout le support offert par ce réseau (hébergement, etc.).

En résumé, il ressort de l'ensemble des témoignages que ce sont les groupes d'entraide qui apportent le soutien le plus manifeste et le plus direct aux familles des personnes psychiatrisées: support moral, compréhension de la maladie, informations sur les ressources existantes, etc. Les ressources alternatives en santé mentale apportent aux parents un support à la fois direct (aide morale, psychologique, urgence) et indirect (hébergement, activités de réinsertion sociale pour les personnes psychiatrisées). Ces services communautaires sont très appréciés pour la disponibilité et l'accessibilité de leur personnel, qualités qu'on ne retrouve pas toujours dans le réseau institutionnel. Ils apportent également une sécurité et un répit aux parents, en les remplaçant temporairement ou en les épaulant dans la prise en charge.

Les stratégies personnelles de soutien

Face aux différents réseaux, plusieurs femmes ont affirmé «ne compter que sur leurs propres moyens»; les résultats, selon elles, sont plus concrets, plus rapides et plus efficaces.

> Le type de soutien que je me suis donné? Je pense que c'est moi-même par moi-même... De quelle façon que je me suis donné ça? J'ai lu beaucoup finalement sur ça, j'ai lu plein de livres. D'abord j'ai pris beaucoup de livres à la bibliothèque (...) puis en allant aux conférences... (Claire)

Compter sur ses propres forces signifie également foncer, exiger et se battre. Plusieurs femmes n'ont pas eu peur de «s'imposer» et d'exiger l'information à laquelle elles avaient droit. L'une d'entre elles affirme que c'est grâce à leur détermination si elles obtiennent de l'aide, car les gouvernements se désintéressent des problèmes de ces familles.

Près de la moitié des répondantes ont gardé leur emploi malgré la maladie de leur enfant. Pour elles, travailler fait partie d'une stratégie de survie. Le travail leur permet en effet de prendre du recul, de s'éloigner, de sortir de l'univers de la maladie. Il leur procure un répit d'ordre moral.

D'autres femmes ont développé des stratégies très personnelles de soutien. Par exemple, Angéline dont le fils travaille depuis 1987, après une réclusion de sept années à la maison à ne «rien faire», a trouvé dans les organismes du Troisième Âge un lieu de distractions et d'échanges. Son implication dans les nombreuses activités de ces organismes «la fait sortir de la maison», tout en obligeant son fils à se débrouiller et à développer son autonomie. Rachel se change les idées en suivant des cours au cégep en philosophie et en art. Elle organise également des sorties culturelles (concerts, etc.) avec quelques-unes de ses amies. De plus, elle essaie de rompre la routine en prenant de courtes vacances seule avec son mari.

> Quand on partait en vacances, qu'on en avait assez, Danièle allait à la résidence, elle allait en chambre et nous autres on partait en vacances pour nous reposer la tête, parce que ça fait six ou sept ans qu'elle est à la maison.

Rosanne trouve elle aussi qu'il est important de s'accorder des vacances.

> Je prends des vacances... je vais faire le plein, je vais en ski par exemple, j'oublie tout quand je vais en ski, ça me fait donc du bien! Je reviens puis je reprends les cordes, puis il me semble que j'ai du courage... tous les hivers, je pars, je m'en vais en vacances.

Enfin, certaines personnes consultent un psychologue:

> J'étais suivie moi-même toutes les semaines, j'allais voir un psychologue pour essayer de m'aider à comprendre Ovide, à m'aider à savoir comment agir avec lui... parce que pour une mère... je l'aime, mon Ovide! (Berthe)

En résumé, quête d'information, loisirs, travail salarié, cours de formation générale et thérapie avec un psychologue constituent autant de moyens de s'aérer, de reprendre son souffle.

***

Parmi toutes les sources de soutien auxquelles les soignantes de personnes psychiatrisées ont recours, les groupes d'entraide et les ressources alternatives sont celles qui sont le plus positivement évaluées. Quant aux services publics, tant ceux de la santé et des affaires sociales que ceux du système juridique, ils font l'objet de maintes critiques. On souligne le manque de coordination d'un service à un autre, le manque de compréhension du système juridique face à la maladie mentale, l'absence d'intégration des soignantes dans les plans de traitement de leur proche, la surmédication des psychiatrisés et plus généralement la bureaucratisation et la déshumanisation des soins, notamment à l'urgence des hôpitaux. Malgré tout, certaines soignantes arrivent à trouver réponse à leur besoin d'information auprès des professionnel-le-s du secteur public et plusieurs apprécient le support moral fourni par des infirmières et des travailleuses sociales.

Au niveau de l'entourage, certaines soignantes ont pu trouver du support chez une sœur, un enfant ou occasionnellement leur conjoint, mais, en général, elles sont laissées à elles-mêmes. On souligne particulièrement l'absence de soutien de la part de la majorité des pères d'enfants psychiatrisés.

Les stratégies personnelles de soutien consistent principalement à s'informer et à se divertir.

SOUHAITS ET PERSPECTIVES D'AVENIR

Nous avons aussi cherché à savoir quelles solutions préconisent les femmes d'une façon plus générale en termes de choix de société: comment jugent-elles les institutions? Cette opinion joue-t-elle un rôle dans leur choix de garder leurs proches?

Du côté des personnes âgées

L'institution ou le maintien à domicile?

La majorité des soignantes de personnes âgées penchent en faveur du maintien à domicile. À leur avis, l'institution est une solution de dernier recours. Pour d'autres, le mode de prise en charge idéal dépend du contexte familial, du type de relations entre les membres de la famille. On critique les coûts prohibitifs des centres d'accueil privés et la pauvreté des ressources dans les centres d'accueil du réseau public. Plusieurs personnes ont proposé des moyens d'améliorer les conditions actuelles de maintien à domicile: rémunérer les soignantes, ou encore, développer des ressources comme des gardiennes ou des centres de dépannage.

Christine souhaiterait avoir accès à des services lui accordant un répit de courte durée (quelques heures) ou même plusieurs jours de repos. Elle évoque en outre la possibilité d'être rémunérée pour le travail de prise en charge qu'elle effectue:

> Je souhaiterais, c'est sûr, une rentrée de ressources, un montant financier. (...) Parce qu'on a plus de vie professionnelle, notre vie sociale est presque inexistante, puis la vie sentimentale c'est la même chose, alors je pense qu'on est pénalisés pour ce choix qu'on fait. (...) Une personne comme ça en institution, ça peut coûter peut-être 200 ou 250 dollars par jour et, dans le moment, peut-être que maman peut leur coûter 20 dollars par jour. (...) Ce que je demanderais, moi, au niveau d'autres services? Bien, une plus grande facilité en maison d'hébergement temporaire, parce qu'une personne qui veut aller en temporaire à certaines périodes, faut que tu t'y prennes des mois et des mois à l'avance.

Pour d'autres, le répit devrait venir plutôt d'un meilleur partage de la prise en charge entre les frères et sœurs.

> Ça me fait rien d'être le poteau, mais j'aimerais qu'on répartisse les tâches entre chaque personne qui pourrait faire quelque chose. Comme je sais que mes frères peuvent pas aller lui donner son bain, ou quoi que ce soit comme ça, ou faire son lavage, mais qu'ils aillent la voir puis qu'ils l'amènent au restaurant une fois de temps à autre. (Annie)

Certaines soignantes ont parlé de problèmes de société. Alice souligne notamment celui de l'abandon des personnes âgées et les coûts excessifs des maisons pour personnes âgées.

> C'est sûr que c'est pas tous les enfants qui peuvent avoir des facilités comme nous autres. La disponibilité, c'est pas tous qui en ont non plus... Mais souvent, les personnes âgées qui sont sur un coin de rue puis qui sont toutes sales, ah! mon Dieu! Il me semble qu'il devrait y avoir quelqu'un pour voir à eux autres! (...) Il faut des maisons, des loyers modiques pour les personnes âgées: il faut qu'il y ait tant de revenus: tu prends aussi les centres d'accueil, c'est bien beau, ils sont pas dans la rue, mais il faut qu'ils paient cher pour rester là, des fois... qui est-ce qui peut aller là? Des gens qui ont des gros revenus.

Pour Henriette, le maintien à domicile dans les familles n'est qu'un aspect de l'intégration sociale des personnes âgées dans la communauté. Elle cite en exemple la Hollande qui, selon elle, évite le cloisonnement qu'elle déplore au Québec.

> C'est une beauté de voir en Hollande comment on s'occupe des vieux. On a beaucoup de leçons à prendre d'eux. (...) Tout est organisé pour eux. Ils voyagent, ils se promènent, ça coûte à peu près rien. Il y a des lieux spécifiques où les personnes âgées vivent. Il y a des médecins et tout ça, ils ont des services et ils sont pas parqués dans un ghetto parce qu'ils sont vieux. Ils ont l'occasion de voir des enfants jouer dans le jardin, tout en ayant pas à les endurer, ils peuvent parler aux enfants.

Mais si l'on semble dans plusieurs cas peu ouvert à l'institutionnalisation, rappelons que cette opinion est plus rare chez les personnes qui ont obtenu ou attendent le placement de leurs proches. Ces dernières sont beaucoup plus favorables à cette perspective et leurs commentaires, dans certains cas, révèlent un degré de satisfaction élevé envers les services qu'y reçoivent leurs parents âgés. Dans le cas des personnes souffrant de la maladie d'Alzheimer par exemple, les soignantes insistent sur la sécurité que fournit l'institution ainsi que sur l'accès à des services plus spécialisés difficilement disponibles lorsque ces personnes restent à domicile.

On constate donc un parti pris général pour le maintien à domicile des personnes âgées que l'on assortit de recommandations visant à élargir l'aide et le support fournis aux soignantes et aux personnes dépendantes et, lorsque la prise en charge devient très lourde, on évalue de façon plus positive l'institution, alors perçue comme le seul lieu pouvant répondre aux besoins des personnes âgées sur le plan des services.

Du côté des personnes psychiatrisées

La prise en charge institutionnelle correspond à un souhait généralisé

Malgré certaines critiques à l'endroit des ressources d'hébergement, presque tous les parents de personnes psychiatrisées estiment qu'une plus grande prise en charge institutionnelle serait la meilleure solution et pour eux et pour les malades. On réclame plus de résidences adaptées, comme les appartements supervisés ou les foyers de groupe, de même que des équipes médicales d'urgence disponibles 24 heures sur 24, ainsi que des maisons de transition entre l'hôpital et le foyer familial.

> J'aimerais mieux qu'il soit en appartement supervisé. (...) Moi, je trouve que s'ils en avaient de plus décents, ou bien pareils comme les HLM... Pourquoi qu'ils seraient pas capables d'en

> avoir à des prix raisonnables (...) ou bien des logements supervisés, mais qu'ils s'en occuperaient, qu'ils seraient suivis. Ils sont pas assez suivis. (Gilberte)

> S'ils avaient justement les genres de foyer, tu sais, un peu comme les foyers des gens âgés... Ils ont des places pour se réunir, ils ont une salle où ils peuvent avoir des jeux de billard, ping-pong, tout ça. (...) S'ils pouvaient avoir des solutions comme ça, tu sais. Avoir une certaine maison... nous autres, les parents, on sera pas toujours là. (Lisette)

Comme le dit clairement ce témoignage, la prise en charge familiale ne pourra pas durer éternellement et il faut envisager les choses à long terme. La question des ressources d'hébergement est donc capitale. Selon les répondantes, il peut y avoir deux raisons pour choisir ces ressources: parce qu'elles croient que cela répond mieux aux besoins de la personne malade, ou parce que leur seuil de tolérance est atteint. Ainsi, on nous a parlé en bien des services offerts dans les résidences.

> Au centre d'accueil, maman est très bien soignée. Les infirmières qui sont là, elles les traitent tous comme une famille.(...) Tous ses besoins ont été exaucés parce qu'elle avait besoin de telle affaire, ou qu'elle voulait faire fermer sa porte la nuit parce qu'elle avait peur. Ils vont attribuer beaucoup d'attention à ça, à ces besoins particuliers.(...) Je trouve que, où elle est maintenant, elle a liberté de sortir puis de rentrer comme elle veut. Elle mange très bien, elle a ses trois repas par jour... Le ménage de sa chambre est toujours fait. (Johanne)

Incapables de contrôler le comportement de leurs fils qui habitent la maison familiale, certaines femmes trouvent que ceux-ci seraient mieux dans un foyer.

> [Il faudrait qu'il soit] placé dans un foyer où ils ont des ouvrages à faire, la vaisselle, des repas à heures fixes et puis il est pas question de pas prendre son bain. Chez nous, s'il veut pas prendre son bain, il le prend pas. (Anita)

> Faudrait qu'il soit enfermé, puis pris en main. Puis mon gars, tu fais ça ou bien alors c'est le cachot. Tu vas être tout seul dans

> ta pièce, attaché. Faudrait qu'il soit pris en main par un homme sérieux. Moi, je suis trop douce, voyez-vous. (Berthe)

D'autres mères souhaitent que quelqu'un les remplace, parce qu'elles n'en peuvent plus. C'est le cas de France et Rachel:

> J'ai dit au médecin: «On est pas prêts à ce qu'il revienne ici à plein temps, parce qu'on est fatigués.» On a le droit d'être fatigués. On est fatigués de l'avoir sur le dos, de se faire dire tout le temps «c'est de votre faute», le harcèlement tout le temps. (...) C'est pas juste une question de caprice, c'est une question de survie pour nous autres. (France)

> J'ai dit: «Il est pas question! Tu vas faire ta vie, puis faire ta vie comme si on existait pas. On est tes parents qui sont âgés. Qu'est-ce que tu veux qu'on fasse? On peut plus rien faire pour toi parce qu'il faut que tu te prennes en main.» (Rachel)

Finalement, Philippe nous a expliqué ses limites de façon éloquente:

> Le jour où ils vont décider que nous allons le reprendre, je pense que je vais me tirer une balle dans la tête. Je le sais pas qu'est-ce que je vais faire... C'est quasiment impossible!

Le maintien à domicile: une solution peu envisagée

Comme nous pouvons le constater, le choix entre maintien à domicile ou prise en charge institutionnelle ne se pose pas dans les mêmes termes selon qu'on s'occupe d'une personne psychiatrisée ou d'un proche âgé. Contrairement aux responsables de personnes âgées, rares sont les responsables de personnes psychiatrisées qui favorisent le maintien à domicile.

> Moi je conseillerais pas à une autre famille: garde ton enfant chez vous ou place-la. Parce que c'est trop demander. C'est beaucoup demander de garder quelqu'un comme ça à la mai-

> son... Nous, on pense que rester à la maison, c'est la meilleure place pour elle. On peut pas parler pour d'autres. (Fernand)

Gisèle affirme qu'il n'y a pas de réponse toute faite et que le choix dépend de la personne psychiatrisée. Ce qu'il faut viser, c'est son autonomie. Elle pose le problème de la prise en charge familiale de la façon suivante:

> La famille devrait choisir: «Oui on le prend, non on le prend pas» puis entendre: «Inquiétez-vous pas, on va bien s'en occuper ailleurs. (...) Il a 21 ans, vous êtes tout à fait en droit à ce qu'il retourne pas chez vous. Il est malade, mais c'est pas parce qu'il est malade qu'il est plus votre responsabilité qu'avant.» Je trouve que c'est tout à fait normal dans notre civilisation...

Le besoin de répit

À court terme, plusieurs souhaitent simplement avoir un répit, quelqu'un pour les remplacer de temps à autre, une personne qui vienne à la maison, ou un hébergement temporaire.

> Disons que je suis seule avec. Alors ça devient captivant parce qu'on est toujours là, puis on vient qu'on perd un peu le nord! Alors, s'il y a moyen d'avoir de l'aide, que quelqu'un prenne la relève de temps en temps pour qu'on puisse sortir, aller faire une sortie, quelque chose, au cinéma. (Lisette)

> Aujourd'hui, c'est quelqu'un pour lui que j'aurais besoin, pour prendre ma place. Pour m'enlever sur les épaules. (...) Je sens que c'est de plus en plus lourd. (...) Tu sais, au lieu de m'appeler, il pourrait appeler l'autre. Ça me soulagerait un peu. C'est pas parce que je veux pas m'en occuper! Je vais m'en occuper toute ma vie! Mais, simplement, pour avoir un petit peu de soutien. (Rosanne)

> Nous, ce qu'on aimerait pour Claudette maintenant? Des fois qu'on pourrait la placer quelque part. Peut-être une semaine ou deux pour avoir la chance de récupérer, aller se reposer quelque part. (...) Sortir de temps en temps, les fins de semaine, aller à

> Québec, aller voir des amis de temps en temps, seuls. (Fernand)

La réinsertion sociale par le travail

La plupart des femmes interrogées espèrent voir leur enfant réintégrer la société et trouver un travail adapté à ses capacités. Elles souhaitent que les mesures d'aide intègrent la dimension du travail rémunéré, afin de développer l'autonomie de la personne.

> Si réellement ils sont malades, bien qu'ils organisent, je sais pas, un centre pour qu'ils travaillent. Mais qu'ils les paient. Que ça rapporte pareil à eux autres. (Gilberte)

> Moi, je pense que c'est de leur donner le plus possible d'autonomie (...) personnelle. Que ça soit par un médicament ou quelque chose d'autre. Et puis, au point de vue travail, aussi, leur donner leur autonomie au point de vue monétaire. (Alberte)

> Sa maladie, tout ça, il le comprend et puis il voudrait tellement s'en sortir. Mais ce qui l'aiderait beaucoup, ça serait d'avoir un travail régulier, quelque chose. (Lisette)

Philippe regrette que les efforts actuels de réinsertion sociale dans la résidence où vit son fils ne portent pas grands fruits, faute de personnel et de suivi.

> Ça prendrait plus de personnel pour vraiment... parce que c'est fictif ça là, la réintégration sociale. En tout cas, à mon avis. Plus de personnel, plus d'aide... (...) Moi, je trouve qu'ils ont pas assez d'aide... ça prend de l'aide, un suivi aussi.

Dans la plupart des cas, les personnes psychiatrisées de notre échantillon sont encore jeunes et leurs parents gardent espoir de les voir sinon guérir, du moins mieux s'intégrer dans la société; la majorité désirent que le système institutionnel assume le gros de la prise en charge. En revanche, les proches des personnes âgées en perte d'autonomie n'envisagent comme seule issue que la mort de ces dernières et veulent en général garder la responsabilité de la prise en charge, tout en souhaitant une augmentation des services et du soutien du réseau public.

ANALYSE

Dans ce chapitre, nous avons cherché à identifier les stratégies de soutien des personnes ayant la charge de proches dépendants, afin de comprendre le rôle respectif de l'entourage et des services publics dans la planification et la réalisation des tâches liées à cette prise en charge. Il est ressorti des entrevues plusieurs différences dans les formes de soutien reçu par les femmes qui prennent soin de personnes âgées et par celles qui prennent soin de personnes psychiatrisées mais ces deux groupes de soignantes vivent à plusieurs égards des situations semblables.

Dans le cas des personnes âgées, les traits dominants du soutien sont les suivants: on utilise dans la mesure du possible le soutien institutionnel, comme les CLSC, mais plusieurs facteurs limitent le recours à ces services: leur méconnaissance, la pénurie de ressources, le refus de la personne dépendante. Il est également ressorti un certain mécontentement à l'égard du manque de ressources disponibles de la part des services de maintien à domicile, mais d'autres aspects sont remis en question: le manque d'expérience du personnel envoyé à domicile, le manque de flexibilité des services offerts et des heures auxquelles on peut obtenir ces services. Enfin, on a aussi parlé des délais de plusieurs mois qui surviennent entre la demande d'aide et la réponse du CLSC.

Le réseau communautaire est peu présent dans les stratégies des soignantes des personnes âgées. Peut-être est-ce dû au fait que ce réseau est davantage structuré autour des besoins des personnes âgées qui sont relativement isolées. Nous pensons ici à des services comme la «popote roulante».

Pour ce qui est de l'apport de l'entourage, celui-ci est assez ponctuel et faible en termes de volume d'aide; on donne un coup de main à l'occasion. Le réseau familial demeure néanmoins une source de support émotif et matériel pour plusieurs car la prise en charge se fait généralement dans un contexte de vie familiale.

Les femmes qui ont charge de personnes psychiatrisées ne reçoivent pas autant d'appui dans leur tâche. Souvent, l'entourage se dérobe, le vide se fait autour d'elles en partie à cause des tabous associés à la maladie mentale. Le support des institutions publiques ne semble pas très satisfaisant, il fait l'objet de nombreuses récriminations de la part des femmes qui se voient souvent refuser les informations qu'elles cherchent pour mieux accomplir leur travail auprès de la personne psychiatrisée. C'est principalement le support médical qui est ici mis en cause. Plusieurs personnes ont cependant trouvé une oreille attentive auprès d'une travailleuse sociale ou d'une infirmière.

Néanmoins, il faut souligner que la clientèle psychiatrisée ne dispose pas de ressources bien structurées, d'un système équivalent au maintien à domicile qu'offrent les CLSC pour les personnes âgées. L'aide accordée aux personnes psychiatrisées par les services publics semble extrêmement fragmentée et on déplore la piètre qualité de l'hébergement entre l'hôpital, la maison familiale et l'appartement autonome. C'est souvent le vide qui attend le malade à la sortie de l'hôpital. Par ailleurs, le travail des centres de crise est apprécié mais on souligne le manque de communication entre ces centres et la famille des malades. Nombre d'entrevues ont fait ressortir le peu d'informations obtenues des médecins, hôpitaux, etc., et les groupes d'entraide semblent jouer un rôle de premier plan pour les proches à la recherche d'informations sur la maladie mentale. Les ressources alternatives du réseau communautaire sont aussi bien appréciées, mais leur utilisation peut entraîner des difficultés avec les services publics, ces deux réseaux étant en conflit pour ce qui est des approches thérapeutiques. Quant au système judiciaire, nous avons relevé les paradoxes qu'il présente; il est difficile de mettre ce type d'intervention sur le même pied que les autres ressources, car on ne peut en faire une stratégie de support comparable à l'aide que peut procurer la famille ou la travailleuse sociale.

En somme, le soutien sur lequel les soignantes de proches âgés ou psychiatrisés peuvent compter est limité. Dans la famille et l'entourage, il provient d'un noyau restreint de personnes. Dans le réseau des services sociaux et de santé, les soignantes se sont heurtées au manque et à l'inadéquation des ressources dont l'accès est rendu complexe par la forte bureaucratisation des services. Même si elles ont exprimé le désir d'obtenir davantage de support, plusieurs soignantes ont intériorisé l'idée qu'elles ne doivent compter que sur leurs propres moyens pour faire face aux soins quotidiens de la personne dont elles s'occupent.

Chapitre 4

LES MOTIFS DE LA PRISE EN CHARGE

D'après le tableau brossé dans les chapitres précédents, il y a lieu de se demander pourquoi ces femmes acceptent la responsabilité de la prise en charge? S'agit-il d'un choix personnel, d'une question d'amour, de devoir, d'obligation? Comment en sont-elles arrivées à assumer cette responsabilité? Pourquoi elles et non pas d'autres membres de la famille? Quels sont les facteurs et les circonstances qui ont joué dans leur décision?

La question du pourquoi peut paraître absurde[1] et même choquante pour certains parce qu'elle met en cause les valeurs fondamentales de l'amour parental et filial. Ne tient-on pas pour acquis que l'amour et les liens biologiques suffisent pour expliquer pourquoi on prend soin de ses proches dépendants et que selon l'ordre naturel des choses il va de soi que cette responsabilité soit dévolue aux femmes? En contestant cette approche dès le début de notre recherche, nous avons avancé l'hypothèse que cette décision des soignantes ne peut reposer sur un unique facteur et encore moins relever des seules considérations d'amour, de réciprocité ou de liens biologiques; que plusieurs motifs intervien-

1. L. Garant et M. Bolduc, *op. cit.*, p. 57.

nent dans le processus de cette décision et qu'ils sont d'ordre psychologique, socio-économique, politique et idéologique; que ces derniers agissent en interaction, qu'ils s'entremêlent et se modifient dans le temps selon la durée de la prise en charge, ses conditions et le degré de dépendance de leur proche. Telles sont les interrogations que nous aborderons avec les soignantes dans le présent chapitre. Nous examinerons les principaux motifs qui ont agi de façon déterminante dans leur décision d'assumer cette responsabilité.

EXAMEN DES MOTIFS

L'analyse des entrevues a permis de dégager un ensemble de motifs évoqués par les répondantes expliquant pourquoi elles prennent la responsabilité d'un proche dépendant. À partir de ce que les soignantes ont déterminé être leur motif premier, nous avons établi des catégories assez larges de motifs par ordre d'importance, conscients que, dans la réalité, ceux-ci s'entremêlent et agissent de façon dynamique entre eux:

- L'amour ou les sentiments parentaux et filiaux ainsi que les liens affectifs;
- l'inadéquation des ressources institutionnelles;
- le besoin d'aider les autres;
- les sentiments d'obligation et de devoir;
- les pressions de la personne dépendante;
- la dépendance socio-économique des femmes;
- la non-disponibilité des autres membres de la famille;
- le sentiment anti-institution;
- les modalités de la prise en charge;
- les sentiments religieux;
- les dispositions personnelles de la personne soignante;
- l'espoir de guérison;
- l'état de santé de la personne dépendante;
- la tradition familiale.

Les six premiers motifs s'avèrent déterminants dans la décision des soignantes, les autres motifs n'intervenant que de façon secondaire. Mais quoi qu'il en soit, la réalité est plus complexe et plus mouvante que l'analyse ne le laisse entendre.

Dans un premier temps, nous aborderons chacun des motifs, puis nous tenterons de décrire les rapports dynamiques entre les divers motifs invoqués par les répondantes.

L'amour ou les sentiments parentaux et filiaux

«C'est parce que je l'aime.»

Quand nous parlons de la «famille», nous évoquons des images d'un havre d'affection, d'émotions et de réciprocité. La «famille», du moins au niveau idéologique, est synonyme d'amour et de souci des autres. Nous nous attendions donc à ce que la vaste majorité des soignantes se réfèrent à leurs sentiments d'amour et d'affection pour expliquer leur décision d'assumer la prise en charge. Et c'est généralement le cas. Ce qui nous a le plus étonnés, c'est le fait qu'un assez grand nombre de femmes ne font pas référence explicitement à ce motif et ont même nié éprouver des sentiments d'affection pour la personne dépendante.

Nous regroupons sous cette rubrique de l'amour tout ce qui a trait aux rapports affectifs entre personnes soignantes et personnes dépendantes. Mais ces rapports ne se vivent pas toujours de la même façon: il ressort que la proximité affective englobe à la fois des liens établis de longue date, souvent doublés d'une proximité géographique, l'extension du rôle maternel à un enfant devenu adulte, un sentiment d'échange entre les membres d'une même famille, le désir de regagner un amour perdu ou une réponse à des besoins affectifs non comblés.

Certaines femmes qui s'occupent d'un proche âgé et qui évoquent l'affection comme motif principal avaient toujours gardé un contact presque quotidien avec cette personne. On peut parler, dans ces cas, de lien affectif existant depuis toujours. Louise n'a jamais quitté la maison familiale où elle prend actuellement soin de sa mère. Francine ne l'a quittée qu'à l'âge de 28 ans et depuis 11 ans qu'elle vit en appartement, elle va tous les soirs rendre visite à ses parents aujourd'hui en grande perte d'autonomie. Dans une troisième famille, les enfants se sont impliqués auprès de leur mère psychiatrisée depuis leur jeune âge; Johanne, qui a aujourd'hui 30 ans, assume le rôle central de la prise en charge depuis maintenant 18 ans. Henriette, qui prend soin de sa sœur aînée âgée de 69 ans, nous a expliqué: «C'est ma marraine, j'ai déjà vécu avec elle.»

Pour ces femmes, prodiguer les soins nécessaires à un être cher n'est que le prolongement de liens affectifs très forts qui ont toujours existé. Cette attitude va de soi et elle est perçue comme quelque chose de «naturel»:

> Mais c'est venu... c'est naturel! Je peux pas dire qu'il y a eu quelque chose de précis, c'est venu naturellement. C'est comme si je restais à la maison, sauf que je leur rends visite. Parce que je les aime, c'est ça qui me porte à faire ce que je fais. (Francine)

> J'ai toujours fait attention à maman. J'ai toujours voulu son bien. J'ai toujours voulu... je sais pas, lui attribuer une certaine affection. (Johanne)

> Franchement, depuis que je suis au monde... elle a toujours été avec moi. Mais disons que ça fait seulement deux ans qu'elle en perd beaucoup. (Louise)

Quelques répondantes qui citent cette proximité de longue date comme un motif déterminant en parlent aussi comme quelque chose de réciproque, une dette envers leurs parents.

> (...) Sept enfants, et puis on a toujours été portés à être bons pour nos parents. Parce que je vais te dire, nos parents ont été bons pour nous autres, et puis on a toujours été bons pour eux autres. (Louise)

> C'est elle qui m'a donné beaucoup quand j'étais jeune. J'ai vécu avec elle. On est restées proches. (Henriette)

En revanche, la question de réciprocité est moins évoquée dans les situations de prise en charge d'un enfant psychiatrisé. Dans les familles où les sentiments parentaux jouent un rôle de premier plan, on parle surtout d'un lien affectif n'exigeant pas de réciprocité.

> Parce que je l'aime. Je l'aime, mon garçon... ce garçon-là d'abord, j'ai manqué de le perdre quand je le portais. (Lisette)

> C'est des liens du sang, c'est parce qu'on l'aime. C'est parce que c'est mon frère puis c'est son fils, on voudrait qu'il s'améliore, on voudrait l'aider. (Diane)

> Le bonheur de ton enfant, moi je pense qu'il arrive n'importe quoi, ça te touche très profondément parce que c'est ton enfant. (Claire)

Pour plusieurs de ces soignantes, la prise en charge n'est qu'une prolongation des soins maternels et du rapport qu'elles ont toujours entretenu avec leur enfant. Comme nous l'avons déjà indiqué, la prise en charge débute généralement quand l'enfant (surtout les garçons) résidant encore au foyer familial fait une première crise psychiatrique; qu'il revienne à la maison après une période d'hospitalisation semble aller de soi.

> Quand Yves a fait de la schizophrénie, ça nous est même pas venu à l'idée de dire qu'il habite pas ici. (Claire)

Pour ces femmes, une mère reste une mère, que son enfant soit malade ou non, qu'il soit devenu ou non un adulte.

> Moi je dis: «C'est ça. Ça demeure mon fils.» (Claire)

Carole a ainsi comblé un désir de rapprochement avec son fils, après des années de rapports difficiles. Nicolas avait coupé tout lien avec elle à l'adolescence pour se ranger du côté du père après un divorce où la garde de l'enfant avait été chaudement contestée. En apprenant que Nicolas était hospitalisé pour des soins psychiatriques, Carole a tenté de prendre contact avec lui en écrivant à l'hôpital où il séjournait. Finalement, Nicolas lui a téléphoné et ils ont commencé un «long apprentissage pour renouer des liens». Le désir de Carole de regagner l'affection de son fils a donc joué un rôle important dans sa décision.

> J'avais souffert énormément de l'absence... de l'amour de mon fils depuis, dans le fond, tout le temps. Je rêvais qu'un jour, mon fils m'aimerait, puis qu'on aurait une bonne relation. Alors je voulais tout faire pour essayer de l'aider... puis ce rejet-là, dans un sens, j'en ai pas mal souffert toute ma vie.

Mais pour Carole, la motivation fondamentale est un mélange d'amour et de pitié pour son enfant.

> C'est l'amour! C'est pas autre chose. C'est de compenser pour... il est tellement malheureux! Puis, il le dit tellement comment qu'il est malheureux! Combien de fois il m'a dit qu'il avait regretté d'être venu au monde, il me demande «pourquoi?... tu n'aurais pas dû me mettre au monde, puis c'est criminel!» Il m'en a bien dit de ces affaires-là, on a beau... c'est dur, c'est dur à entendre, c'est très très dur. Alors je veux essayer d'adoucir tout. Je le gâte, qu'est-ce que tu veux, je lui achète toutes sortes d'affaires, je l'amène au restaurant, j'essaye de lui rendre... de lui donner des plaisirs, alors il sait qu'il manque de rien matériellement. Il a toujours dit ça: «Je manque de rien», mais il voudrait que les voix arrêtent de lui parler, puis pouvoir penser par lui-même, oui.

Ce motif est aussi évoqué par Angéline, cette mère d'un jeune homme psychiatrisé qui vit une situation très pénible, ayant été victime de violence de la part de ce dernier. Elle croit que le lien parental explique pourquoi elle continue à garder son fils, tout en se blâmant en partie pour cette violence. En effet, au nom de l'amour maternel, elle excuse les comportements de son fils qui est psychologiquement très dépendant d'elle.

> Mais une mère, que ça soit un garçon ou une fille... moi je dis quand tu aimes ton garçon, puis tu vois que ton garçon a besoin de l'amour. Il a besoin d'affection. (....) C'est un gars bien sensible. Il a peur de me perdre et ça a toujours été dans sa tête, ça.

> Même dans le temps que mon mari vivait. C'était moi sa blonde, c'était pas... mon mari disait:«Aie! c'est moi qui l'a mariée»... mais il disait toujours que moi, sa mère, je lui appartenais à lui. Il me battait souvent. Il me donnait des coups, des gros coups de poing sur le bras. Parce que de la force, il en a! Il m'en donnait. Moi j'ai enduré ça, c'est mon garçon. Ah! c'était peut-être ma faute des fois! J'avais dit un mot de trop.

Et dans une certaine mesure, Angéline semble combler ses propres besoins affectifs à travers lui et son autre fils, l'aîné.

> Moi je cherche pas à les envoyer tant qu'ils sont avec moi. S'ils s'en vont, je vais être obligée de vendre la maison puis de m'en aller moi aussi dans un centre ou quelque part. Parce que moi, je m'en vais pas rester toute seule dans une maison. (...) C'est toujours mieux si l'enfant décide de lui-même. Mais moi, le pousser dehors? Je le pousserais pas, parce qu'il est malade. Je le vois pas dehors de la maison, se débrouiller tout seul. Peut-être qu'il s'arrangerait, je le sais pas. Je me dis que c'est un garçon qui a tellement besoin d'affection, il est tellement sensible... puis il jase et il a besoin d'être écouté. (...) Il a tellement peur de me perdre, tellement peur que je tombe malade.

Si, dans les cas de Carole et d'Angéline, les motifs de la prise en charge relèvent de problèmes familiaux où l'on tente de combler des carences affectives, la majorité des répondantes évoquent des liens qui renvoient à l'image traditionnelle de la famille. Comme Francine nous le dit: «Je trouvais ça tout à fait naturel!»

L'inadéquation des ressources institutionnelles

«Tout le monde me le renvoie.»

L'inadéquation des ressources institutionnelles constitue un autre des motifs déterminants. Ce motif prédomine chez les femmes qui s'occupent d'un proche psychiatrisé. Sous cette rubrique, nous avons regroupé les raisons relatives au manque de place dans les institutions du réseau gouvernemental, les pressions des professionnels pour contraindre les familles à reprendre leurs proches, l'absence ou la déficience des mesures pour assurer le suivi post-hospitalisation et le soutien aux personnes psychiatrisées.

Le manque de place dans les institutions

La majorité des répondantes qui évoquent ce motif se sont heurtées à une fin de non-recevoir quand elles ont essayé de placer leur proche en hôpital psychiatrique ou en centre d'accueil pour personnes âgées: «Y'a pas de place, y'a pas assez de personnel pour s'en occuper.» Les listes d'attente des foyers d'accueil publics pour les personnes âgées sont très longues. Pour certaines, la seule autre possibilité est l'hôpital ou encore les foyers d'accueil privés:

> Il y avait deux choix possibles: à partir du centre de réadaptation, ils la retournaient à l'hôpital ou ils la retournaient à la maison. À ce moment-là, c'est sûr que j'avais une grosse décision à prendre, je m'embarquais dans un bateau, puis c'était du jour à jour sans savoir combien de temps ça durerait... On avait ces choix-là... puis quand on regarde, en tout cas, pour avoir passé assez de temps dans les hôpitaux... des personnes âgées en attente de placement, c'est horrible à voir. Moi, quand je passais devant la chambre, puis ils les revirent tous sur le même bord, à la même heure. (...) Je me dis: «Ma foi du bon Dieu! Ils sont sur un tapis roulant la tête contre la fenêtre, ça n'a pas d'allure!» De toute façon, ça simplifiait pas ma vie, le fait qu'elle soit à l'hôpital. (...) Là, j'allais chez mon père, parce qu'à ce moment-là tout ce qu'on avait du CLSC pour papa, c'était l'infirmière deux fois par semaine et quelqu'un qui lui donnait ses douches. C'était tout ce qu'on avait. Donc, tout le restant, le ménage, lavage, commissions, faire changer les chèques, aller payer les affaires, c'était moi qui l'avais pareil. Donc, s'ils me la retournaient à l'hôpital, ça me faisait encore trois places à faire. (Angèle)

Angèle décrit par la suite le manque de places pour les couples dans les centres d'accueil et les pressions qu'elle a dû faire pour tenter de régler la situation.

> J'ai appelé le bureau du député pour faire bouger le dossier... Le bureau m'a rappelée: «On va les envoyer dans les foyers transitoires, 15 jours à une place, 15 jours à une autre.» J'ai dit: «Écoute, c'est pas des balles de ping-pong! C'est quoi qu'ils vont vivre ce monde-là? Ils vont vivre dans leurs valises, toujours dans un environnement qui est étranger! C'est pas une solution!» Ça serait peut-être une solution, moi ça me libérerait dans un sens, mais je passerais mon temps à aller les voir pareil. Ben, qu'est-ce qui est mieux? Tu le sais plus. Là, d'un bord, d'un autre, tu as du temps que tu es obligée de leur donner pareil... «Ça me donne quoi? Vous me donnez plus d'ouvrage que d'autre chose, finalement avec vos solutions. À l'âge où ils sont rendus, ils ont droit à plus de respect que ça.»

Devant l'insuffisance des ressources, elle se résigne à la situation:

> Je peux pas aller en tuer pour qu'ils puissent rentrer. Il reste qu'en attendant, ben moi... en tout cas, je l'ai choisi d'une certaine manière parce qu'il y avait pas, vraiment pas d'autre choix à faire non plus. Mais c'est une situation que tu finis par subir. C'est un cercle vicieux. Tu t'en sors plus. C'est la mort qui va venir soulager tout ça.

Quand on ne peut avoir accès aux foyers subventionnés ou aux hôpitaux, il ne reste que les foyers d'accueil privés mais encore faut-il avoir les moyens d'en assumer les coûts:

> Où est-ce que vous voulez qu'elle aille en dehors de ça? Elle peut pas s'en aller dans un logement seule, je peux pas l'envoyer dans une résidence privée. (...) Nous autres, on est allés voir, puis ils demandaient à peu près 800$. (...) C'est à peu près dans ces prix-là. Puis elle fait juste 700$. Comme ça, elle est pas admissible à des places de même. (David)

Pour les femmes qui s'occupent de personnes souffrant de problèmes psychiatriques, le manque de places est le résultat d'une volonté systématique de l'État de réduire au minimum les mesures de prise en charge de type institutionnel et de faire en sorte que les personnes psychiatrisées retournent le plus vite possible dans leur famille, le réseau de la santé et le réseau judiciaire exerçant des pressions en ce sens.

Les pressions exercées sur la famille

La majorité des gens qui ont eu recours à l'aide institutionnelle parlent de «pressions indues» exercées par les professionnel-le-s de la santé et du système judiciaire. Les entrevues relatent les luttes «épiques» que certaines personnes ont dû mener contre les médecins pour faire admettre en institution leur proche nécessitant des soins psychiatriques.

Le récit de Rosanne, assumant la charge de Jules atteint de schizophrénie, illustre on ne peut plus clairement cet état de fait.

> On a été obligés de le rentrer à l'hôpital deux ou trois fois par semaine, il passait la nuit dans le corridor, puis le lendemain matin, je devais retourner le chercher parce qu'il n'y avait pas de lit disponible (...). Ça a duré un mois comme ça. Au bout du mois, j'étais épuisée et j'ai dit: «Il faut que quelqu'un m'aide, parce que moi, je vais claquer. (...) C'est fini, ça fait un mois que je viens ici deux, trois fois par semaine, je peux plus faire ça, vous allez le garder.» Ils ont dit: «On a pas de place.» Bien j'ai dit: «Vous allez le garder, trouvez-lui une place, moi je peux plus donner, je viendrai pas le chercher demain matin. J'en peux plus...» Ils ont répondu: «Impossible, on peut pas faire ça.» Alors j'ai tout rapporté, ses effets, pantalons, clés, bottes. C'était en plein hiver et il faisait froid. Je me suis dit: «Il a plus rien, ils pourront toujours pas le mettre dehors.» (...) Le lendemain matin, ils ont rappelé pour que j'aille le chercher. J'ai répondu: «J'irai pas, vous allez le garder, il est trop malade.» Savez-vous ce qu'ils ont fait? Ils lui ont mis un drap sur le dos, il avait sa jaquette d'hôpital, ils lui ont mis un drap, des petites sandales de papier, ils l'ont embarqué dans un taxi, puis ils l'ont renvoyé chez nous. Tout nu, c'est incroyable! Puis

> en rentrant de l'hôpital, il a tout descendu, cassé des verres, il a fait un ravage... c'était comme une revanche.

Et elle a dû continuer à s'en occuper. Écoutons France, dont le fils schizophrène a été mené de force à l'hôpital par la police à la suite d'une tentative de suicide suivie d'une crise de violence envers les policiers.

> On est arrivés à l'hôpital (...) le médecin de l'urgence savait pas quoi faire. Charles était correct. Bien j'ai dit: «Si lui est bien là, c'est moi qui est pas bien. Vous allez le garder ce soir.» Le lendemain matin, le docteur me rappelle. (...) Ah! qu'est-ce que vous voulez, on a pas le choix, nous autres! Je veux dire en tant que parents... (France)

Le témoignage de deux autres répondantes révèle des pressions similaires exercées cette fois par le système judiciaire: c'est le retour dans la famille ou la prison, le personnel de l'hôpital alléguant ne pas avoir de place.

> Ça fait que là, j'ai essayé de le trouver au poste de police, le chemin qu'ils prennent tous; puis finalement, j'ai eu un appel le lundi comme quoi il était passé en Cour et qu'il pouvait sortir de prison en autant qu'il s'en allait chez nous. C'est comme ça qu'il est revenu à la maison. À ce moment-là, toutes les portes lui étaient fermées excepté la nôtre, puis la porte était ouverte naturellement. (...) sa sentence était: «Tu retournes chez tes parents à Montréal, là tu as deux mois de probation. Au bout de deux mois, il faut que tu ailles voir ton docteur, puis tu reviens avec un certificat médical disant que tout est rentré dans l'ordre.» (...) Nous n'avons jamais été consultés, les parents sont toujours à l'écart! (Gisèle)

> Il sort à condition d'aller chez vous. Nulle part ailleurs que chez nous! (...) Et puis quand il est sorti définitivement, c'était à nous qu'ils le confiaient, le médecin, les psychiatres, les avocats, les notaires. Tout ce que vous voulez. Ils étaient tous là, une douzaine alentour d'une table et puis ils nous le confiaient, ils ne voulaient plus le garder à l'hôpital (...). On peut pas le mettre sur le trottoir! Jamais j'endurerais ça. Je vais mourir à

> côté de lui, mais il sera pas sur le trottoir. C'est mon fils. (Anita)

La déficience des mesures de soutien aux personnes psychiatrisées

L'insuffisance des ressources pour les psychiatrisés ne se rapporte pas uniquement au manque de places dans les hôpitaux. Aux dires des répondantes, le problème est exacerbé par la déficience des mesures de suivi post-hospitalisation, du soutien et de l'encadrement de ces personnes dans la communauté. Leurs témoignages révèlent en effet que les services psychiatriques se réduisent à un service d'urgence et quelquefois à un mois d'hospitalisation, le temps nécessaire pour stabiliser la crise. On renvoie les malades dans leur famille ou «dans la rue», qu'ils soient suffisamment rétablis ou non, et ce, sans assurer le moindre suivi. Cet état de fait vient renforcer leur dépendance vis-à-vis leur famille.

> Parce qu'après, ç'a été l'appartement supervisé, parce qu'elle [la travailleuse sociale] m'avait dit: «Faut qu'il soit plus autonome, parce qu'on s'en occupe.» Mais moi, je trouve justement qu'ils s'en occupent pas assez quand ils sont dans les appartements supervisés! Alors moi, j'appelais la travailleuse sociale: «Est-ce que vous avez vu Léon dernièrement?» «Non, il est pas venu me voir!» (Gilberte)

Et pour cause, il avait été arrêté pour vol.

Exclues des institutions qui ne veulent plus les garder ou ne savent pas quoi en faire, un grand nombre de personnes psychiatrisées retournent sans cesse dans leurs familles; autrement, il ne leur reste que l'itinérance.

> Tout le monde me le renvoie, même la Curatelle! (...) Ils me le ramenaient, ils me le ramenaient. Au bout d'un certain temps, ils en avaient assez, ils disaient: «Gardez-le!» Alors je le gardais, mais les coups qu'il faisait ici, il était dangereux.(...) Ils me le renvoyaient chez moi, alors j'étais obligée de faire des démarches. (...) Ils le renvoyaient la fois qu'il s'est jeté par la fenêtre là. (...) il savait pas où il était, tellement il était drogué,

et ils l'ont mis dans la rue comme ça. Il savait même pas où il était rendu. C'est quelqu'un qu'il a accroché... il lui a donné mon numéro de téléphone. (...) Ils auraient voulu que je le laisse tomber complètement. S'ils l'avaient pris en main sérieusement, on l'aurait laissé tomber complètement. Mais ils me le renvoyaient tout le temps. S'ils avaient pu dire, on va le mettre à tel endroit là, puis laissez-le faire, on va s'en occuper, j'aurais pas demandé mieux, parce que j'aurais senti qu'il était surveillé. Moi, ma grande peur, c'est qu'il se suicide, comprenez-vous? (Berthe)

Il y a aussi la difficulté de communiquer avec les traitants, et puis la grande difficulté qui nous attend tous, c'est l'itinérance de ces personnes-là, qui sont laissées à elles-mêmes depuis qu'ils les ont sorties des institutions. C'est effrayant! Quand tu sais que toi tu manges un steak, puis que ton gars il a pas mangé, puis en plus, il est tellement démuni qu'il a même plus de raison, tu sais, il a plus d'argent, il a plus de vêtements, il sait pas l'heure, il sait pas le jour, il sait pas la date, il est tout poqué, il a peur de tout, et puis il est sale, il a pas de maison, il a personne qui l'aime... (France)

Ceux qui sont laissés à eux autres mêmes, qu'est-ce que c'est qu'ils foutent d'abord? Ils sont à Dernier recours, ils sont même pas dans des foyers d'hébergement, ils sont même pas... ils ont aucune ressource! Mais oui, si nous autres, les parents, on laisse aller ça dans la société, mais oui, Jean-Marie, qu'est-ce que c'est qu'il va faire? (Alberte)

Ça fait que là, il est parti. On a demandé à la police d'aller le reconduire à l'hôpital et ils ont pas voulu. Ils ont dit: «Il a pris beaucoup de boisson, tu vas faire les rues puis tu vas dégriser et puis tu verras qu'est-ce que tu feras après.» Le lendemain vers deux heures, je le voyais qui circulait alentour, deux heures de l'après-midi, il est allé s'asseoir sur un banc en avant d'ici, puis là la pluie a commencé, il est devenu mouillé comme un... il dégouttait. J'en pouvais plus! Quand je suis descendue, je lui ai donné une tape sur l'épaule et je lui ai dit: «Viens-t-en!» (...) Est-ce que les parents ont le choix? Vous qui avez pas jamais eu cette expérience-là, imaginez-vous un de vos enfants malade, puis on le fait traiter puis tout ça, puis un moment donné on le prend puis on le met sur le trottoir, est-ce qu'il y a des parents qui font ça? (Anita)

On déplore aussi l'aide financière insuffisante de l'État (les prestations d'aide sociale) qui, loin d'encourager l'autonomie des personnes psychiatrisées, renforce leur dépendance, principalement à l'égard des parents.

Ces témoignages touchant les personnes psychiatrisées viennent corroborer de façon dramatique le constat d'échec du dossier de la santé mentale posé par la Commission d'enquête sur les services de santé et les services sociaux[1], concernant les mesures mises en place dans le cadre des politiques et pratiques de désinstitutionnalisation.

Le besoin d'aider les autres

«Aider, c'est la vie, ça!»

Ce qui entre en jeu dans le besoin d'aider, ce sont des sentiments, des croyances et des comportements qui dépassent le rapport d'affection ou les sentiments maternels et filiaux. Pour les personnes qui invoquent ce motif, le fait d'aider les autres donne un sens à leur vie. Certaines en parlent comme d'une «vocation», d'autres indiquent que ce travail gratuit compense leur désir refoulé de devenir infirmière ou travailleuse sociale, ou encore, elles nous expliquent qu'elles ont besoin d'aider, de se sentir utiles, de prendre soin des autres.

---

1. Ministère de la Santé et des Services sociaux, *Dossier «Santé Mentale»*, Programme de consultation d'experts, Commission d'enquête sur les services de santé et les services sociaux, Québec, Les Publications du Québec, 1986, p. 87.

C'est une vocation, moi... j'ai peut-être la vocation de... je sais pas, d'aider les autres. Puis je trouve que c'est notre vie. Aider, c'est la vie, ça! (Rita)

Parce que j'ai travaillé avec les personnes âgées, avec des personnes handicapées. J'aime ça. Des fois, ils me disent: «Tu dois être fatiguée.» Mais quand tu fais quelque chose que t'aimes, t'es pas fatiguée. Et encore moins quand tu le fais pour tes parents. (Céline)

Ce besoin très profond d'aider les autres va au-delà du sentiment d'affection, aussi fort que celui-ci puisse être. Il est intéressant de noter que certaines nient même avoir un rapport affectif particulier avec la personne dont elles s'occupent.

Juliette, 73 ans, s'occupe de sa mère âgée de 103 ans, et nous a confié:

J'avais pas plus de lien que les autres [mes quatre frères et deux sœurs], excepté que j'avais pas de famille, j'avais pas d'enfants... À part de ça, avec ma mère, je peux pas dire, j'avais pas rien en particulier plus qu'un autre pour la prendre. Moi, c'est parce que (...) j'ai le cœur comme ça. Je suis pas capable de vivre ça, vivre pour moi. Je suis pas capable. Je trouve ça égoïste...C'est pas à moi que je vais penser, c'est plutôt aux autres. J'ai fait du bénévolat pendant dix ans.

Il est à noter que Juliette a déjà soigné un mari malade. Après son décès, elle a accepté de prendre en charge une tante souffrant de paralysie. De plus, elle nous a raconté:

J'ai toujours eu un contact avec des personnes âgées, parce que j'avais des voisines qui avaient peut-être, dans le temps, mon âge, 71 ans, que je prenais pour vieilles. Je mettais toutes les vieilles ensemble... madame C., ma mère puis ma tante.

Deux autres soignantes, Yvonne qui s'occupe de son beau-père et Suzanne de son beau-frère, parlent même d'une certaine animosité qui existait dans le passé.

Non, j'avais pas du tout de rapport affectif avec lui avant, pas du tout. Puis il m'aimait pas non plus, parce qu'il trouvait que

> j'étais trop autoritaire. Mais je suis la seule qui a voulu s'occuper de lui… Quand il est tombé malade, c'est vers moi qu'il est venu pareil, parce que les autres l'ont tous envoyé chez le diable. (Suzanne)

> Mon beau-père, souvent il me dit: «Qui aurait dit, qui aurait pensé qu'un jour ça serait vous qui me garderiez chez vous.» Parce qu'il a de l'amertume, il se souvient qu'il a pas voulu venir à nos noces. (Yvonne)

En effet, issue d'une famille pauvre, Yvonne a été mal acceptée par une belle-famille aisée, parce qu'on craignait qu'elle n'en veuille qu'à l'argent de son mari.

Chez ces deux femmes qui prennent soin d'un beau-parent, on a constaté un véritable besoin de se sentir utiles en aidant les autres. Suzanne le formule très clairement:

> Je sais pas. Quand il y a un service à rendre, j'aime ça… Moi, quand je suis capable de faire quelque chose pour d'autres, je me sens bien après. Je me sens bien de ça… Mais je le fais parce que… je sais pas… on dirait que je suis obligée de faire ça… Des fois je me dis, j'aurais aimé ça être une garde-malade ou bien travailleuse sociale, des affaires de même. J'aurais aimé ça. Mais nous autres, dans les circonstances chez nous, on n'avait pas le choix, hein!

Elle a fait de la prise en charge un aspect central de sa vie. En plus d'avoir élevé six enfants, elle a gardé ses parents malades chez elle pendant quinze ans et s'est occupée de tous les membres de sa famille, sœurs, nièces et bru, à diverses occasions: «À chaque fois qu'elles ont eu quelque chose, même mes sœurs, elles sont venues chez nous.»

Yvonne a élevé quatre enfants, s'est occupée de sa mère pendant huit ans et garde maintenant son beau-père:

> Moi, c'est drôle, si j'ai pas quelque chose, si j'ai pas une responsabilité spécifique pour me motiver à faire quelque chose, on dirait que je «file» pas bien. C'est comme si je faisais rien, comme si j'étais inutile.

Le rôle central du «caring» dans la vie de ces femmes est très frappant. Il va au-delà des sentiments filiaux et s'étend à tous les membres de la famille et même à des personnes extérieures à la famille qui ont besoin d'aide. Ce qui est important, c'est de servir, de se sentir utile, d'aider.

> C'est comme quelqu'un qui décide d'être infirmière. C'est parce qu'elle a en elle la vocation. Bon, c'est une vocation. Moi, je trouvais que c'était quasiment mon devoir de rester à la maison. Je me suis jamais demandé si j'avais le choix. Je le sais pas. De toute façon, je pense que j'aurais fait la même chose... j'étais bien, j'aimais ça. J'ai pas fait de sacrifices plus qu'il faut parce que j'aimais ça. (Rita)

> J'ai mon travail mais j'ai toujours été comme ça. Même avec des étrangers, j'embarque de même... Dans n'importe quoi! Je prends tout à cœur de même, dans n'importe quoi... J'ai fait du bénévolat pour les personnes hospitalisées... J'ai toujours été dans ça. (Alice)

> Des fois ici [dans la résidence pour personnes âgées où elle habite], s'il y a des personnes malades, je vais aller leur rendre service. Pas maintenant. Je peux plus, j'ai trop d'ouvrage. Mais, c'est arrivé, j'ai eu soin des fois des personnes pendant trois mois. (Anita)

La plupart des soignantes ont déjà assumé la charge d'autres personnes de la famille ou travaillé dans le domaine des services sociaux auprès de personnes dépendantes. Il ressort clairement des entrevues qu'elles définissent, du moins en partie, leur identité et leur statut social par leurs rapports aux autres.

> Ce matin, il y avait un monsieur dans le métro, deux sacs, tout sale puis tout courbé. Ah mon Dieu Seigneur! Si je pouvais l'amener, j'aimerais lui donner ce qui manque... (Alice)

> Là, j'avais assez de quoi faire. Mais si j'avais rien à faire, j'en ferais du bénévolat comme les femmes que je connais... (Rita)

> Je sais pas. Quand il y a un service à rendre, j'aime ça. (Suzanne)

> N'importe qui va me demander de quoi puis, tu sais, ma bouche répond plus vite que mon cerveau, je pense. Je réfléchis pas toujours avant de parler: «Oui, je vais venir t'aider. Il y a pas de problème. Tu sais bien que ça se fait tout seul, ça!» (Angèle)

Ce besoin d'aider peut prendre deux autres tangentes assez particulières: le dévouement absolu et le «devoir envers l'humanité». Christine, divorcée avec quatre enfants dont deux adolescentes à charge, a décidé, malgré les conseils des médecins, de tenter une expérience de maintien à domicile avec sa mère. Cette dernière, âgée de 72 ans, est actuellement quadraplégique, incontinente, diabétique et ne peut communiquer verbalement. Christine, en la sortant de l'hôpital, a dû déménager dans une maison plus grande et a également installé son père chez elle. Les soins requis par sa mère lui demandent en moyenne onze heures de travail par jour et ce, malgré une aide appréciable du CLSC. Voulant comprendre ce qui peut amener quelqu'un à se dévouer de cette façon, nous avons trouvé chez elle un mélange d'amour filial profond, de spiritualité et de confiance en soi, ainsi qu'un désir de travailler au niveau des rapports humains. Christine nous a expliqué qu'elle avait suivi des cours en gérontologie parce que ça l'intéressait d'aider des personnes âgées et quand nous lui avons demandé si c'était parce qu'elle aimait les gens en général, qu'elle avait «ça en elle», voici ce qu'elle a répondu:

> C'est sûr que pour ma mère, pour mon père, je le fais. Mais les cours de géronto ont pour but de m'acheminer vers un travail beaucoup moins physique, plus humain, style relations humaines, travail social... J'ai beaucoup de respect pour la personne âgée. C'est un domaine qui m'attire beaucoup, mais beaucoup plus le côté relations humaines... il faut croire que j'ai ça en moi, cet aspect-là. J'ai une bonne santé, beaucoup d'énergie, une grande spiritualité qui me ressource... alors c'est un ensemble dans le fond. (...) Mais je pense que... s'il y a pas d'amour, s'il y a pas cette sorte de complicité, s'il y a pas un grand respect, puis quelque chose qui est très fort à l'intérieur, c'est pas possible. Il faut être inspiré par ces sentiments.

D'un tout autre ordre est le discours de Joseph qui a la charge de sa sœur. Mais même si son discours est différent de celui des femmes, qui parlent de leur besoin personnel d'aider plutôt que d'une éthique humanitaire ou d'un sentiment universel, Joseph se définit clairement comme quelqu'un qui fait du rapport aux autres un point central de sa vie. Celui-ci exprime son besoin d'aider par ce qu'il appelle «un devoir d'humanité de rendre service à votre prochain». C'est pourtant le seul soignant invoquant ce besoin d'aider qui a cherché sans hésitation à placer sa proche parente.

> Aujourd'hui, je suis absolument pas capable de la prendre chez moi... Parce qu'il faut sortir. Je pourrais pas rester 24 heures par jour, sept jours par semaine, des mois et des années. Je deviendrais fou. (...) Moi, je m'occupe de ma sœur parce que premièrement c'est ma sœur, et je trouve qu'il faut qu'un humain s'occupe d'un autre humain. Et puis étant donné que je suis son frère, je pense que je suis le premier intéressé dans cette histoire... Oui, c'est au moins 8$ l'heure [une auxiliaire familiale]. Ça devenait plus onéreux que de la placer dans une maison d'accueil.

Joseph a déjà pris soin de sa mère malade ainsi que de sa femme, mais il n'a jamais, dans aucune prise en charge, assuré lui-même les soins physiques. Son travail a plutôt consisté à faire intervenir d'autres personnes et à défendre les intérêts de ses proches.

> J'étais chez nous, j'étais marié. Maman est tombée malade. Je demeurais à l'hôtel de mes parents, un petit hôtel à la campagne. Et puis ma sœur Carole était garde-malade à Montréal, fait que je lui ai téléphoné: «Maman est tombée malade, descends la soigner. Je te paierai le même prix que tu reçois à Montréal, puis tu seras nourrie et chambrée.» Elle est descendue et elle s'est occupée de maman.

Dans le cas de sa femme, il est intervenu auprès des médecins pour la faire hospitaliser ou pour exiger des médicaments contre la douleur. Malgré ces différences dans la nature des tâches assumées, Joseph trouve qu'il est important de «rendre service», tout comme les femmes citées dans cette section, et ajoute:

«Quand on est malade et puis que quelqu'un s'occupe de nous, il me semble que ça fait du bien.» Finalement, il explique en ces termes le fait d'être un homme impliqué dans un domaine hautement féminin: «Je dois avoir un cœur de femme.» Effectivement, la prise en charge est un domaine féminin et pour la plupart des femmes interviewées, c'est un domaine qui leur permet de donner un sens à leur vie, dans lequel elles peuvent réaliser certaines de leurs aspirations ou exprimer leur besoin de vivre en interrelation avec d'autres êtres humains.

Les sentiments d'obligation et de devoir

«C'est ton enfant, t'as pas le choix.»

Voici le versant sombre de l'affection ou des liens du sang. Car, si de nombreuses personnes ont invoqué l'amour comme principal motif de leur décision, certaines nous ont aussi parlé d'un sentiment de devoir et d'obligation. Les liens du sang sont souvent caractérisés par un mélange de sentiments d'affection et d'obligation dont l'équilibre varie d'une soignante à l'autre. Dans certaines situations, la balance penche en faveur de sentiments plutôt «négatifs».

Parmi les répondantes qui se sont senties obligées d'assumer une prise en charge, nous retrouvons Rollande, célibataire et sans enfant, qui a déménagé chez sa mère il y a quinze ans et qui a vu l'état de santé de celle-ci se détériorer au cours des années. Les autres prises en charge concernent des enfants psychiatrisés. Il s'agit de Rachel et Gilberte, s'occupant respectivement d'une fille et d'un fils, qui à l'heure actuelle résident à l'extérieur de la maison familiale, et de Mireille et Fernand qui habitent avec leur fille psychiatrisée.

L'obligation ressort comme motif secondaire surtout chez celles qui ont pris en charge une personne âgée, combinée à des pressions de la part de celle-ci, à la dépendance socio-économique ou même au besoin d'aider.

Pour les personnes qui invoquent ce motif, la prise en charge se vit comme un lourd fardeau. Elles se sentent débitrices de la personne dépendante qu'elles ne peuvent abandonner. Elles peuvent éprouver un sentiment de culpabilité, souvent activement alimenté par la personne dépendante. Et finalement, malgré une grande affection dans plusieurs cas, on dénote surtout chez elles de la résignation, l'impression de ne pas avoir de choix.

> Il y a bien des fois où je partirais, et puis je peux pas partir parce que moi, étant jeune, j'ai été malade jusqu'à l'âge de 15 ans. Au début, je me disais: «Elle a eu soin de moi quand j'étais jeune, je peux bien avoir soin d'elle maintenant.» Mais, elle, ça dure plus longtemps que moi. (Rollande)

> Parce que je suis obligée de m'en occuper beaucoup, souvent seule... c'est que ton enfant, tu n'as pas le choix, tu sais. (Gilberte)

> Si tu es capable de la placer, si tu as le courage de le faire, fais-le! Nous, on a pas eu le courage de le faire et on le regrette pas. Mais ça demande du courage quand c'est ton enfant. (Mireille)

La décision de s'occuper d'un proche dépendant se prend souvent sans envisager les implications à long terme. Plusieurs ont accepté cette charge à un moment où la personne dépendante était encore assez autonome, ou encore la décision s'est prise dans un climat d'urgence après un accident, une crise ou une maladie grave. Mais savaient-elles à quoi s'attendre? Étaient-elles préparées à la perte d'autonomie progressive de leurs parents, au désespoir de la schizophrénie, avec toute l'attention et la présence que cela exige? Quels que soient les motifs et facteurs initiaux de la prise en charge, après des années de plus en plus difficiles, ils évoluent. La situation devient souvent intolérable et on souhaite le placement du proche, voire même sa mort.

> Elle a pas de plaisir à vivre. Ce serait mieux qu'elle ait une bonne crise. C'est ça que je pense souvent... L'idéal, ce serait

> ça, parce que moi, je serais libre. (...) Je me sens fatiguée puis je me sens tannée des fois.(...) Des fois, j'aimerais prendre mon chapeau puis prendre le bord. (Rollande)

> Je lui ai dit: «Je peux plus endurer ça. Je peux plus rien faire pour toi, Danièle. Je peux plus rien donner, je suis vidée!» Je veux pas qu'on se chicane, je veux qu'elle vienne se promener, c'est correct. Deux jours, j'en ai assez. (Rachel)

Parfois c'est la culpabilité qui alimente le sentiment d'obligation: dans le cas des enfants psychiatrisés, certaines mères se sentent plus ou moins responsables de la maladie qui frappe leur enfant. Ainsi, Rachel se considère partiellement responsable de la maladie de sa fille car lorsqu'elle a épousé le père, elle ne savait pas qu'il était atteint d'une maladie mentale.

> Alors, elle a tout ça. C'est effrayant d'hériter de tant de bagage! C'est ça qui me fait... que je reste à m'apitoyer un peu sur son sort, et à vouloir essayer de la garder, puis tout ça.

Quelquefois, l'enfant psychiatrisé renforce le sentiment de culpabilité que peut éprouver sa mère en la rendant responsable de sa maladie.

> Je me suis posé beaucoup de questions. J'ai pensé tout le temps. J'ai pas fait plus pour elle, moins pour elle que les autres... Comme elle dit: «Ben, c'est toi qui voulais avoir un troisième enfant, tu m'as eue asteure, occupe-toi de moi! C'est ta faute si j'ai la schizophrénie.» (Mireille)

> «Pourquoi vous m'avez mis au monde?» Puis là, il a commencé sa crise. «Pourquoi c'est mon frère tout le temps puis moi non? Pourquoi vous m'avez mis au monde?» Puis là, il a commencé à courir après moi. Il voulait m'étrangler. (Angéline)

> Oui, j'ai arrêté à ce moment [de travailler], parce que je partais pas tranquille. Je me disais: «Y va-tu se suicider le temps que je vais être partie?» Puis, comme je me sentais coupable de quelque chose, je ne savais pas quoi, là, je voulais réparer. Fallait que je sois là, parce qu'il disait qu'il avait besoin d'affection. Il disait qu'il avait manqué d'affection. (France)

Dans d'autres circonstances, les parents, tout en ressentant une certaine culpabilité à l'endroit de leur enfant, ont développé un sens du devoir moral qui explique leur décision de poursuivre la prise en charge, même très lourde. C'est le cas de Mireille et Fernand qui s'occupent de leur fille psychiatrisée.

> La famille, c'est important pour nous autres. On a été élevés comme ça. La famille, c'est sacré, tu fais ton possible! Nous, on va essayer au maximum selon nos capacités; tant qu'on pourra, on va la garder. C'est notre décision à nous. On vit avec ça. Alors si on vit avec ça, il faut faire des compromis. C'est notre décision! (Fernand)

Pour Rachel, le sentiment de culpabilité s'accompagne d'un sens du devoir qui semble l'habiter depuis fort longtemps. Même si elle a deux sœurs qui, comme elle, sont infirmières de profession, c'est toujours à elle qu'on fait appel.

> Je me suis toujours occupée de mes parents. J'étais l'infirmière, vous comprenez, la plus vieille. C'étaient les cousines quand elles accouchaient, c'étaient les parents quand ils étaient malades. C'était toujours moi qui en avais soin... c'était moi qui devais y aller.

Elle évoque avec amertume le fait d'avoir un plus grand sens du devoir que les autres membres de sa famille. Elle explique ainsi les facteurs qui l'amènent à s'occuper des autres:

> Bien parce que j'ai jamais dit non dans ma vie. J'étais célibataire à ce moment-là, comprenez-vous? Alors j'étais disponible... J'avais un tempérament pour ça, mais on a abusé de moi, parce que j'ai jamais été capable de dire non.

Pour d'autres soignantes, leur sens du devoir ne leur laisse pas le choix; l'état de leur fils leur inspire de la pitié.

> Quand nous avons des enfants mal pris, quel choix avons-nous que de les aider? Qu'est-ce que vous dites dans ce temps-là quand vous êtes sa mère? Est-ce que vous dites: «Bon, bien là, c'est bien de valeur, moi je ne suis pas capable de te reprendre.

> Va-t-en, arrange-toi avec tes troubles!» Tu l'amènes avec toi puis tu dis: «Bon bien, advienne que pourra!» (Anita)

> Pensez-vous qu'une mère est capable de laisser son fils dans la misère comme ça? Je suis pas capable. J'ai essayé... Parce que c'est mon enfant. Il fait tellement pitié. (Berthe)

Culpabilité, devoir moral, résignation, pitié, tous ces sentiments se combinent à l'amour et au sens des responsabilités familiales pour obliger des personnes à s'occuper d'un enfant ou d'un parent. À la longue, l'amour s'étiole pour faire place au désespoir et au désir de plus en plus manifeste de voir se terminer la prise en charge. Quand celle-ci est assumée par obligation, elle est vécue comme une lourde contrainte hypothéquant tous les aspects de la vie.

Les pressions de la personne dépendante

«C'est vraiment elle qui a pris la décision.»

Souvent, les désirs de la personne dépendante prévalent sur ceux de la soignante. Ainsi, certaines personnes âgées ont, jusqu'à un certain point, imposé leur volonté de ne pas être placées ou ont désigné une de leurs filles comme soignante principale. Cependant, cette pression n'est pas ressentie de la même manière par toutes les soignantes. Il y a une gradation, allant de l'acceptation sans trop de difficultés à la résignation doublée d'une culpabilité incontournable.

> Je continue parce qu'elle a décidé de pas y aller [en centre d'accueil]... J'étais toujours bien pas pour l'asseoir sur le bord du trottoir, jusqu'à temps que quelqu'un la ramasse. Faut que je la garde, c'est ma mère. (Murielle)

> C'est vraiment elle qui a pris la décision... Il a pas été question [d'en parler avec les autres membres de la famille], puis ça s'est

fait comme elle a voulu. (...) c'est sûr qu'elle s'est pas adressée aux autres, parce qu'elle savait qu'ils diraient non. (Lucette)

Parce que pour eux autres j'ai toujours été là, ça fait que pourquoi je le ferais pas encore finalement... Ça va faire seize ans, le 18 août, que je suis toute seule. Disons que depuis seize ans, je suis plus disponible pour eux autres, depuis que je suis divorcée. (Angèle)

Pour elle c'est tout à fait normal que je prenne soin d'elle comme ça. C'est comme si ça lui était dû. Elle a pris soin de moi tout le temps quand j'étais enfant, puis je lui rends la pareille. J'ai l'impression que c'est comme ça qu'elle voit ça. (Nicole)

Pour certaines soignantes, cette situation imposée par leurs parents s'est peu à peu mise en place au cours des années.

L'habitude, je pense, une espèce d'habitude qui s'installe, que tu es là. Ils te demandent: «Tu pourrais-tu regarder ça? On a reçu ça, qu'est-ce que t'en penses?» Je pense qu'il y a une habitude qui s'installe, puis que tu finis par être toujours là. Et tu te retrouves dans un bateau, il tourne en rond ton bateau, mais y'a plus moyen de s'en sortir. (Angèle)

Elle m'a téléphoné (...) elle a dit: «Prends un appartement de plus puis je vais m'en aller avec vous autres.» (...) Et puis là, je l'ai acceptée (...) J'ai même pas hésité. J'ai dit: «Bien oui, c'est correct.» (...) J'ai pas pensé qu'elle vieillirait, puis qu'elle serait plus malade aussi. Peut-être que si j'avais réfléchi un peu, parce qu'elle avait déjà 75 ans à l'époque... Je sais pas, avec du recul, si je le referais. Parce que je me rends compte que ces dix années-là ont changé ma vie de façon épouvantable. (Lucette)

Dans plusieurs des situations présentées ici, les soignantes, aux prises avec une charge devenue difficile, désirent placer leurs parents mais ne le font pas à cause des objections de ces derniers.

Elle était consentante, puis quand est venue la journée, elle voulait plus. On peut pas les placer de force... Moi, je la laissais libre de choisir. C'est elle qui devrait être placée. Je l'ai

> pas poussée dans le dos, ni pour rester ici, ni pour s'en aller. Je voulais que ce soit sa décision à elle; parce que ça aurait fait mon affaire, j'aurais pu me reposer. Mais quand je serais allée la voir, elle m'aurait dit des bêtises, je connais son caractère. (Murielle)
>
> Sauf qu'elle veut pas, elle est «stickée» sur sa maison. Elle dit: «Je vais sortir d'ici les pieds devant.» (Robert)
>
> Moi, j'ai l'impression que maman le sait intérieurement à quel niveau elle est rendue. Puis elle sait que si jamais je réussis à la persuader d'aller à l'hôpital, elle sortira plus de là, et c'est ça qui lui fait peur, probablement. (Nicole)

Angèle a pris en charge ses parents il y a un an, alors qu'elle avait le choix entre laisser sa mère (la plus lourdement handicapée du couple) à l'hôpital ou la reprendre à la maison. Sa mère a exercé des pressions sur elle pour revenir à la maison et, après avoir évalué la situation dans son ensemble, Angèle a accepté.

> Ben maman, elle, tout ce qu'elle avait dans la tête [c'était]: «Je veux m'en aller chez nous.» (...) Puis elle était tellement rendue agressive à l'hôpital que je me suis dit: «Peut-être que ça va lui relever le moral de revenir à la maison, d'être parmi ses affaires.» (...) Je l'ai pris la décision, j'ai dit: «Non, retourne pas à l'hôpital parce que ça donne rien.» Parce que là ç'aurait été pire comme situation... pour moi en tout cas. Elle nous aurait haïs pour nous tuer, ça c'est garanti, elle aurait plus voulu nous parler, elle aurait régressé.

Lucette a finalement demandé le placement de sa mère, malgré les objections de celle-ci. Elle venait tout juste de perdre son mari et elle gardait rancune à sa mère d'avoir gâché ses dernières années de vie de couple, mais au cours de cinq années de prise en charge devenue extrêmement lourde, elle n'avait pas osé faire cette démarche contre la volonté de sa mère.

> Peut-être que si mon mari était pas décédé, je serais jamais arrivée à ça. Je peux pas le dire, c'est pas arrivé. Mais, aussitôt que mon mari a été mort , il est mort en juillet, je pense que c'est au mois d'août, en fin d'août que j'ai pris la décision. Puis là,

> y'avait plus rien, plus rien à faire. Je peux plus vivre ça, c'est impossible. (...) Ils [mes frères et sœurs] auraient même voulu que je le fasse avant. Parce qu'ils voyaient que je dépérissais moi aussi. Mais j'étais pas capable. J'ai essayé par deux fois, puis quand j'arrivais à la dernière limite, je changeais d'idée. J'étais pas capable de dire, là, elle s'en va dans une maison, parce qu'elle voulait pas.

Toutes les personnes vivent ce même dilemme: continuer à assumer une prise en charge devenue trop lourde ou aller carrément à l'encontre des désirs exprimés par leur parent. Ce qui ressort de façon flagrante dans ces situations, c'est bien le refus de la personne dépendante d'accepter des changements, que ce soit l'aide des services publics ou celle des autres membres de l'entourage. Cette situation renforce un sentiment d'obligation déjà présent chez les soignantes.

> Elle était habituée à moi. Les autres la gâtaient pas comme moi, quand elle demandait quelque chose. C'est pour ça qu'elle voulait pas se faire garder par les autres! (Rita)

> C'est que je suis pas... c'est qu'elle... de ce côté-là [se faire garder] si elle ne connaît pas la personne ou si... elle n'aimera pas ça. Elle n'aime pas tellement ça.(...) Ça serait une chose [le placement] qui serait impossible à faire. Elle ne le prendrait pas. C'est une chose que je peux pas envisager. (Rollande)

Devant un tel refus, certaines soignantes sont condamnées à vivre dans un état de subordination totale, leur sentiment de culpabilité les empêchant de faire des démarches pour chercher de l'aide.

> Elle veut pas aller dans un foyer. (...) elle refuse. (...) Je me suis dit: «J'ai pris soin de mon père quand il a été malade. Ok, même si moi et maman, on s'est pas toujours entendues à tous les niveaux, je peux pas la mettre de côté. Faut que j'en prenne soin quand même.» (...) [Je ressens] une part de culpabilité. Je sais que maman acceptera pas le placement. Selon moi, elle trouverait ça bien effrayant que j'aie fait une chose pareille. Elle comprendrait pas. (Nicole)

Nicole se plie donc aux volontés de sa mère qui refuse toute visite médicale et ne veut même pas mettre un pied à l'hôpital, craignant de ne jamais en ressortir. Selon les répondantes, il y a même des personnes âgées qui déclarent que si elles étaient placées, elles en mourraient.

> Je garantis pas qu'il serait encore vivant. Parce qu'il était assez lucide, il a dit que si on le plaçait en foyer, dans un centre d'accueil ou quelque chose là, il se laisserait mourir. (Yvonne)

Plusieurs soignantes responsables d'un enfant psychiatrisé subissent aussi des pressions de sa part. Si ce motif ne ressort pas comme étant le facteur principal, il est néanmoins très fréquent, notamment en l'absence de ressources institutionnelles. Certains dépendants insistent pour demeurer ou revenir au domicile familial, refusent carrément toute autre option ou même de consulter des professionnels de la santé. De plus, ces psychiatrisés se montrent très revendicatifs à l'endroit de leur famille. Laissés à eux-mêmes, démunis, mis à l'écart des institutions, ils pressent leur mère de les reprendre, assurés qu'elle ne pourra pas les «refuser».

> D'abord, il frappait, il frappait: «J'ai faim, maman! Maman!» Qu'est-ce que tu fais, on laisse pas son fils sans nourriture! (...) Il était rendu fou, il passait par la fenêtre, j'étais obligée de le surveiller, puis d'appeler la police. (...) Il vient toujours chez moi pour se faire nourrir, puis à part de ça, il fume, il mendie, c'est la dégénération la plus basse qu'on puisse imaginer. (...) Puis il me téléphone, il demande aux passants: «Pouvez-vous me donner 25 sous, je veux appeler ma mère.» Alors là il me téléphone au moins deux ou trois fois par jour: «Maman, il faut que je te voie absolument, j'ai besoin de te voir.» (Berthe)

> Alors je lui ai dit: «Tu me fais du harcèlement à moi aussi.» Là il sourit, il dit: «Eh bien, tu es ma mère.» Bon, je suis ta mère, mais même si je suis ta mère, t'es pas obligé d'être sur mon dos tout le temps. (France)

> Il était au poste... puis là il avait perdu la notion du temps: «Maman, viens me chercher!» Comment tu fais? Comment tu fais? «Maman, viens me chercher, je suis au Nouveau-

> Brunswick, envoie-moi de l'argent, j'ai plus d'argent, j'ai tout perdu.» (Alberte)

Face à ces pressions, les femmes cèdent, déchirées entre leurs sentiments d'amour, de pitié, d'obligation et de culpabilité.

La dépendance socio-économique des femmes

«Si j'avais travaillé en dehors...»

L'aliénation économique des femmes dans notre société n'est plus à démontrer; aussi, quand elles dépendent totalement de leur mari pour leur subsistance ou quand elles ne veulent pas perdre un bien difficilement acquis, la dépendance financière peut devenir un motif de prise en charge.

Marthe risquait de perdre sa maison à la suite d'un divorce très compliqué. Laissée seule avec un enfant à charge sans pension alimentaire régulière, elle habitait la maison familiale. Son mari en avait gardé la possession légale mais sans pour autant en assumer les frais. La maison a donc été mise en vente pour non-paiement des taxes et Marthe n'avait pas l'argent pour l'acheter. Elle a alors fait pression sur sa mère pour que celle-ci vende sa propre maison et vienne habiter avec elle. Aujourd'hui, Marthe assume toujours la prise en charge de sa mère malgré la lourdeur de la tâche parce qu'elle a encore besoin de sa pension pour acquitter les paiements de sa maison.

> Je suis son esclave, esclave des circonstances... Je vais avoir 63 ans le mois prochain. J'ai besoin de ma mère, je m'aperçois que le Seigneur étire ma mère malgré tout. Il l'étire, puis je suis sûre qu'il va l'étirer encore deux ans. Lorsque j'aurai ma pension de vieillesse, il va peut-être venir la chercher parce qu'elle va avoir 98 ans, et puis elle a une batterie pour le cœur depuis qu'elle est ici. Ça fait cinq ans. Puis une batterie pour le cœur, ça dure sept ans! Moi là, j'espère plus rien. Dans deux ans,

> j'aurai ma pension de vieillesse, je me résigne... parce que je suis prise pour la garder. (...) Mais si j'avais pas été, il y a six ans, dans une situation pécuniaire pénible, qu'il fallait prendre une décision rapide, elle serait restée chez elle. Moi, s'il m'avait pas demandé la maison, supposons que ça serait pas arrivé, je serais restée ici et que ce qui est arrivé ici un an après [la crise cardiaque de ma mère] était arrivé là-bas, on l'aurait trouvé morte. Ç'aurait fini là!

Mathilde, 61 ans, totalement dépendante de son mari, n'a pas pu refuser les décisions de ce dernier en ce qui concerne la prise en charge de sa mère de 90 ans.

> On s'est toujours occupés de mes beaux-parents parce que mon mari est fils unique et puis c'est des gens assez possessifs. Il fallait que mon mari aille les voir à tous les jours depuis qu'on est mariés... En avril, quand mon beau-père est rentré à l'hôpital pour une semaine ou deux, mon mari a dit [à sa mère]: «Ben là, il y a pas de choix! Il faut que tu viennes ici.» Ben là, il a décidé de l'amener à maison parce que lui, il dormait plus. (...) Je préférais garder ma belle-mère ici que de voir mon mari tomber malade, faire une grosse dépression, quelque chose comme ça... Puis les enfants comprendront pas si leur père fait une grosse dépression... Je me disais si leur père tombe malade les enfants vont m'en vouloir.

Mathilde considère qu'elle n'a pas pu s'opposer à la décision de son mari parce qu'elle n'a aucune autonomie financière.

> Quand j'ai besoin de linge, il vient avec moi au magasin puis c'est lui qui paye. Jamais, jamais, j'aurais demandé... pour lui, il est pas question que ça soit moi qui gère le budget, qui aie de l'argent. (...) Mais mon mari avait dit, en 85, que c'était entendu qu'elle venait mourir ici. J'avais pas le choix! J'aurais eu le choix si j'avais travaillé en dehors. (...) Mais je me disais: «Ben plutôt que de faire la chicane avec mon mari, avec mes enfants...»

Des femmes peuvent en effet être obligées de s'occuper de la famille de leur mari, à cause du rapport de force existant dans le couple, ce dernier se fondant souvent sur le revenu que chaque partenaire apporte au foyer[1].

Même si Mathilde et Marthe ne représentent qu'une faible minorité de notre échantillon, elles illustrent bien deux types de situations assez fréquentes dans la population en général. Il arrive qu'une femme se trouve obligée de se plier aux exigences de son mari, car le contrarier risquerait de remettre en question la stabilité du couple. Cette situation est typique de ce que vivent un certain nombre de femmes et, de fait, nous avons rencontré un cas presque identique dans une recherche antérieure[2]. Dans d'autres cas, l'argent que peut apporter une personne âgée — la pension ou un éventuel héritage — devient le motif principal de la prise en charge. Malheureusement, cette situation est sans doute plus courante qu'on voudrait le croire. Donc, malgré leur faible représentativité dans notre échantillon, nous estimons que ces deux cas sont révélateurs d'une réalité qui mériterait une étude plus approfondie.

Nous avons aussi rencontré d'autres situations où la dépendance financière n'était pas le principal motif mais où elle entrait tout de même en ligne de compte. Nicole a loué un logement avec sa mère malade car, après sa séparation, elle s'est retrouvée chef de famille monoparentale et dans une situation financière difficile. Ce partage de loyer la dépanne. Il faut mentionner que Nicole était déjà très impliquée auprès de sa mère malade.

> Puis, c'est là qu'elle m'a demandé: «Si je partageais les dépenses de loyer avec toi, ça t'aiderait?» Effectivement, ça m'aidait. Parce que quand tu es habituée à deux revenus puis que tu tombes avec un, ça fait différent. J'avais la charge de ma fille, la garderie, ces choses-là. Ça me faisait des dépenses supplémentaires. Ça fait qu'elle m'aide pour le loyer, puis un peu pour l'épicerie.

1. P. Blumstein et P. Schwartz, *American Couples: Money, Work, Sex*, New York, William Morrow, 1983.

2. N. Guberman, H. Dorvil et P. Maheu, *op. cit.*

Lucette, pour sa part, nous a expliqué que le montant qu'elle reçoit de sa mère vient en quelque sorte compenser le salaire qu'elle a perdu, ayant quitté son emploi pour prendre soin d'elle.

> Maman, elle m'a toujours bien payée. Au début, elle me donnait 350$, je pense. Mais je travaillais, mon mari travaillait. Fait que c'était juste pour payer sa chambre puis la nourriture. (...) Mais quand j'ai arrêté de travailler, c'est devenu un peu plus compliqué. C'était vraiment un salaire de moins et mon mari est tombé malade. (...) Là nos petites économies s'en allaient aussi. Fait que là, elle me donnait 650$. Ç'a peut-être l'air beaucoup mais, au fond, moi je pouvais plus aller travailler, je pouvais rien faire. Dans le fond, je trouvais qu'elle me payait comme il faut.

Deux hommes ont aussi parlé de l'argent qu'ils reçoivent de leur mère comme un des motifs qui les a amenés à en assumer la prise en charge. David a décidé avec sa conjointe de garder sa mère en perte d'autonomie, en partie parce qu'il trouvait cet arrangement plus économique que de la placer dans un foyer privé.

> J'ai dit: «Écoute donc! Tant qu'à faire bénéficier les autres de l'argent, on va en bénéficier nous autres. On va l'essayer avant, voir si on accepte de la garder... Aussi bien que ça soit nous autres qui prennent l'argent (...) elle va être ben mieux avec nous autres qu'elle va être dans un... un foyer. (...) Puis en même temps, ce qu'elle gagne, ça nous donne un coup de main. (...) Disons que l'argent rentre en ligne de compte. L'argent, je pense c'est un peu tout le monde (...) quand quelqu'un prend une personne en pension, l'argent rentre en ligne de compte aussi. Je dis pas que si elle avait pas de chèque, je refuserais de la garder. Mais l'argent, ça aide.

Robert, qui a actuellement la responsabilité de sa mère, nous raconte:

> C'est un concours de circonstances, tu vois, j'avais fini un contrat, au mois de janvier, j'étais disponible. Mais, par contre, avec mes obligations, je pouvais pas arriver juste avec le chômage, ça fait que dans le cadre de la discussion de famille, on m'a dit: «Serais-tu disponible pour faire plus?» J'ai dit ok, c'est

comme ça que ç'a été négocié. Ça, c'est pour l'aspect matériel des choses.

La non-disponibilité des autres membres de la famille

«Non, il n'y a jamais personne. Ils n'ont pas le temps.»

Le manque de disponibilité des autres membres de la famille est un motif récurrent dans nos entrevues. Sans pour autant l'invoquer comme raison principale, ce facteur est mentionné par vingt-trois répondantes qui s'occupent d'une personne âgée et par neuf autres qui s'occupent d'une personne psychiatrisée.

Si l'on examine le réseau familial de la personne âgée dépendante ainsi que les choix offerts au moment où la soignante principale a commencé à s'impliquer activement, on note dans la très grande majorité des cas que personne d'autre n'était disponible ou disposé à s'engager et que parfois même, il n'y avait tout simplement aucune solution de rechange. Très souvent, les autres membres du cercle familial n'habitent pas la même région et la personne dépendante n'a pas envisagé de s'éloigner de son milieu de vie. La mère de Rollande a un seul autre enfant, un fils qui vit au Texas depuis de nombreuses années; selon Rollande, elle n'a jamais envisagé la possibilité d'aller vivre au Texas avec son fils, car à son âge (89 ans), elle ne pourrait affronter un changement aussi brusque. Joseph, qui s'occupe de sa sœur de 78 ans, est son seul proche parent à Montréal; ses autres sœurs s'en occupent aussi, mais avec les limites imposées par la distance, l'une habitant la Gaspésie, l'autre les Cantons de l'Est.

Il y a d'autres situations, très fréquentes d'ailleurs, où personne dans le réseau familial n'est disposé à jouer ce rôle, du moins dans la même mesure que la soignante principale. Divers facteurs peuvent expliquer ce fait. Ainsi, l'absence de proximité affective avec la personne dépendante, le fait de jouir d'un statut socio-économique élevé, de favoriser le placement en institution, ou encore de vivre selon des valeurs nouvelles, de vivre en couple et d'avoir des enfants, d'être sur le marché du travail, sont des éléments qui reviennent dans les témoignages. Yvonne, ayant à charge son beau-père, nous a raconté qu'elle était la seule personne de la famille à avoir offert d'héberger le vieil homme de 94 ans. Selon elle, les autres enfants ne pouvaient en faire autant à cause de leur «standing» et ils auraient plutôt opté pour le placement si elle-même n'avait pas accepté cette responsabilité.

Comme nous l'avons vu au chapitre précédent, la prise en charge est assumée dans la majorité des cas par une seule personne, une femme, et à quelques exceptions près où cette responsabilité fait clairement l'objet d'un partage, l'aide des autres membres de la famille se limite à un soutien ponctuel. Plusieurs femmes s'occupant d'une personne âgée expriment un profond sentiment de frustration à l'égard de leur sœurs et frères; elles leur reprochent de se défiler, de ne pas se sentir concernés sous prétexte qu'elles-mêmes s'occupent de son bien-être. Dans le secteur de la santé mentale, les répondantes invoquent plutôt l'absence du conjoint (décès ou divorce), son refus de s'impliquer, ses conflits avec l'enfant psychiatrisé, les réticences de l'entourage dues aux tabous entourant la maladie mentale (peur, négation). Évidemment, les personnes qu'elles considèrent comme devant se sentir le plus concernées, les enfants d'une personne âgée, le père d'un enfant malade, sont celles qui sont les plus critiquées.

Même si elles expriment leurs doléances vis-à-vis le manque de support de l'entourage, certaines soignantes mentionnent aussi un ensemble de raisons pour de ne pas solliciter l'aide des autres: on cache la maladie, on refuse de l'imposer aux autres sous prétexte qu'ils ont leur vie personnelle et familiale, ou on suppose que «ça ne donnera rien». La perception que les mères ont des devoirs et responsabilités des proches (maris, fils, filles, frères, sœurs) ne facilite pas toujours les choses et les enferme un peu plus dans leur rôle de responsable exclusive. Ainsi, elles considèrent que leurs autres enfants «ont leur vie à vivre», «ils sont aux études», «ils sont mariés» et qu'on ne peut leur imposer la maladie de leur proche. Par exemple, Mireille n'avait même pas pensé demander à sa fille mariée d'accueillir sa sœur psychiatrisée pour une fin de semaine.

> Maintenant que ma fille a plus son mari, au moins de temps en temps elle va pouvoir passer une fin de semaine avec elle, là c'est à peu près notre seul répit. (...) Mais avant ça, on pouvait pas dire à Gabrielle «viens passer une fin de semaine avec Claudette», parce qu'elle avait son mari; quand tu es mariée, tu es mariée! Tes enfants sont plus à toi quand ils sont adultes. Ça fait qu'on a même pas pensé d'y demander! Elle aurait peut-être dit oui.

Gertrude, de son côté, se montre plus exigeante à l'endroit de ses frères et sœurs qu'à l'égard de son conjoint et de ses propres enfants, même si dans les faits, ces derniers sont beaucoup plus présents auprès de sa mère âgée:

> [Mes enfants] ils l'aiment beaucoup. Mais par contre, tu peux pas arriver puis dire: «Bien toi là, tu vas faire ça telle fin de semaine», parce que je me dis que c'est nous autres, ses propres enfants à elle, qui devraient en faire beaucoup plus, parce que c'est logique.

Elle nous a aussi expliqué qu'elle ne pouvait pas confier sa mère à ses enfants pour prendre des vacances.

> Tu te rends compte que c'est quand même assez lourd à porter puis là tu donnes la charge à deux jeunes adultes. Peut-être que mentalement ils sont pas préparés, parce qu'il y a des choses qu'ils ont pas vécues, puis pour eux autres, ç'a pas la même importance.

La place importante accordée au manque de soutien appelle de toute urgence une évaluation plus systématique du potentiel et des limites des réseaux naturels, dont la famille. À l'instar de plusieurs chercheurs[1], nous croyons qu'il y a lieu d'examiner de plus près les «espoirs fondés sur les réseaux naturels» qui alimentent les discours relatifs au désengagement de l'État. Qu'est devenue, questionne Lefebvre, la communauté québécoise, avec tout ce qu'elle représentait de solidarité, d'appartenance, de cohésion, de source d'intégration et de protection? Ne faudrait-il pas «repenser» le communautaire en fonction des années 90?

Le sentiment anti-institution

«Placé, c'est un numéro.»

En général, les répondantes éprouvent une grande méfiance à l'endroit des ressources d'hébergement et d'encadrement (activités, travail, etc.). Elles pensent que les résidants y sont traités comme des numéros et que les propriétaires des maisons d'hébergement ne pensent qu'à faire de l'argent. Elles estiment que les pensionnaires sont trop nombreux dans ces foyers, qu'ils manquent d'intimité (ils sont deux par chambre), et parfois même du nécessaire: «Ils ont pas le temps de s'en occuper» (Gisèle). Elles craignent également que le mélange des cas plus lourds avec les plus légers ne fasse du tort à certains psychiatrisés. Elles soulignent qu'il y a beaucoup d'abus dans les maisons d'hébergement parce que les résidants n'ont pas voix au chapitre, d'autant plus qu'ils peuvent difficilement réagir sous l'effet des médicaments.

---

1. C. Bibeau, «Le facteur humain en politique: application au domaine de la santé mentale» dans *Santé mentale au Québec,* vol. IX, n° 1, 1986, p. 19-41; A. Fortin, *Histoires de familles et de réseaux*, Montréal, Saint-Martin, 1987; S. Jutras et M. Renaud, *op. cit.*; Y. Lefebvre, «Jalons pour une problématique québécoise de la désinstitutionnalisation» dans *Santé mentale au Québec,* vol. XII, n° 1 (juin 1987), p. 5-14.

Plusieurs des personnes interviewées ont exprimé un fort sentiment anti-institution qui a joué un rôle important dans leur décision. Globalement, on considère les institutions comme des lieux déshumanisés, où règnent la rigidité, la normalisation, l'absence d'amour et de générosité.

Plusieurs soignantes estiment donc que leurs proches ne pourraient pas recevoir les mêmes soins en institution et préfèrent les garder à la maison.

> Parce que, quand c'est placé, c'est un numéro. Nous, c'est notre enfant, c'est notre fille. C'est ça la différence. (...) Moi, je suis convaincue qu'il n'y a pas une femme qui va pouvoir donner à Claudette ce que sa mère lui donne. (Mireille)

> Non, non, ça serait mieux à la maison, parce que c'est certain qu'elles sont plus heureuses quand elles sont à la maison. (Rita)

> Je suis pour les soins à domicile... moi, une personne qui s'en va dans un centre, ils peuvent avoir des bons soins, mais c'est pas chez eux. Puis c'est des ennuis... (Céline)

> Ils ont presque pas de personnel, ils ont pas les soins qu'ils auraient besoin à l'âge qu'il ont (...). Et puis vous savez c'est strict là-bas, ils sont pas gâtés comme ma mère, faire ce qu'elle veut puis écouter la télévision jusqu'à 11 heures. Si je l'arrêtais pas, elle l'écouterait jusqu'à une heure du matin. Là-bas, c'est 9 heures puis ils donnent des pilules, que vous en ayez besoin ou non, il faut que tout le monde dorme! (Marthe)

D'autres déplorent la ghettoïsation des personnes âgées ou psychiatrisées et critiquent violemment le fonctionnement des centres d'accueil.

> Je déteste les maisons d'accueil, fondamentalement. C'est un ghetto! Quelle que soit la classe de gens que tu mets dedans, c'est un ghetto quand même, tu es au rancart complètement. Tu les parques dans une maison où ils sont plus ou moins bien, selon le prix que tu mets, ils ont les services, mais tu es vieux et tu es à part, puis ça, je supporterais pas ça. (Henriette)

> L'idée que j'en ai, c'est pas tellement positif. C'est pas qu'ils sont pas bien, mais tu as l'impression... c'est un entre-deux parce qu'ils peuvent pas faire autant que quand ils sont chez eux. Bon, ils sont presque réglés à la minute ou à la seconde, tu prends ton repas à telle heure, tandis que s'ils sont à domicile, s'ils veulent manger à 11 heures, ils vont manger à 11 heures. (Francine)

Certaines personnes ont une opinion tellement négative des institutions qu'elles croient qu'en y plaçant leurs proches, notamment les parents âgés, elles leur donneraient le coup de grâce.

> Vous savez, elle aurait pas vécu.(...) C'est la plus vilaine chose qu'on peut faire. Parce que vous les coupez complètement, c'est ça qui est difficile. (Agathe)

> Ce que je voulais faire éventuellement, l'amener à lui faire comprendre qu'elle n'était plus un cas de maison... Au niveau d'un placement, je me sentirais coupable. Je me dirais même que ce serait lui donner son coup de mort. (Nicole)

L'idée que les institutions peuvent nuire aux personnes âgées peut même être renforcée par le personnel impliqué.

> Ils nous ont dit: «Si elle était retournée à l'hôpital, elle aurait végété, elle aurait tout perdu ce qu'elle avait acquis.» (Angèle)

Les modalités de la prise en charge

«On s'organise de même.»

Pour quelques soignantes, les modalités de la prise en charge ont joué un rôle important dans la décision d'en assumer la responsabilité. Certaines, par exemple, peuvent compter sur l'aide d'autres membres de la famille. Ainsi, Louise habite avec sa mère malade, mais ses six frères et sœurs téléphonent au moins une fois par jour et lui rendent visite presque aussi souvent, la plupart habitant à proximité. Ils s'impliquent également de façon concrète, pour les visites médicales ou encore pour effectuer certaines démarches.

Quelquefois ce sont des sœurs qui se partagent la prise en charge. Ainsi, Johanne assume la responsabilité et la coordination générale de la prise en charge de sa mère psychiatrisée, tandis que sa sœur Sylvie habite avec la mère et assume les tâches quotidiennes (jusqu'à un récent placement en institution). Alice et Francine, quant à elles, partagent toutes les responsabilités de façon assez égale. Enfin, Agathe, qui s'occupe de sa sœur malade, reçoit le support de deux autres sœurs.

> Bien, je pense que je la partage beaucoup plus aujourd'hui avec Sylvie. Je pense que ç'a été aussi un choix que j'ai provoqué parce que je pouvais plus tout faire, et ma famille, et ma mère, et les problèmes de tout le monde. (Johanne)

> On s'est dit: «Bon, on va se séparer les tâches.» Un moment donné, au niveau du ménage, mettons, une fait l'époussetage, l'autre passe la balayeuse. Des choses comme ça. On se sépare également les choses. (Francine)

> Ça fait que c'est réellement ma sœur et moi qui sommes les plus près d'eux et qui peuvent être plus impliquées.(...) On s'organise de même. (Alice)

Deux autres personnes interviewées, un veuf et une veuve, chacun parent d'un fils psychiatrisé, peuvent compter sur un autre de leurs enfants pour partager certaines responsabilités.

> On était tous les deux. Puis quand j'avais besoin d'un coup de main, bien je disais: « Diane, viens-t-en à la maison, faut que j'aille à telle place.»(...) On était deux. Ça fait que s'il y en avait un qui était *down* un peu, l'autre le remontait. Puis si c'était moi qui étais *down*, fait que lui... on se remontait, on s'encourageait l'un et l'autre. Puis on a fini par passer à travers, malgré que c'est pas fini... (Philippe)

Même si elles ne font que la mentionner, cette aide semble avoir joué un rôle important dans leur décision, mais nous ne sommes pas en mesure d'évaluer quel impact le retrait de ce support aurait sur leurs capacités de poursuivre la prise en charge.

Par ailleurs, les soignantes ont émis des réserves quant à la forme de prise en charge qu'elles étaient prêtes à accepter, en refusant par exemple d'habiter avec la personne dépendante.

> Elle revient les fins de semaine. Je l'accepte les fins de semaine... C'est en septembre qu'elle a commencé à penser à vouloir s'en aller. Merci mon Dieu! Je pensais jamais que ça arriverait, jamais! jamais! (Rachel)

> Je me vois pas du tout, psychologiquement, habiter dans le même logement que ma mère. Je dis pas du tout mais, je sais pas, c'est peut-être possible en quelque part, mais ce serait vraiment pas une solution. C'est comme trop contraignant au plan psychologique... C'est pas possible, c'est juste incompatible avec le genre de vie qu'on fait ou avec les valeurs qu'on a, en tout cas, dans les perceptions qu'on peut avoir de ça. (Johanne)

Pour Angèle qui attend le placement de ses parents, le fait de ne pas habiter avec eux semble aussi très important et lui permet de continuer la prise en charge.

> Depuis qu'elle est sortie puis qu'on vit ses colères, ses cris, puis sa mauvaise humeur, son agressivité, j'ai pas le goût de vivre ça tout le temps. Je le vis tous les jours, mais qu'ils me laissent au moins voir autre chose. Mais je veux pas l'avoir chez nous... puis donner la misère à mon fils. Je veux dire, il a 15 ans, puis 82 ans là, ils sont pas centrés sur les mêmes affaires, pantoute... prendre tes parents chez vous, moi, je m'y oppose complètement. Je les aime bien, je veux pas les avoir avec moi. Parce que ça serait carrément vivre l'enfer. Tu vis plus chez vous. Au moins quand j'arrive chez nous, je vis comme je veux. Tandis que si je les avais avec moi, ça serait plus le cas. Il faudrait que j'essaye de faire coordonner ma vie avec la leur, de pas faire jouer la télévision si eux autres ça leur tente pas... Puis tes idées s'accordent pas nécessairement avec les leurs, parce qu'eux autres vivent beaucoup dans le passé. Moi je vis pas dans le passé, je vis dans le présent... Il y a certaines choses

que je veux absolument pas. À ce moment-là, ce serait l'hôpital, parce que je veux absolument pas.

Les sentiments religieux

«Le Bon Dieu va te punir.»

Pour un nombre restreint de soignantes, les convictions religieuses entrent en ligne de compte dans leur décision d'assumer la prise en charge. De ces croyances découlent des valeurs morales sur les devoirs envers les proches. Dans leur discours, ces personnes s'en remettent souvent à Dieu.

> Mais tout ce que je demande, c'est que le Bon Dieu me donne la santé pour que je puisse fonctionner, chez nous, jusqu'à la fin. (Lucette)

Lucette, qui a gardé sa mère malgré la dureté de cette dernière, parle de sa décision de la placer dans les termes suivants:

> Souvent, elle me dit: «Le Bon Dieu va te punir!» Ça, j'ai entendu ça, depuis que j'étais haute de même. Là, c'était le petit Jésus. Là, c'est le Bon Dieu. Mais ça me fait pas peur. Je n'ai pas peur de me faire punir parce que je pense que j'ai fait largement ma part. Puis même ma famille, tous les membres de ma famille me le disent: «Tu as vraiment fait ta part, puis tu n'as pas à te culpabiliser pour ça.»

Marthe mentionne l'aide que la religion lui apporte dans ses démarches. Elle croit que les choses qui lui arrivent sont le résultat de ses prières et que si sa mère a accepté de déménager chez elle, lui assurant ainsi l'argent nécessaire pour sauver sa maison, c'est grâce à l'intervention divine.

> J'ai mis ça entre les mains d'une sainte à laquelle je suis très attachée. Je l'ai obtenu [l'argent de la vente de la maison de ma mère], mais ç'a pas été facile... J'ai été prier partout où j'ai pu,

> parce que je suis très croyante et très priante puis j'avais déjà mis la maison dans les mains de Marguerite d'Youville... puis les sœurs sont allées au même moment dans leur chapelle ensemble. Elles ont prié pour moi, pour qu'elle se décide, parce qu'elles étaient au courant... puis finalement elle a signé et c'était irrévocable.

Les dispositions personnelles de la soignante

«Faut croire que j'ai ça en moi.»

Plusieurs répondantes ont fait référence à leurs qualités personnelles ou à leur disponibilité pour expliquer ce qui les a conduites à assumer la prise en charge. Le fait d'être plus débrouillardes, plus intéressées par la condition humaine ou plus aptes à affronter des situations difficiles a joué, selon elles, un rôle dans l'attribution de la prise en charge.

> J'ai pas de difficulté avec les gens. Je vais rencontrer quelqu'un puis les gens se sentent en confiance avec moi. Où j'ai pris ça, je le sais pas. Probablement de maman, parce que maman aussi était pareille. (Yvonne)

> Moi, je le fais parce que je me dis que les autres, ils savent pas comment s'y prendre puis... je veux qu'ils aient des bons soins. (...) Je connaissais des médecins. Je les faisais rentrer comme je voulais à l'hôpital. J'avais juste à téléphoner au docteur L. (Suzanne)

> Heureusement, je suis comme ma mère, j'ai pas peur de la maladie. J'aime pas ça, mais j'ai pas peur. Je suis capable de me contrôler quand il y a une situation d'urgence. (...) Je suis pas la fille à dépression. Je suis la fille à se donner des coups de pied dans le derrière puis dire: «Avance, débrouille-toi, puis avance.» C'est ça moi. Regarder en arrière et fouiller dans les bibittes, ça m'intéresse pas. Je veux regarder ce qui est en avant. (Angèle)

> Faut croire que j'ai ça en moi, probablement. J'ai une bonne santé, j'ai beaucoup d'énergie, beaucoup de spiritualité pour me ressourcer. J'ai un bon sens de l'organisation, je suis consciente de ça aussi. (Christine)

D'autres ont expliqué qu'on leur a attribué la prise en charge, ou qu'elles l'ont acceptée, entre autres parce qu'elles sont plus disponibles que les autres membres de la famille. Cette disponibilité est liée pour elles au fait de ne pas avoir d'enfants mineurs ni de mari, ou bien au fait de ne pas avoir d'emploi salarié ou d'avoir un horaire de travail compatible avec la prise en charge.

> On est quatre filles et trois garçons. C'est moi qui s'adonne à être la plus libre parce que je travaille pas et mon garçon a 24 ans, fait que je suis libre de mon temps. Et puis mon mari est décédé. (Céline)

> Peut-être la disponibilité, parce que je travaille pas à l'extérieur. Donc, je sais pas. Je sais pas pourquoi. Probablement parce que je suis plus disponible, donc je pense plus à elle. Je sais pas. (Annie)

> Nous autres, on fait du neuf à cinq, puis pour nous autres c'était... c'était plus facile. (Alice)

> Je pense que oui. On demeurait plus près d'abord, puis c'est ce qui a joué, je pense. Ayant pas d'enfants... c'est ça qui a fait... je pense... (Francine)

Ces témoignages font écho à des études récentes[1] selon lesquelles seulement 30 à 40% des personnes assumant une prise en charge occupent aussi un emploi salarié et qu'en tant que groupe, les soignantes sont moins susceptibles d'être sur le marché du travail que leurs pairs qui n'assument pas cette tâche. D'autres études concluent que le travail et le mariage ont un impact direct sur la disponibilité à assumer la prise en charge[2]. La «disponibilité»

1. R. Stone *et al.*, «Caregivers of the Frail Elderly: a National Profile» dans *The Gerontologist*, vol. 27, n° 5, 1987, p. 616-626; E. M. Brody, *op. cit.*

2. E. M. Brody, *op. cit.*; E. D. Stoller, «Parental Caregiving by Adult Children» dans *Journal of Marriage and the Family*, 1983, p. 851-857.

actuelle des femmes dans la quarantaine et la cinquantaine est sans doute en rapport avec leur exclusion du marché du travail (malgré que beaucoup de salariées assument aussi une prise en charge).

L'espoir de guérison

«J'ai toujours pensé qu'il était pour revenir mieux.»

Chez plusieurs soignantes d'un proche psychiatrisé, la volonté d'assumer la prise en charge se nourrit de l'espoir de voir son état de santé s'améliorer.

> Si je peux me mettre les instruments dans les mains pour pouvoir l'aider, je vais le faire. Et pour moi, c'était l'espoir ça. Même si je sais que c'est une maladie, bon, où les chances de guérison sont quasi zéro, je me suis dit: «Ça fait rien.» Bon, peut-être que moi je suis faite comme ça! C'est mon tempérament. (Claire)

> Je le sais pas, l'espoir, oui. Moi, j'ai toujours pensé qu'il était pour revenir mieux, qu'il était pour être correct... puis tu essaies, tu essaies. (Philippe)

> J'espère toujours que ça va s'améliorer, que son état va s'améliorer, pour qu'il puisse me laisser souffler un peu, comme on dit. (Lisette)

L'état de santé de la personne dépendante

«C'était peut-être pas non plus un cas extrême.»

Il existe une certaine correspondance entre le degré d'autonomie de la personne dépendante, les modalités de la prise en charge et la motivation d'assumer ce travail.

> Yves, c'était peut-être pas un cas extrême non plus, tu sais... Il y a des gens, des schizophrènes en état de grosse crise, différente de celles de mon fils... La question [du placement] s'est pas vraiment posée, parce que Yves habitait chez nous puis finalement il avait une certaine indépendance. (Claire)

> Depuis qu'elle est arrivée, je peux pas dire qu'elle dérange vraiment... J'ai le même horaire... je suis pas là souvent. (Henriette)

Ces soignantes indiquent que si jamais la santé de la personne dépendante se détériore trop, elles devront alors envisager un placement.

> Il faudrait qu'elle soit placée à ce moment-là. Parce que si elle est pas autonome, moi je peux certainement pas la transporter... Je lâcherais pas mon travail. Pas pour le moment, ça, j'ai pas pensé à ça. (Henriette)

Un point de rupture important se dessine quand il y a possibilité d'une détérioration majeure de l'état de santé de la personne dépendante. En effet, la prise en charge à domicile a des limites tangibles. Il est évident que certains cas très graves exigent des soins difficiles à dispenser à domicile. Murielle, âgée de 70 ans et qui garde sa mère, remettrait en question l'arrangement actuel en cas d'aggravation de l'état de santé de cette dernière.

> Si, par exemple, un matin elle disait: «Bon, bien, je suis plus capable de me lever.» (...) Bien là, je suis plus capable d'en avoir soin, parce que je peux pas la manipuler. Fait que j'appellerais la travailleuse sociale puis là, elle serait placée.

Au moment des entrevues, quatre femmes venaient de placer leur proche âgé et cinq autres avaient fait une demande de placement, principalement à cause d'une détérioration importante de son état de santé. De même, deux personnes psychiatrisées (toutes deux âgées de plus de 50 ans) venaient d'être placées et deux autres étaient hospitalisées.

> J'ai trouvé ça bien difficile à tous les jours de penser à elle. Je soupais et je me demandais si elle soupait, elle aussi. Quand je

> pouvais pas aller la chercher, il fallait que j'appelle ma sœur pour lui dire: «Tu vas aller la chercher.» Et elle répondait: «Ah, elle est pas chez vous?» Toujours! On avait peur. On a peur toujours avec cette maladie [Alzheimer]. C'est difficile pour la famille immédiate, ça fait qu'on s'est dépêchés de la placer. (Annie)

> Alors, je l'ai ramené ici. Mais là c'était plus vivable pour lui, tellement il avait besoin de médicaments pour ses effets secondaires. Alors il est retourné [à l'hôpital]. (...) Il est sorti le 10 novembre, il a été suicidaire pendant deux mois, tous les jours, et finalement il a fait une tentative. (...) Alors évidemment, depuis sa tentative de suicide, il a été transporté à l'hôpital. (Carole)

> Moi, j'aimerais qu'elle revienne. Ça me fait de la peine de la voir là. Mais je pense que je serais pas capable d'en avoir soin! C'est trop. Ça demanderait trop, là. (Rita)

> Ah! La décision... c'était pas gardable. Parce qu'elle se tannait du lit puis elle demandait de se lever, puis je disais: «Maman, je suis pas capable.» C'était décourageant... Bien, ma santé était... je pouvais pas, si ma santé avait été bonne... Parce qu'elle a perdu ses jambes, comme une paralysie des jambes. (Juliette)

La tradition familiale

«J'ai toujours été dans ça, parce qu'on a été élevés comme ça chez nous.»

Dans au moins cinq cas, on a évoqué comme facteur incitatif un certain type de socialisation acquis dans la famille. Cette tradition familiale d'entraide, de soutien, semble avoir joué un rôle important dans la décision de ces répondantes.

On a été élevés comme ça chez nous. Le bénévolat chez nous, ça s'est toujours fait... J'ai été élevée dans ça. On donne aux autres. Ç'a pas été difficile pour moi, tu sais. (Alice)

Parce que ma mère, elle a gardé sa mère. Ma grand-mère, elle a habité avec nous autres. (Lucette)

Ça dépend de la façon que tu as été élevée; quand tu as vu tes parents prendre soin des autres, tu es portée à aller dans la même direction; ils disent que les enfants apprennent par l'exemple, ben... c'est ça qu'on a vécu, nous autres. (...) Si tu as été élevée par des parents qui s'occupaient pas des autres, tu t'occuperais probablement pas des tiens non plus. Mais par contre, quand tu as été élevée dans une famille où... comme moi, mes parents, ils ont gardé les pépères, les mémères, les oncles. C'était comme le refuge, chez nous... tu sais, il y avait des oncles, des cousins, des cousines, les lits étaient toujours pleins; maman, papa, ils ont gardé tout le monde. (Angèle)

Y A-T-IL PLUS D'UN MOTIF DÉTERMINANT?

On peut regrouper les motifs présentés ci-haut en trois grandes catégories, selon qu'ils relèvent de la personne soignante, des ressources familiales et communautaires, ou de la personne dépendante.

Un premier ensemble de motifs invoqués dans les témoignages est directement associé à la personne soignante — ses besoins affectifs, ses sentiments, son apprentissage social, ses conditions de vie. Ils renvoient plus spécifiquement aux sentiments maternels (parentaux) et filiaux, aux liens affectifs, aux sentiments d'obligation, de résignation et de culpabilité, à la dépendance socio-économique, à l'espoir de guérison, aux sentiments religieux et anti-institution, à l'intérêt financier et à la tradition familiale.

Un second ensemble de motifs fait référence aux ressources familiales, institutionnelles et communautaires susceptibles de contribuer à la prise en charge. La non-disponibilité des autres membres de la famille et l'inadéquation des ressources institutionnelles et communautaires ont été soulignées par plusieurs répondantes. Le troisième ensemble de motifs est associé à la personne dépendante, c'est-à-dire son état de santé et les pressions qu'elle exerce sur la soignante.

En dépit du caractère restreint de notre échantillon, nous voulons proposer, à titre exploratoire, un schéma explicatif des motifs pour lesquels les femmes prennent en charge leurs proches.

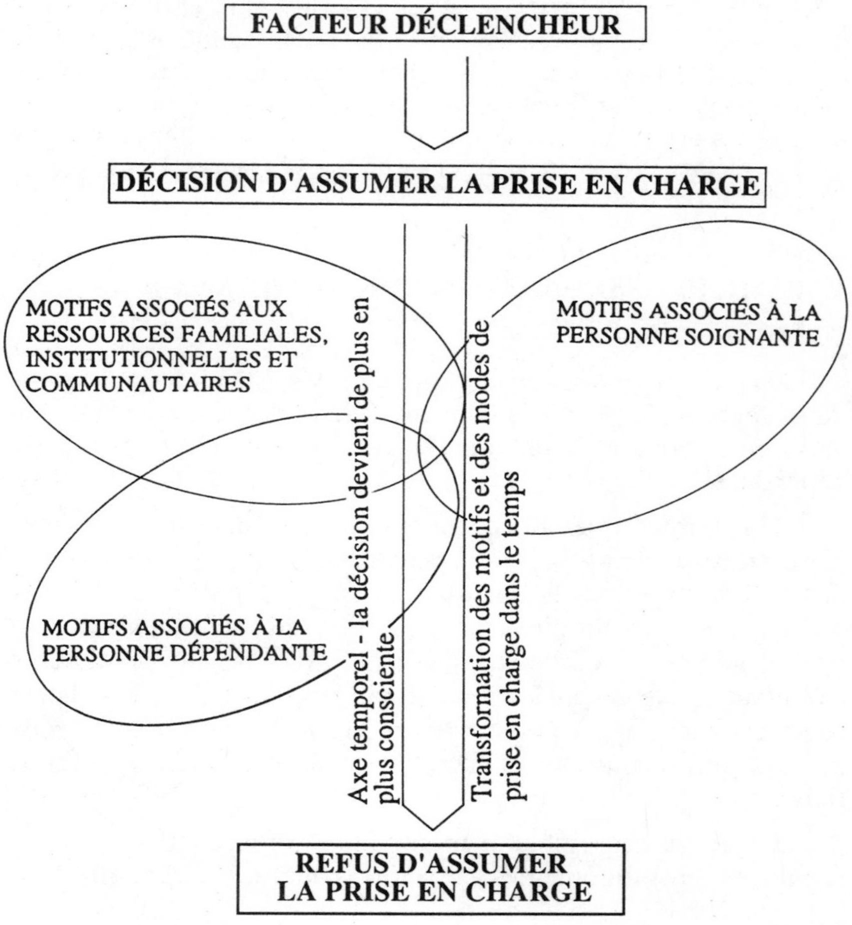

Les données de notre recherche démontrent une nette prédominance de la première catégorie de motifs, soit ceux associés à la personne soignante. Mais ici, une réserve s'impose: aussi déterminant ou prépondérant que soit un motif (ou un ensemble de motifs), il n'agit pas de façon isolée et, de plus, il s'inscrit dans une période de temps donnée et peut changer en fonction du cours des événements touchant autant la personne soignante que la personne dépendante. C'est donc dire que la décision d'assumer une prise en charge n'est jamais la résultante d'un seul et unique facteur. Pour en rendre compte, il faut entrer dans un univers complexe de facteurs principaux et secondaires, d'événements précipitants et lointains, de motifs qui s'entremêlent, interagissent et se transforment dans le temps. La réalité révélée par les témoignages nous est apparue beaucoup plus complexe que ne le suggère notre présentation, que nous avons voulue plus schématique par souci de clarté.

Ainsi France déclare ne pas avoir le choix, malgré son épuisement, de reprendre son fils schizophrène parce que l'hôpital refuse de le garder et exerce des pressions pour qu'elle le fasse. Elle dit ne pas pouvoir se résigner à voir son fils «traîner dans la rue», en expliquant qu'après tout elle l'aime et qu'une mère ne peut abandonner son enfant dans de telles conditions. Elle subit aussi les pressions de ce dernier qui ne manque pas une occasion de la culpabiliser. Ce témoignage, sommairement relaté, illustre bien à quel point plusieurs motifs conjugués à un facteur initial (ici le refus de l'hôpital), peuvent jouer dans la décision d'une soignante.

Pourquoi les femmes?

Nos données corroborent les conclusions des recherches que nous avons citées, à savoir que la variable de sexe est la plus sûre pour prédire le choix de la personne responsable des soins. S'occuper de membres de la famille dépendants est une affaire de femmes, mères, épouses, filles, belles-filles: nous comptons trente-six femmes sur les quarante et une personnes interviewées dans notre étude.

Comme nous l'avons indiqué au début de ce livre, les recherches sur les «aidants naturels» ou la prise en charge par les «milieux naturels» mentionnent souvent ce phénomène; on le nomme mais il est rare qu'on l'analyse. Et pourtant il soulève toute la question du rôle central tenu par les femmes à cet égard. Pourquoi l'impératif de la prise en charge est-il si fortement ressenti chez les femmes? Cette question est capitale pour nous et c'est pourquoi nous avons voulu l'explorer à fond. Nous avons donc posé la question aux répondants et aux répondantes de cette étude: pourquoi ce sont les femmes qui assument la prise en charge?

L'examen des commentaires recueillis montre que, pour plusieurs, prendre soin des autres est une caractéristique attribuée exclusivement aux femmes, pour diverses raisons: on nous a parlé des effets d'une socialisation différenciée selon le sexe, des rôles sociaux définis selon le sexe, d'une nature féminine distincte de la nature masculine. Les hommes en ont parlé sur un autre registre: l'un d'entre eux nous a dit que, selon lui, certains hommes avaient un «cœur de femme». Un autre, plus jeune, a fait référence aux stéréotypes sexuels pour souligner que les hommes se trouvaient en général complètement démunis devant les besoins des personnes dépendantes.

Les réponses des femmes peuvent être regroupées sous trois rubriques. Il y a d'abord celles qui croient en une nature féminine ou qui invoquent l'instinct maternel; d'autres font davantage référence au contexte pour expliquer les rôles féminins traditionnels, parlant d'éducation, de conditionnement; d'autres enfin croient que ce n'est pas nécessairement et exclusivement une affaire de femmes, citant à l'occasion l'exemple d'un homme qui s'est impliqué auprès de ses parents. Mais c'est en grande majorité à l'intérieur des deux premières catégories que s'inscrivent leurs réponses, certaines empruntant des éléments à la fois de l'une et de l'autre de ces catégories. Ainsi, Carole propose une explication biologique des rôles sociaux, tout en se montrant quelque peu cynique:

> Ils nous ont probablement fabriquées de cette façon-là, ç'a été prémédité d'après moi, la façon qu'on a été construites mentalement et physiquement. Si jamais il y en a un qui a fait la première femme, il a dû se dire: «Ah! on va l'organiser pour que ce soit elle qui s'occupe de tout!»

Celles qui ont parlé des rôles sociaux peuvent être à leur tour réparties en deux groupes. Les premières ont fait référence à ces rôles sans pour autant les remettre en question: «La maison, c'est l'affaire d'une femme» (Louise), une autre a dit: «C'est comme pour les enfants, c'est les femmes qui font ça parce que les hommes travaillent» (Mathilde). On retrouve ce propos dans une autre entrevue: «C'est le rôle des femmes de garder les personnes âgées, les hommes travaillent à l'extérieur» (Rita). Une autre reprend à peu près la même idée en d'autres termes: «Le travail de prise en charge revient pas au garçon, un homme peut pas faire l'ouvrage d'une femme» (Juliette).

Un deuxième groupe de femmes reprennent elles aussi cet argument mais dans une perspective critique: «C'est la mentalité qui a véhiculé ça. Quand il y a des femmes dans une famille, les hommes se fient un peu sur les femmes» (Francine). Nicole fait l'analyse suivante: «Les filles sont plus près de leur mère et les garçons se fient sur les filles, mais ça change.» Un autre témoignage va dans le même sens: «Les hommes sont capables [de prendre une personne en charge] mais ils ont pas été élevés comme ça» (Angèle). Une autre croit que l'homme n'intervient dans le processus de prise en charge qu'à partir du moment où il n'y a aucune femme disponible dans l'environnement immédiat:

> Tout le travail domestique et d'entretien, ça le préoccupe pas, à moins que ce soit vraiment nécessaire pour sa survie. Mais s'il y a quelqu'un autour qui le fait pour lui, il le fera pas! C'est le contexte social [qui produit ça]. (Henriette)

L'éducation revient aussi dans les commentaires d'Henriette et de Claire:

> Les hommes ont été élevés en dehors des responsabilités, ils veulent pas s'occuper des autres. (Henriette)

> Il y aurait peut-être toute l'éducation... avec les hommes, il faut recommencer à partir de la base. (...) Je me dis si on élevait les filles comme les gars, puis les gars comme les filles... si on tenait de la féminité dans chaque homme puis de la masculinité dans chaque femme, ça pourrait peut-être finir. On accepterait toute notre personne. (...) Dans le fond, les hommes sont toujours supposés être les plus forts, ils sont supposés, bon, être un peu conquérants... C'est perçu comme ça et c'est souvent comme ça que ça se passe aussi. Mais quand il arrive des choses, des événements difficiles, des événements importants, il y a souvent des hommes qui sont pas capables de passer ça. Je sais pas... on va peut-être plus au fond des choses. (Claire)

Une autre femme relie le fait que les pères s'occupent rarement de leur enfant psychiatrisé à leur difficulté à accepter la maladie mentale, surtout celle de leur propre enfant. Plusieurs femmes interviewées ont en effet signalé que leur conjoint considérait la maladie mentale de leur enfant comme une atteinte à sa virilité ou vivait cette expérience avec culpabilité.

> Sur le côté de la maladie, je pense que pour les hommes, c'est comme si c'était le reflet d'eux-mêmes. Ils se sentent pris là-dedans. Ils sont pas capables de supporter ça. (Rosanne)

> Je pense que les hommes, ça leur fait peur! Ça les atteint dans leur virilité, dans leur essence d'homme. Par rapport à ça, les hommes manquent de courage. (France)

Quand l'amour ne suffit pas

L'absence de solutions de rechange dans la famille et les institutions s'est aussi avérée significative dans notre enquête. Nos données corroborent la recherche déjà citée de Lewis et Meredith sur les personnes âgées[1], qui conclut que même les personnes-

1. J. Lewis et B. Meredith, *op. cit.*

soutien ayant accepté d'assumer la prise en charge n'avaient pas eu d'autre choix.

Nos données s'inscrivent également dans le sens du constat d'échec des mesures implantées jusqu'à maintenant par les politiques de désinstitutionnalisation des psychiatrisés posé par le comité d'experts dans le dossier «santé mentale» de la Commission Rochon (1986).

> Le fait qu'on n'institutionnalise plus, depuis quelques années, les personnes souffrant de troubles mentaux a amené des changements dans les services offerts et dans les modes de prise en charge. (...) Les patients à leur sortie du centre hospitalier n'ont aucun support et plusieurs vont grossir les rangs des itinérants sans ressources ni balises nécessaires à un fonctionnement normal en société. (...) La clientèle ne bénéficie pas d'un plan de services. (…) La non-institutionnalisation des personnes souffrant de troubles mentaux et l'absence de prise en charge laissent celles-ci démunies face à elles-mêmes. Cette nouvelle réalité s'est manifestée au cours de ces dernières années par l'apparition des phénomènes de clochardisation et de judiciarisation de la clientèle psychiatrique[1].

Les transformations radicales que connaissent les réseaux familial et institutionnel ont nécessairement un impact sur le bassin des ressources disponibles pour les personnes soignantes: il faut compter d'une part la diminution de la taille des familles, l'augmentation du nombre de femmes sur le marché du travail, les difficultés de ces dernières à concilier les exigences du travail et les responsabilités familiales, la redéfinition de l'unité familiale, etc., et d'autre part le désengagement de l'État, le refoulement de la clientèle des services vers les familles, la diminution des services dispensés par l'État, les coupures dans les services sociaux et de santé, etc.

Dans un tel contexte, le bassin de personnes et de ressources disponibles tend donc à diminuer, ce qui fait dire à un bon nombre

1. Ministère de la Santé et des Services sociaux, *Dossier «Santé Mentale», op. cit.*

des répondantes de notre enquête qu'elles n'avaient pas d'autre choix que de s'occuper de leurs proches.

Les chercheurs nous mettent en garde contre un danger: la surcharge de la famille. L'épuisement des membres de ce réseau est au nombre des conséquences les plus prévisibles de cette surcharge[1].

Et ce danger est encore plus grand quand nous savons que cette surcharge repose en général sur une seule personne au sein de la famille, la femme, qui est l'épouse, la mère, la fille ou la belle-fille...

---

1. M. Paquette, *op. cit.*

CONCLUSION

Tout au long de cette enquête, nous avons cherché à démontrer l'aspect «contraint et contraignant» du rôle joué par les femmes dans la prise en charge de leurs proches, voulant remettre en question le caractère supposément «naturel» de cette pratique. Les longs entretiens qui constituent la trame de fond de cet ouvrage sont venus confirmer que les pratiques de prise en charge sont influencées par les rapports sociaux de sexe, à l'intérieur desquels les femmes se retrouvent principales responsables du bien-être des membres de la famille, que ceux-ci soient de jeunes enfants, un conjoint ou encore un adulte dépendant. Et quand nous avons demandé à ces femmes pourquoi elles se sont engagées dans un tel processus, leurs réponses ont mis en lumière la place importante qu'occupent leurs sentiments d'amour, de devoir, d'obligation parentale et filiale, de même que l'intériorisation du besoin d'aider les autres. Mais on ne peut affirmer que les femmes se laissent conduire par les sentiments d'amour, de culpabilité et de devoir sans relier cela au contexte social, politique et économique dans lequel elles vivent, celui-ci, en Occident, étant caractérisé par l'inégalité des rapports hommes/femmes, la position de faiblesse des femmes dans l'espace économique et leur omniprésence dans la gestion de la sphère privée.

Ces femmes nous ont aussi parlé d'autres facteurs qui ont joué un rôle important dans leur décision: l'insuffisance ou le caractère inapproprié des ressources institutionnelles et communautaires, le manque de disponibilité des autres membres de la famille ou les pressions de la personne dépendante. Leurs réponses nous ont montré que l'amour ne peut être retenu comme facteur unique et absolu, la réalité étant beaucoup plus complexe. L'analyse des propos recueillis nous invite en effet à dépasser l'idée d'un domaine féminin où l'amour et le don de soi seraient innés et à faire référence aux concepts de division sexuelle du travail et au maintien de deux sphères distinctes, soit le privé et le public, qui nous offrent des pistes de compréhension intéressantes.

Jusqu'à quel point et par quel processus les femmes ont-elles intériorisé cet impératif social de prendre soin des autres? Nous avons vu que, pour plusieurs, prendre soin des autres compense les ambitions refoulées d'une carrière, ou encore, pour d'autres exclues depuis toujours du marché du travail, cette tâche meuble leur temps et donne un sens à leur vie. Là encore, l'exclusion des femmes du travail salarié qui a prévalu pendant longtemps nous permet de mettre en relief toute la dynamique derrière ces modèles. Par ailleurs, les sociétés occidentales reprennent aujourd'hui un discours qui valorise la sphère privée, considérée comme un lieu de rapports non marchands où dominent les sentiments d'affection et de réciprocité et non la recherche de valeurs plus matérialistes basées sur l'échange monétaire. Or, cette survalorisation du don contribue à occulter l'exploitation du travail gratuit et souvent invisible des femmes. Ainsi les politiques sociales mises de l'avant récemment renforcent dans leur logique la division sexuelle du travail. Il faudrait donc évaluer en quoi les pratiques et les politiques de maintien en «milieu naturel» perpétuent la position subordonnée des femmes dans notre société et hypothèquent leurs chances d'insertion sur le marché du travail ainsi que leur pouvoir économique tout au long de leur vie.

La place centrale qu'occupent les femmes actuellement dans la prise en charge amène plusieurs questions: quel sera l'impact de la généralisation du travail salarié des femmes sur le rôle qu'elles ont dû assumer plus activement au cours des dernières années à la suite du désengagement de l'État? Elles ont déjà à concilier leurs responsabilités familiales «normales» avec les exigences du travail salarié, pourront-elles encore ajouter un élément aussi lourd à leurs horaires déjà surchargés? N'y a-t-il pas une limite au cumul des tâches que peuvent accomplir les femmes?

L'intégration massive des femmes au marché du travail, leur implication dans la sphère publique, la restructuration des familles à travers les divorces et les remariages et la baisse du taux de natalité auront un impact non seulement sur leur disponibilité effective, mais possiblement sur leur volonté «d'aider les autres» et sur les facteurs «psychologiques» qui se sont révélés si importants dans la décision de prendre soin des personnes dépendantes de leur entourage.

Dans la plupart des situations que nous avons décrites, il n'y avait aucune solution de rechange sérieuse: personne dans l'entourage de la personne dépendante n'est capable de se substituer à la soignante et il n'existe aucune ouverture à court terme du côté des institutions. Or, comment les femmes pourront-elles composer à l'avenir avec les restrictions et les coupures qui touchent les services sociaux, avec les pressions de plus en plus fortes pour qu'elles assument au sein de la sphère privée la prise en charge d'individus «improductifs», selon les critères matérialistes de notre société?

Le cul-de-sac dans lequel se retrouvent plusieurs femmes qui s'occupent de psychiatrisés révèle bien l'inefficacité des ressources actuelles quand il s'agit d'assurer une véritable insertion sociale de ces adultes dépendants. Confrontées d'une part à la volonté de l'État de maintenir ces personnes dans leur «milieu naturel» et ce, quel qu'en soit le prix, et d'autre part à l'insuffisance de moyens adéquats d'insertion sociale, un bon nombre de femmes continuent d'en assumer la charge contre leur gré. En tant que «partenaires» dûment reconnues par la politique de santé mentale, elles en sont réduites à pallier les lacunes d'un système et à faire les frais de politiques et de pratiques déficientes. Ceci est renforcé par le fait que la majorité des personnes psychiatrisées de notre échantillon sont encore jeunes et que leurs parents gardent espoir de les voir sinon guérir, du moins mieux s'intégrer dans la société. Néanmoins, les mères que nous avons rencontrées ont très clairement exprimé le désir que le système institutionnel assume le gros de la prise en charge de ces jeunes adultes. En revanche, les responsables de personnes âgées en perte d'autonomie n'envisagent comme seule issue que la mort de ces dernières et veulent généralement garder la responsabilité de la prise en charge, tout en souhaitant une augmentation du soutien du réseau public.

Compte tenu des commentaires recueillis quant à la rareté des ressources de soutien et la complexité des tâches associées à la garde de personnes dépendantes, n'y aurait-il pas lieu de repenser les modalités d'implication des femmes auprès d'elles? Toutes ces questions, et plus particulièrement celles qui concernent l'intégration économique des femmes ainsi que les limites des services disponibles démontrent l'urgence d'un débat de société, sans quoi les femmes se retrouveront coincées plus que jamais entre les bons sentiments et les autres dimensions de leur vie.

Annexe 1

MÉTHODOLOGIE

Aux fins de cette étude, nous avons opté pour une méthodologie de type empirique et qualitatif basée essentiellement sur l'entrevue en profondeur. Cette forme a été choisie en raison du caractère même de la problématique et des visées de la recherche.

Rappelons que ce travail exploratoire s'inscrit dans une démarche qui, à plus long terme, vise à décrire la «construction» de la prise en charge dite «naturelle» ainsi qu'à révéler les enjeux des rapports sociaux qui la sous-tendent. À partir de nos travaux antérieurs sur le sujet, il s'agissait pour nous d'approfondir notre compréhension, de susciter de nouvelles questions, de cerner des dimensions moins explorées et de raffiner nos hypothèses.

C'est donc à partir de la réalité québécoise vécue par les acteurs concernés que nous avons cherché à acquérir une meilleure connaissance de cette problématique au sujet de laquelle il existe peu de recherches de ce type. Par ailleurs, nous gardons à l'esprit qu'une telle démarche axée sur le vécu des sujets n'est pas sans renvoyer au lien individuel et social, à l'univers du subjectif et de l'effectif, au champ des représentations et des significations.

L'approche qualitative, de par une de ses méthodes, l'entretien personnel approfondi, nous a paru appropriée pour répondre à nos visées. Cette méthodologie permet en effet une démarche exploratoire qui ne s'interdit aucune avenue, une investigation ouverte qui permet de «défricher» et de définir le terrain d'une problématique peu connue, de dégager les éléments prioritaires, d'en saisir la complexité et de faire émerger des hypothèses. La méthodologie qualitative donne aussi un accès privilégié au vécu des personnes, aux significations et aux représentations qu'elles entretiennent à l'égard de leur situation. Elle permet de nous rapprocher de la réalité concrète, de cerner sa complexité de manière dynamique, d'en saisir le sens et le mouvement[1] en laissant parler les personnes interrogées plutôt que les interrogateurs.

L'ENTREVUE

L'entrevue individuelle en profondeur, semi-dirigée ou semi-structurée, basée sur le principe de l'entrevue thématique, appelée à canevas[2], a été notre principale méthode de cueillette ou plutôt de «production de données[3]». Le déroulement semi-directif alloue une grande marge de liberté à la personne répondante, tout en précisant le cadre de l'entrevue qui a été réalisée à partir d'un schéma, sorte de grille thématique de l'enquête. Celui-ci comprenait quatre grands thèmes généraux émanant de nos questions de recherche:

- l'histoire et les motifs de la prise en charge;
- la nature de la prise en charge;

---

1. D. Bertaux, «L'approche biographique, sa validité méthodologique, ses potentialités» dans *Cahiers internationaux de sociologie*, vol. LXIX, 1980.

2. J. Poirier, S. Clapier-Valladon et P. Raybaut, *Les Récits de vie, théorie et pratique*, Paris, PUF, 1983.

3. J. Rhéaume et R. Sévigny, *Sociologie implicite des intervenants en santé mentale,* 1. Les pratiques alternatives, Montréal, Saint-Martin, 1988.

- les stratégies de soutien auxquelles a recours la soignante principale;
- les formes de prise en charge souhaitées.

Pour guider le choix des thèmes d'entrevue, nous nous sommes inspirées d'un ensemble de sources dont un schéma déjà utilisé dans une de nos recherches antérieures, la littérature existante sur le sujet, la consultation d'intervenantes et de chercheures sur la prise en charge par les familles.

Chacun des thèmes du schéma était couvert par un certain nombre de questions permettant d'en préciser le sens. En raison de la nature même de l'entrevue semi-dirigée, la formulation des questions devait s'ajuster à la dynamique de chacun des entretiens. Un court questionnaire complétait l'entrevue; ce dernier visait à colliger un ensemble d'informations relatives au profil socio-économique de la personne soignante et de la personne dépendante.

COMPOSITION DE L'ÉCHANTILLON

D'entrée de jeu, nous devons indiquer que nous n'avons pas procédé à la construction d'un échantillon dit représentatif, au sens statistique du terme selon Rhéaume et Sévigny. Nous avons choisi les répondants et les répondantes en fonction de l'objectif de la recherche. Il s'agit donc d'un type d'échantillon non pas basé sur la probabilité mais orienté vers un objectif.

Nous avons cherché dans la mesure du possible à assurer une diversité de situations et d'expériences en tenant compte des variables suivantes[1]:

1. Comme nous l'avons déjà mentionné, nous nous sommes délibérément limitées à des familles québécoises d'origine canadienne-française pour ne pas faire entrer des variables d'ethnie et de race. Nos résultats sont valables, donc, seulement pour cette population.

- le milieu sociodémographique: autant de familles de milieu populaire que de classe moyenne et aisée;
- le secteur à l'étude: autant de familles gardant une personne ayant des troubles de santé mentale que de familles gardant une personne âgée en perte d'autonomie;
- le rapport avec le marché du travail: des personnes soignantes qui travaillent à l'extérieur de la maison et d'autres qui n'ont pas d'emploi rémunéré, dont certaines ayant laissé leur emploi pour assumer la prise en charge de la personne dépendante;
- l'état civil des soignantes principales: célibataires, mariées, divorcées, veuves, avec ou sans enfants mineurs à charge;
- le lien de parenté avec la personne dépendante: mère, père, fille, fils, conjoint, conjointe, soeur, frère, etc.
- la durée et le degré de la prise en charge;
- le modèle d'organisation familiale;
- les formes de prise en charge: cohabitation ou non-cohabitation.

Notre échantillon de familles a été constitué à partir de trois sources:

1. de noms fournis par le personnel du réseau gouvernemental et des organismes communautaires: des Bureaux de services sociaux du Centre des services sociaux du Montréal métropolitain — 6, des CLSC — 7, des hôpitaux — 8, des groupes communautaires — 5, des groupes d'entraide — 7;
2. de noms fournis par les répondantes et d'autres individus — 3;
3. de contacts établis à la suite d'une publicité faite à la radio et dans le bulletin interne d'une institution — 2.

Au départ, notre intention était de rencontrer tous les membres de la famille impliqués dans la prise en charge, ainsi que la personne dépendante. En raison principalement des fortes appréhensions manifestées par les soignantes principales au sujet de cette approche, nous avons dû y renoncer.

Nous avons donc concentré notre enquête auprès des personnes qui se sont elles-mêmes identifiées comme responsables principales de la prise en charge, c'est-à-dire celles qui assument la gestion, la coordination et les soins. Dans un nombre limité de familles, nous avons accepté, à la demande de la personne responsable, de rencontrer conjointement un autre membre de la famille — l'époux ou l'épouse ou une sœur — impliqué de façon secondaire.

CARACTÉRISTIQUES DE L'ÉCHANTILLON

a) Nombre d'entrevues et sexe des répondant-e-s

Le matériel colligé repose sur trente-huit (38) entrevues. Lors de ces entrevues, nous avons rencontré quarante et une (41) répondantes, dont dix-huit (18) s'occupent d'une personne psychiatrisée et vingt-trois (23) de personnes âgées. La majorité de l'échantillon était composée de femmes: 36 femmes et 5 hommes.

Personnes âgées

Nous avons effectué vingt-deux (22) entrevues et notre échantillon comprend au total vingt-trois (23) personnes s'occupant d'une personne âgée, soit dix-neuf personnes (19) agissant individuellement à titre de soignante principale, un couple qui se partage le travail de prise en charge de la mère du conjoint et deux soeurs qui partagent de façon égale la prise en charge de leurs parents. Au total, on compte vingt (20) femmes et trois (3) hommes dans l'échantillon.

Personnes psychiatrisées

Nous avons réalisé seize (16) entrevues réalisées avec dix-huit (18) personnes identifiées comme soignantes principales auprès de psychiatrisés. De ce nombre, douze (12) furent menées avec la mère qui agit comme soignante principale. Nous avons aussi recueilli lors d'une entrevue conjointe les propos de deux parents qui se partagent la prise en charge de leur enfant. Les autres entrevues décrivent les situations suivantes: la prise en charge d'un homme par sa belle-soeur, celle d'un homme dont le père et la soeur partagent ce rôle et, finalement, la prise en charge d'une mère par sa fille.

b) Âge des personnes soignantes

L'âge moyen des personnes soignantes de notre échantillon, soit 54 ans, correspond à celui identifié dans la majorité des recherches sur la prise en charge, à ce groupe appelé les «women in the middle[1]», qui s'occupent à la fois d'enfants et de parents âgés en perte d'autonomie, qui combinent travail domestique, travail salarié et travail de prise en charge.

Tableau I
Âge des personnes soignantes

	Femmes	Hommes
Moins de 35 ans	4	0
35 à 44 ans	3	1
45 à 54 ans	10	2
55 à 64 ans	13	1
65 ans et plus	6	1
Âge moyen	54	52

1. E. M. Brody, «"Women in the Middle" and Family Help to Older People», *loc. cit.*

Personnes âgées

Dans le secteur des personnes âgées, l'âge moyen des soignantes est un peu plus jeune. Chez les femmes, la moyenne d'âge est de 52,5 ans, avec des écarts importants puisque la plus jeune soignante a 30 ans et que la plus vieille a 80 ans. Les trois hommes ont respectivement 35, 46 et 72 ans. Par groupe d'âge, on dénombre:

Tableau II
Âge des personnes soignantes (auprès des personnes âgées)

	Femmes	Hommes
Moins de 35 ans	2	0
35 à 44 ans	3	1
45 à 54 ans	7	1
55 à 64 ans	5	0
65 ans et plus	3	1
Âge moyen	52,5	51

Personnes psychiatrisées

En ce qui concerne les femmes qui endossent la responsabilité d'un-e proche psychiatrisé-e, on constate que leur âge varie entre 30 ans et 73 ans, et que la majorité se situe entre 55 ans et 64 ans, avec un âge moyen de 56 ans. Les deux hommes de leur côté ont respectivement 52 et 55 ans. De façon plus détaillée, nous présentons les groupes d'âge:

Tableau III
Âge des personnes soignantes (auprès des psychiatrisé-e-s)

	Femmes	Hommes
Moins de 35 ans	2	0
35 à 44 ans	0	0
45 à 54 ans	3	1
55 à 64 ans	8	1
65 ans et plus	3	0
Âge moyen	56	53,5

Tableau IV
Statut civil des personnes soignantes

	Femmes	Hommes
Célibataires	7	0
Séparé-es/divorcé-es	8	1
Marié-es/union de fait	15	2
Veufs/veuves	6	2

c) Statut civil des personnes soignantes

Personnes âgées

Deux des trois hommes s'occupant d'un-e proche âgé-e n'ont pas de conjointe alors que c'est la situation de quatorze (14) des vingt

(20) femmes. Chez les hommes sans conjointe, l'un est veuf, l'autre séparé. Parmi les femmes sans conjoint, on compte six (6) célibataires, quatre (4) femmes séparées ou divorcées et quatre (4) veuves. Sur les vingt-trois (23) personnes, seulement sept (7) ont des enfants à charge (deux hommes et cinq femmes). Parmi ces personnes, on compte un homme ayant la garde partagée de sa fille de huit ans et trois femmes chefs de familles monoparentales. De plus, six (6) soignantes ont des enfants adultes qui sont autonomes.

Tableau V
Statut civil des personnes soignantes
(auprès des personnes âgées)

	Femmes	Hommes
Célibataires	6	0
Séparé-es/divorcé-es	4	1
Marié-es/union de fait	6	2
Veufs/veuves	6	1

Personnes psychiatrisées

Parmi les personnes soignantes de psychiatrisé-e-s, neuf (9) femmes sont mariées, deux (2) sont séparées, deux (2) sont divorcées, deux (2) autres sont veuves et finalement une (1) est célibataire. Du côté des hommes, un est marié tandis que l'autre est veuf.

Tableau VI
Statut civil des personnes soignantes
(auprès des psychiatrisé-e-s)

	Femmes	Hommes
Célibataires	1	0
Séparé-es/divorcé-es	4	0
Marié-es/union de fait	9	1
Veufs/veuves	2	1

Dans notre échantillon, une seule des personnes soignantes n'a qu'un enfant, son fils psychiatrisé, tandis que toutes les autres ont entre deux (2) et six (6) enfants dont la plupart sont d'âge adulte. La majorité des familles sont constituées de deux enfants. Mentionnons aussi qu'une des soignantes principales a deux (2) jeunes enfants âgés de deux ans et demi (2,5) et de cinq (5) ans.

d) Emploi des personnes soignantes

Tableau VII
Emploi des personnes soignantes

	Femmes	Hommes
Emploi rémunéré	14	3
Sans emploi rémunéré	22	2

Neuf (9) des soignantes ont quitté leur emploi pour assumer la prise en charge soit de la personne dépendante dont elles s'occupent actuellement, soit d'un autre membre de la famille (notamment un conjoint).

Personnes âgées

Deux des trois hommes de notre échantillon sont actifs sur le marché du travail, bien que l'un d'entre eux soit en période de recyclage. Chez les femmes, sept (7), dont l'âge se situe entre trente-quatre (34) et cinquante-cinq (55) ans, occupent un emploi.

Personnes psychiatrisées

Bien que la majorité des soignantes principales (âgées de 50 à 72 ans) ne soient pas actives sur le marché du travail, il n'en demeure pas moins que six (6) soignantes interrogées occupent un emploi à temps plein tandis qu'une autre travaille à temps partiel.

Pour ce qui est des hommes interrogés, les deux ont actuellement un emploi salarié.

e) Revenu familial des personnes soignantes

Tableau VIII
Revenus familiaux des personnes soignantes (dollars)

	Femmes		Hommes
< 20 000	15		1
20 000-39 999	9		2
40 000-59 999	8	<- (1 couple) ->	1
60 000 et plus	2	<- (1 couple) ->	1

Personnes âgées

La moitié des femmes s'occupant d'une personne âgée disposent d'un faible revenu familial annuel, soit moins de 20 000$. Cette situation prédomine essentiellement chez les femmes sans conjoint. Pour les quatorze (14) femmes dans cette situation, neuf (9) ont un faible revenu, deux (2) un revenu moyen et trois (3) un revenu élevé, soit plus de 40 000$. Chez les six (6) femmes vivant en couple, trois (3) ont un revenu moyen et trois (3) un revenu élevé.

Tableau IX
Revenus familiaux des personnes soignantes (dollars)
(auprès des personnes âgées)

	Femmes		Hommes
< 20 000	10		1
20 000-39 999	6		1
40 000-59 999	4		1
60 000 et plus	0	<- (1 couple) ->	0

Personnes psychiatrisées

Un regard jeté sur les revenus nous apprend que parmi les femmes mariées, cinq (5) d'entre elles déclarent que le revenu familial global est inférieur à 20 000$, tandis que trois (3) autres gagnent entre 20 000 et 39 999$. Quatre (4) soignantes mentionnent un revenu familial se situant entre 40 000 et 59 999$. Finalement deux (2) femmes ont plus de 60 000$, dont celle qui fait partie du couple de soignants dans notre échantillon, tandis que l'homme soignant gagne entre 20 000 et 39 999$.

Tableau X
Revenus familiaux des personnes soignantes (dollars)
(auprès des psychiatrisé-e-s)

	Femmes		Hommes
< 20 000	5		0
20 000-39 999	3		1
40 000-59 999	4		0
60 000 et plus	2	<- (1 couple) ->	1

f) Mode de prise en charge

Personnes âgées

En ce qui concerne le mode de prise en charge, quinze (15) femmes habitent ou ont habité jusqu'à très récemment avec la personne dépendante alors que cinq (5) ne l'ont jamais fait pendant la période de prise en charge. De celles qui habitent avec la personne dépendante, trois (3) vivent également avec un conjoint et trois (3) ont aussi à charge chez elles de jeunes enfants. Deux d'entre elles n'ont pas de conjoint. Un seul des trois hommes de notre échantillon habite avec la personne dépendante (sa mère).

Dans la très grande majorité des cas, lourdeur de la prise en charge et cohabitation vont de pair. Des quatorze (14) femmes qui habitent avec la personne dépendante, onze (11) ont affaire à des cas de dépendance très forte ou totale de personnes pouvant difficilement être laissées seules ou sans surveillance. Les quatre (4) autres femmes habitent avec des personnes qui ne sont que faiblement ou moyennement dépendantes. Des cinq (5) femmes qui n'habitent pas avec le parent âgé, trois (3) s'occupent de personnes fortement ou totalement dépendantes et deux (2) de personnes moyennement dépendantes.

Dans le cas des trois (3) hommes, le degré de dépendance des personnes prises en charge est moyen et ce, peu importe qu'il y ait ou non cohabitation.

Personnes psychiatrisées

Il est à remarquer que huit (8) des seize (16) personnes dépendantes habitent actuellement au domicile familial dont quatre (4) avec leurs deux parents et quatre (4) avec leur mère. De plus, dans quatre (4) de ces situations, un autre enfant majeur réside encore au domicile familial.

g) Pratique religieuse

Des vingt (20) femmes qui s'occupent d'un parent âgé, seize (16) se disent pratiquantes dont onze (11) sur une base régulière. Sept (7) des dix-huit (18) soignantes d'un-e psychiatrisé-e affirment ne pratiquer aucune religion. Une autre, bien qu'elle ne pratique pas, se qualifie toutefois de croyante. Huit (8) femmes et un homme déclarent pratiquer régulièrement leur religion et une dernière pratique de façon occasionnelle.

h) Les personnes dépendantes

Personnes âgées

Dans la majorité des cas, la personne âgée dépendante est la mère: douze (12) femmes et deux (2) hommes en ont la charge, alors qu'un homme et deux (2) femmes s'occupent d'une soeur et que trois (3) femmes ont la responsabilité d'un beau-père ou d'une belle-mère. Enfin trois (3) femmes ont la charge de leurs deux parents.

Les personnes dépendantes sont surtout des femmes: vingt-deux (22) au total, contre trois hommes, incluant deux couples. À l'exception de ces derniers, les personnes dépendantes sont très souvent seules. Parmi les femmes, seulement deux (2) d'entre elles ont un conjoint, les autres étant veuves. L'homme dépendant est veuf. Ces personnes sont dans l'ensemble très âgées. Une seule a moins de 70 ans.

Tableau XI
Âge des personnes dépendantes (personnes âgées)

moins de 70 ans	1
70 à 75 ans	4
76 à 80 ans	4
80 à 84 ans	6
85 à 89 ans	5
90 ans et plus	5

Personnes psychiatrisées

Des seize (16) personnes psychiatrisées dépendantes, on observe que ce sont les hommes qui sont davantage pris en charge, soit treize (13) hommes et trois (3) femmes. Mentionnons qu'il s'agit dans les seize (16) cas de personnes schizophrènes dont un seul fut au début qualifié de maniaco-dépressif puis, par la suite, son état fut réévalué comme relevant de la schizophrénie. Parmi ces hommes, douze (12) sont le fils de la soignante principale tandis que l'autre est le beau-frère de la soignante. Leur âge varie de 26 à 74 ans, et neuf (9) d'entre eux (plus de la moitié) sont âgés entre 26 et 34 ans. Deux (2) ont entre 35 et 44 ans et un seul se retrouve dans la catégorie située entre 55 et 64 ans. Finalement un seul a plus de 65 ans. La grande majorité, c'est-à-dire dix (10), sont célibataires, tandis que trois (3) sont divorcés.

En ce qui a trait aux trois femmes, deux d'entre elles sont jeunes (23 et 25 ans), célibataires et prises en charge par leur mère. L'autre femme, une veuve âgée de 55 ans, est sous la responsabilité de sa fille.

Tableau XII
Âge des personnes dépendantes (psychiatrisé-e-s)

25 ans et moins	2
26 à 34 ans	10
35 à 44 ans	1
45 à 50 ans	1
55 à 64 ans	1
65 ans et plus	1

Il est intéressant de remarquer que parmi les huit (8) personnes soignantes qui accueillent leur fils ou leur fille à la maison, sept (7) évaluent le degré de dépendance de leur enfant comme étant relativement faible mais avec des périodes de plus grande dépendance, dont deux (2) qui spécifient aussi une fragilité émotive.

En fait, il semble que la prise en charge soit lourde par période mais qu'en général, la personne dépendante témoigne d'une certaine autonomie.

En ce qui concerne les huit (8) personnes dépendantes qui n'habitent pas avec les soignantes principales, il ressort que sept (7) d'entre elles sont en partie dépendantes mais exigent une plus grande constance dans leur encadrement. Une seule est qualifiée de totalement dépendante.

Ces évaluations faites par les soignantes nous amènent à penser que la cohabitation pour les situations de prise en charge les plus lourdes n'est pas généralisée.

Il est intéressant de constater que toutes les personnes dépendantes ont un revenu. Ainsi, douze (12) retirent une allocation d'aide sociale et trois (3) d'entre elles bénéficient en plus d'une aide monétaire provenant de la famille. Trois (3) autres personnes dépendantes occupent un emploi salarié tandis qu'un homme perçoit sa pension de vieillesse.

Du côté des personnes dépendantes qui habitent avec la soignante principale, on remarque que cinq (5) d'entre elles retirent une prestation d'aide sociale et que deux (2) reçoivent également un soutien monétaire de la famille. On retrouve aussi dans cette catégorie les trois (3) seules personnes qui sont actives sur le marché du travail.

i) Durée de la prise en charge

Personnes âgées

La durée de la prise en charge de personnes âgées est relativement courte; la majorité des soignantes, quinze (15), ont cette responsabilité depuis cinq ans et moins. Par ailleurs, quatre (4) personnes assument la prise en charge depuis une période allant de onze (11) à quinze (15) ans, tandis qu'une autre s'occupe de sa mère depuis plus de vingt et un (21) ans.

Tableau XIII
Durée de la prise en charge

	Personnes âgées	Psychiatrisé-e-s
Moins d'un an	6	0
1 à 5 ans	9	1
6 à 10 ans	2	10
11 à 15 ans	4	4
16 à 20 ans	0	1
21 ans et plus	1	0

Personnes psychiatrisées

La durée de la prise en charge de personnes psychiatrisées varie entre cinq (5) et dix-huit (18) ans. Dans onze (11) cas, la durée de la prise en charge se situe entre cinq (5) et dix (10) ans. Dans les six (6) autres cas, c'est plutôt d'une période de onze (11) à vingt (20) ans dont il est question. En réponse à la question de la durée de la prise en charge, deux mères ont répondu que la prise en charge de leur enfant «dure depuis toujours», c'est-à-dire depuis la naissance de l'enfant.

ANALYSE DES DONNÉES

Méthode d'analyse

Pour mener à terme cette étape de la recherche, nous avons utilisé les techniques propres à l'analyse de contenu et nous nous en sommes tenues à l'analyse thématique des données. Nous avons exclu de notre analyse le traitement sémantique du texte et nous nous sommes concentrées essentiellement sur le contenu manifeste[1], le contenu exprimé (le matériel brut) comme tel par les répondantes. Règle générale, notre but a été de chercher la signification plus à travers le «dit» que le «non-dit», conscientes par ailleurs que ce dernier constitue une réalité tout aussi importante.

Les étapes que nous avons suivies s'apparentent à celles de la démarche classique de l'analyse de contenu[2]:

- «Lecture flottante», identification préliminaire de thèmes et sous-thèmes.
  Cette première étape nous permet d'acquérir une vue d'ensemble du matériel recueilli, de repérer les thèmes à retenir en fonction d'une classification ultérieure et d'anticiper les types de difficultés à surmonter.
- Découpage du matériel en unités de classification.
  Par rapport aux différents modèles de classification du matériel, nous avons privilégié un modèle mixte, plus souple. Nous avons organisé le matériel à partir de catégories pré-existantes dans notre schéma d'entrevue et de catégories qui ont émergé des entrevues.

Ces catégories ont été remises en question, révisées et réajustées jusqu'à ce qu'elles atteignent un degré satisfaisant de clarté, de pertinence, de cohérence et d'homogénéité.

Validation et vérification du matériel

Afin de nous assurer de la plus grande objectivité par rapport à la compréhension et à l'interprétation du matériel, nous avons eu recours à la technique de «triangulation» proposée par Patton[3]

1 R. L'Écuyer, «L'analyse de contenu: notions et étapes» dans J.-P. Desaulniers (dir.), *Les Méthodes de la recherche qualitative*, Sillery, Presses de l'Université du Québec, 1987, p. 49-67.

2. L. Bardin, *L'Analyse de contenu*, Paris, PUF, 1977; R. L'Écuyer, *loc. cit.*; J. Rhéaume et R. Sévigny, *op. cit*

3. M. Q. Patton, *Qualitative Evaluation Methods*, Beverly Hills, Sage Publications, 1980.

pour l'analyse qualitative. Il s'agit de soumettre le matériel à plusieurs personnes et de comparer les interprétations. Cette technique s'avère très efficace pour éliminer sinon réduire les parti pris dans l'organisation et l'analyse des données.

Dans un premier temps, nous avons soumis le matériel aux agentes de recherche ainsi qu'aux secrétaires qui ont assuré la transcription des entrevues. Dans un second temps, nous avons adressé une invitation à toutes les répondantes et nous avons tenu une rencontre avec celles qui se sont montrées intéressées à connaître nos résultats. Nous avons donc pu confronter nos analyses et vérifier la concordance de notre compréhension avec la leur.

Annexe 2

BIOGRAPHIE SOMMAIRE DES PERSONNES INTERVIEWÉES

Agathe[1], 80 ans, a vécu depuis toujours avec deux de ses sœurs, aucune d'entre elles n'ayant été mariée ou n'ayant eu d'enfant. Jusqu'à récemment, les trois sœurs ont pris soin de leur mère, décédée à l'âge de 100 ans. Actuellement, Agathe s'occupe de sa sœur Brigitte, 73 ans, qui est paralysée depuis quatre ans.

Alice, 51 ans, partage la prise en charge de ses deux parents fortement en perte d'autonomie avec sa sœur Francine. Ses parents, qui ont tous deux 82 ans, sont malades depuis dix ans. Les sœurs n'habitent pas avec leurs parents mais se partagent de façon régulière les tâches liées à la prise en charge. Alice est mariée et occupe un emploi salarié.

Alberte a pris en charge son fils psychiatrisé Jean-Marie, 26 ans, depuis six ans et habite présentement avec lui. À 56 ans, elle est divorcée depuis 20 ans et son ex-mari s'implique peu auprès de leur fils. Elle n'a pas de travail à l'extérieur.

1. Les prénoms ont été changés pour préserver l'anonymat des répondant-e-s.

Angèle, 47 ans, divorcée et ayant charge d'un fils adolescent, s'occupe depuis un an de ses deux parents âgés malades de 82 et 78 ans. Elle habite à proximité de ses parents et n'a pas d'emploi salarié.

Angéline, 62 ans, veuve et à la retraite, habite avec ses deux fils adultes dont l'un, Claude, souffre de schizophrénie depuis douze ans. Il occupe des emplois occasionnels dans les ateliers protégés mais a un comportement violent à la maison.

Anita, 74 ans, habite avec son mari dans une résidence privée pour personnes retraitées. Leur fils Henri, 45 ans, maniaco-dépressif, reste avec eux depuis huit ans. Il refuse toute aide et a un comportement violent.

Annie, 30 ans, mariée avec deux jeunes enfants, s'occupe de sa mère de 74 ans atteinte de la maladie d'Alzheimer. Depuis quatre ans, Annie se rend tous les jours chez sa mère.

Berthe, 72 ans, divorcée, retraitée, assume seule la responsabilité de son fils Ovide, 33 ans, schizophrène ayant des tendances suicidaires et sans emploi. Depuis des années, il se promène d'une institution à l'autre. Ces dernières n'arrivant pas à le contrôler, Ovide ne cesse de retourner chez sa mère.

Carole, 52 ans, est divorcée et travaille à son compte. Elle prend soin depuis dix ans de son fils psychiatrisé, Nicolas, qui a aujourd'hui 29 ans. Ce dernier est actuellement hospitalisé par suite d'une tentative de suicide.

Céline, 45 ans, a commencé à s'occuper de sa mère de 75 ans depuis que celle-ci a développé des troubles physiques et mentaux il y a sept ans. À la suite d'une récente séparation, Céline est allée habiter chez ses parents. Lors de son séjour, sa mère a fait une crise psychiatrique. Son père est très présent, mais c'est Céline qui est la première responsable de sa mère.

Christine, 42 ans, divorcée, prestataire de l'aide sociale avec quatre enfants dont deux adolescentes à charge, garde sa mère chez elle. Cette dernière, âgée de 72 ans est quadraplégique, incontinente, diabétique et ne peut communiquer verbalement. En décidant de la sortir de l'hôpital, Christine a dû trouver une maison plus grande et a également installé son père, encore autonome, chez elle.

Claire, 56 ans, propriétaire d'un commerce et veuve depuis quelques mois, s'occupe de son fils Yves, 31 ans, qui a été diagnostiqué schizophrène il y a un an. Yves habite le sous-sol de la maison de sa mère et est relativement autonome.

David, 35 ans, a accepté de garder sa mère âgée de 88 ans quand son frère, qui en prenait soin, est tombé malade. Il assume la prise en charge conjointement avec sa femme Sophie. Les deux conjoints travaillent à l'extérieur et peuvent la laisser seule le jour.

Diane, 32 ans, aide son père Philippe dans la prise en charge de son frère Serge, un schizophrène de 30 ans.

Fernand, 53 ans, et sa femme Mireille, vivent avec leur fille Claudette, 25 ans, schizophrène, qui peut rester seule à la maison pendant que ses parents travaillent.

France, 50 ans, mariée, garde depuis six ans son fils Charles, 26 ans, qui est schizophrène. Les comportements violents de Charles lui ont causé plusieurs démêlés avec la justice. À cause des exigences de la prise en charge, France a quitté son emploi.

Francine, 39 ans, partage avec sa sœur Alice, la prise en charge de leurs parents de 82 ans qui sont en grave perte d'autonomie depuis dix ans. Les sœurs n'habitent pas avec leurs parents mais se partagent les tâches liées à la prise en charge. Francine est célibataire et occupe un travail salarié.

Gertrude, 47 ans, mariée, avec deux adolescentes à charge, s'occupe de sa mère de 84 ans, atteinte de la maladie d'Alzheimer. Cette dernière habite un logement dans le même immeuble que sa fille mais passe ses journées et souvent ses nuits chez Gertrude qui travaille le soir et aussi sur appel le jour.

Gilberte, 55 ans, est mariée et s'occupe de son fils Léon qui n'habite plus avec elle depuis quelque temps. Léon, 27 ans, souffre de schizophrénie depuis sept ans. Lorsqu'il restait chez ses parents, il avait un comportement violent.

Gisèle a 55 ans, est mariée et occupe un emploi. Elle prend soin de son fils Georges depuis neuf ans. Georges, un schizophrène de 28 ans, habite la maison familiale et exige actuellement de l'encadrement et de l'aide en temps de crise.

Henriette, technicienne dans la cinquantaine, prend soin de sa sœur aînée, Georgette, 69 ans, qu'elle a fait venir chez elle après avoir constaté que, devenue veuve, Georgette commençait à perdre de l'autonomie. Au moment de l'entrevue, elle vivait chez Henriette depuis quelques semaines.

Johanne, 30 ans, mariée, mère de deux enfants, cadre dans une entreprise, s'occupe depuis l'âge de douze ans de sa mère, 54 ans, schizophrène. Cette dernière est placée depuis peu dans un centre d'accueil. Johanne est la principale soignante et partage la responsabilité avec sa sœur cadette, Sylvie.

Joseph, un veuf de 72 ans, est à la retraite et s'occupe depuis un an de sa sœur de 78 ans qui souffre de problèmes liés à l'alcoolisme. Il n'habite pas avec elle mais la visite régulièrement et fait des démarches pour lui obtenir des services.

Juliette, 73 ans, s'occupe de sa mère de 103 ans. Cette dernière est venue rester chez elle il y a quinze ans, quand Juliette a perdu son mari. Avec le temps, sa santé s'est beaucoup détériorée, au point où Juliette a été obligée de la placer en centre d'accueil il y a un an.

Lisette a 64 ans, est divorcée et occupe un emploi. Elle habite avec ses deux fils adultes dont l'un, Marc, souffre de schizophrénie. Il ne fait pas de crise et n'a jamais été hospitalisé. Le frère de Marc est très proche de lui et son père le voit de temps en temps.

Louise, 47 ans et célibataire, prend soin de sa mère de 76 ans, en perte d'autonomie depuis deux ans. Sa mère habite avec elle, mais Louise peut compter sur un support important de ses frères et sœurs.

Lucette, 54 ans, sans enfant, a accepté, à la demande de sa mère devenue veuve, de la prendre chez elle, il y a quinze ans. À l'époque, sa mère étant assez autonome, Lucette a gardé son emploi. À cause de la détérioration de la santé de sa mère, elle a dû quitter son emploi, il y a dix ans; son mari travaillait à l'époque. Cette année, le mari de Lucette est mort d'une crise cardiaque et elle a décidé de placer sa mère, actuellement âgée de 90 ans.

Marthe, 62 ans, s'occupe de sa mère de 95 ans devenue sénile. Divorcée et bénéficiaire de l'aide sociale, Marthe a installé sa mère chez elle il y a six ans.

Mathilde, 61 ans, mariée et financièrement dépendante de son mari, a gardé jusqu'à récemment sa belle-mère, veuve de 90 ans, atteinte de la maladie d'Alzheimer.

Mireille, 49 ans, partage avec son mari Fernand la garde de leur fille Claudette, une schizophrène de 25 ans. Claudette reste seule à la maison le jour pendant que ses parents travaillent.

Murielle, 70 ans, prend soin depuis neuf ans de sa mère âgée de 93 ans. Sa mère exige une présence 24 heures sur 24.

Nicole, 39 ans, s'étant récemment séparée de son conjoint, a profité de cette conjoncture pour emménager dans un nouveau logement avec sa mère malade et âgée de 87 ans. Ayant un emploi à temps plein et la charge d'un jeune enfant, Nicole trouvait cet arrangement plus facile que d'avoir à entretenir son propre logement et de faire les courses et le ménage chez sa mère à tous les jours.

Philippe, 55 ans, veuf, partage la responsabilité de la prise en charge de son fils schizophrène, Serge, 30 ans, avec sa fille Diane. Serge vit depuis un an dans un centre d'accueil et retourne à la maison les fins de semaine. Il est sans emploi et requiert un encadrement continu.

Rachel, 65 ans, mariée et à la retraite, a deux enfants adultes, dont Danièle, 23 ans, qui souffre de schizophrénie depuis sept ans. Danièle n'habite plus avec ses parents depuis peu mais passe ses fins de semaine avec eux. C'est Rachel qui assume la responsabilité de Danièle.

Rita, 62 ans, s'occupe de sa mère de 89 ans qui est partiellement paralysée. Rita, célibataire, a toujours habité avec sa mère où vivent aussi deux de ses sœurs qui participent peu à la prise en charge de leur mère malade depuis trois ans.

Robert, 46 ans, divorcé et ayant la garde partagée d'un enfant est actuellement en chômage. Robert a la responsabilité de sa mère de 79 ans depuis environ cinq ans. Ses frères et sœurs participent à cette tâche mais pendant sa période de chômage Robert est le principal responsable. La mère de Robert vit encore seule dans sa maison malgré une perte d'autonomie progressive.

Rollande, 60 ans et célibataire, est déménagée chez sa mère il y a quinze ans, après que cette dernière, âgée aujourd'hui de 88 ans, ait fait une crise cardiaque. L'état de santé de sa mère s'est beaucoup détérioré et elle requiert maintenant une surveillance constante.

Rosanne, 57 ans, veuve et remariée, s'occupe depuis onze ans de son fils psychiatrisé, Jules, 36 ans. Il vit en appartement. Rosanne peut compter sur l'aide régulière de son autre fils, mais son mari, lui, refuse d'aider Jules.

Sophie, 34 ans, assume avec son conjoint David, la prise en charge de la mère de David, âgée de 88 ans. Les deux conjoints travaillent et laissent celle-ci seule à la maison pendant le jour.

Suzanne, 58 ans, mariée, mère de six enfants adultes, a accepté la responsabilité de coordonner les soins donnés à son beau-frère Paul, 74 ans. Paul, un schizophrène, est actuellement hospitalisé et en attente de placement, sa santé physique s'étant beaucoup détériorée.

Yvonne, 55 ans, travaille dans un commerce familial avec son mari et s'occupe de son beau-père âgé de 94 ans qui habite avec eux depuis un an et demi. Ce dernier ne demande pas trop de soins particuliers, mais il est trop vieux et trop faible pour rester seul.

BIBLIOGRAPHIE

ARMSTRONG, H. et P. ARMSTRONG. *A Working Majority — What Women Must Do for Pay?* Ottawa, CCCSF, 1983.

ARMSTRONG, P. *Labour Pains. Women's Work in Crisis.* Toronto, The Women's Press, 1984.

ARONSON, J. «Family Care of the Elderly: Underlying Assumptions and their Consequence» dans *La Revue du vieillissement.* Vol. 4, n° 3, 1985, p. 115-125.

ARONSON, J. *Care of the Frail Elderly. Whose Crisis? Whose Responsibility?* Communication présentée à la Canadian Association of Schools of Social Work Conference, Winnipeg, 1986.

BARDIN, L. *L'Analyse de contenu.* Paris, PUF, 1977.

BARRÈRE-MAURISSON, M. A. *et al.* *Le Sexe du travail.* Grenoble, Presses universitaires de Grenoble, 1984.

BARRETT, M. et M. McINTOSH. *The Anti-Social Family.* Londres, Verso, 1982.

BECK, M. *et al.* «Be Nice to your Kids» dans *Newsweek,* 12 mars 1990, p. 72-75.

BERTAUX, D. «L'approche biographique, sa validité méthodologique, ses potentialités» dans *Cahiers internationaux de sociologie.* Vol. LXIX, 1980.

BIBEAU, C. «Le facteur humain en politique: application au domaine de la santé mentale» dans *Santé mentale au Québec.* Vol. IX, n° 1, 1986, p. 19-41.

BIEGEL, D. E. *et al.* *Building Support Networks for the Elderly: Theory and Application.* Beverly Hills, Sage Publications, 1985.

BISSON, L. *Le salaire a-t-il un sexe? Les inégalités de revenus entre les femmes et les hommes au Québec.* Québec, Conseil du Statut de la femme, 1987.

BLUMSTEIN, P. et P. SCHWARTZ. *American Couples: Money, Work, Sex.* New York, William Morrow, 1983.

BOUCHER, Y. *La Désinstitutionnalisation chez les personnes âgées: ses formes et ses déterminations.* Mémoire de maîtrise présenté à l'Université du Québec à Montréal, 1986.

BRIGGS, A. *Who Cares ? The Report of a Door Survey Into Numers and Needs of People Caring for Elderly Relatives.* Londres, Association of Carers, 1983.

BRODY, E. M. «"Women in the Middle" and Family Help to Older People» dans *The Gerontologist.* Vol. 21, n° 5, 1981, p. 471-479.

BRODY, E. M. «Parent Care as a Normative Family Stress» dans *The Gerontologist.* Vol. 25, n° 1, 1985, p. 19-29

BRODY, E. M. «Work Status and Parent Care: a Comparison of Four Groups of Women» dans *The Gerontologist.* Vol. 27, n° 2, 1987, p. 201-208.

BRODY, E. M. et B. SHOONOVER. «Patterns of Parent-care When Adult Daughters Work and When they Do Not» dans *The Gerontologist.* Vol. 26, n° 4, 1986, p. 372-381.

BRODY, E. M. et A. LANG. *Patterns of Family Support to Middle-Aged, Older and Very Old Women.* Communication présentée au 33e congrès de la Gerontological Society of America, San Diego, 1980.

BROWN, G.W. *et al.* «Post-Hospital Adjustment of Chronic Mental Patients» dans *Lancet.* 1958, p. 685.

BULLOCK, A. *Community Care: Ideology and Practice.* Ottawa, Carleton University, texte miméo, 1985.

CANTOR, M. H. «Strain Among Caregivers: a Study of Experience in the United States» dans *The Gerontologist.* Vol. 23, n° 6, 1983, p. 597-604.

CARTWRIGHT, A., HOCKEY, L. et J. ANDERSON. *Life Before Death.* Londres, Routledge and Kegan Paul, 1973.

CHARTRAND, M. *et al. Impact de la maladie mentale sur la famille.* Montréal, Association québécoise des parents et amis du malade mental, 1983.

CHENOWETH, B. et B. SPENCE. «Dementia: the Experience of Family Caregivers» dans *The Gerontologist.* Vol. 26, n° 3, 1986, p. 267-272.

CHESLER, P. *Women and Madness.* New York, Avon Books, 1972.

CHODOROW, N. *The Reproduction of Mothering.* Berkeley, University of California Press, 1978.

CLAUSEN, J. A. et M. R. YARROW. «The Impact of Mental Illness on the Family» dans *Journal of Social Issues.* Vol. 11, 1955, p. 3-64.

CORIN, E. et G. LAUZON. «Les évidences en questions» dans *Santé mentale au Québec.* Vol. XI, n° 1, 1985, p. 42-59.

CREER, C. et J. WING. «Living with a Schizophrenic Patient» dans *British Journal of Hospital Medecine.* 1975, p. 14, 73-82.

CROSSMAN, L. *et al.* «Older Women Caring for Disabled Spouses: a Model for Supportive Services» dans *The Gerontologist.* Vol. 21, n° 5, 1981, p. 464-470.

DAVID, H. *Femmes et emploi, le défi de l'égalité.* Sillery, Presses de l'Université du Québec, 1986.

DOLL, W. «Family Coping with the Mentally Ill: an Unanticipated Problem of Deinstitutionalization» dans *Hospital and Community Psychiatry.* Vol. 27, 1976, p.183-195.

DORVIL, H. *Les patients-es qui activent la porte tournante. Étude clinique et socio-démographique d'une clientèle majeure à l'hôpital Louis-H. Lafontaine.* Montréal, Centre de recherche psychiatrique, Hôpital Louis-H. Lafontaine, 1986.

FADDEN, C., BEBBINGTON, P. et L. KUIPERS. «The Burden of Care: the Impact of Functional Psychiatric Illness on the Patients Family» dans *British Journal of Psychiatry.* N° 150, 1987, p. 285-292.

FINCH, J. et D. GROVES. «By Women for Women: Caring for the Frail Elderly» dans *Women's Studies International Forum.* Vol. 5, n° 5, 1982, p. 427-438.

FINCH, J. et D. GROVES. *A Labour of Love: Women, Work and Caring.* Londres, Routledge and Kegan Paul, 1983.

FINLEY, N. J., ROBERTS, M. D. et B. F. BANAHAN. «Motivators and Inhibitors of Attitudes of Filial Obligation Toward Aging Parents» dans *The Gerontologist.* Vol. 28, n° 7, 1988, p. 73-78.

FOCHS HELLER, A. *La Femme protectrice de la santé.* Ottawa, CCCSF, 1986.

FORTIN, A. *Histoires de familles et de réseaux.* Montréal, Saint-Martin, 1987.

FORTIN, D. *Analyse des données qualitatives.* Texte miméo, 1987.

GAGNÉ, J. et M. POIRIER. «Formes de l'appauvrissement et insertion sociale des jeunes adultes psychiatrisés» dans *Santé mentale au Québec.* Vol. XIII, n° 1 (juin 1988), p. 132-143.

GARANT, L. et M. BOLDUC. *L'Aide par les proches. Mythes et réalités.* Québec, Direction de l'évaluation, ministère de la Santé et des Services sociaux, Les Publications du Québec, 1990.

GAUCHER, D. «L'organisation des services en santé mentale au Québec: tendances actuelles» dans *Sociologie et sociétés.* Vol. XVII, n° 1, 1985, p. 41-49.

GEE, E. et M. KIMBALL. *Women and Aging.* Toronto et Vancouver, Butterworth, 1987.

GILLIGAN, C. *Une si grande différence.* Paris, Flammarion, 1986.

GOLDSTEIN, J. *et al.* «Caretaker Role Fatigue» dans *Nursing Outlook.* Janvier 1981, p. 24-30.

GOUVERNEMENT DU QUÉBEC. *Proposition de politique à l'égard des personnes handicapées.* Livre blanc, Québec, Éditeur officiel, 1977.

GRAD, J. et P. SAINSBURY. «Mental Illness and the Family» dans *Lancet I,* 1963.

GRAD, J. et P. SAINSBURY. «The Effects that Patients Have on their Families in a Community Care and a Control Psychiatric Service: a Two Year Follow-up» dans *British Journal of Psychiatry.* N° 114, 1968, p. 265-278.

GRAHAM, H. «Caring: a Labour of Love» dans *A Labour of Love: Women, Work and Caring*, Finch, J. et D. Groves (dir.). Londres, Routledge and Kegan Paul,1983, p. 13-31.

GREENHALGH, C. «Participation and Hours of Work for Married Women in Great Britain» dans *Oxford Economic Papers*. Oxford, Clarendon Press, vol. 32, n° 2, 1983.

GUBERMAN, N. «Discours de responsabilisation des familles et retrait de l'État-Providence» dans *Nouvelles tendances de la vie familiale,* Renée Dandurand (dir.). Québec, IQRC, 1987.

GUBERMAN, N. «The Family, Women and Caring: Who Cares for the Carers?» dans *Documentation sur la recherche féministe*. Vol. 17, n° 2, 1988, p. 37-40.

GUBERMAN, N. «Who's at Home to Pick up the Pieces?: the Effects of Changing Social Policy on Women in Quebec» dans *Revue canadienne de service social.* 1987, p. 219-227.

GUBERMAN, N., DORVIL, H. et P. MAHEU. *Amour, bain, comprimé ou l'ABC de la désinstitutionnalisation.* Québec, Commission d'enquête sur les services de santé et les services sociaux, Les Publications du Québec, 1987.

HATFIELD, A. «Psychological Costs of Schizophrenia to the Family» dans *Social Work.* Vol. 23, 1978, p. 355-359.

HAWANIK, P. «Caring for Aging Parents: Divided Allegeances» dans *Journal of Gerontological Nursing*. Vol. 11, n° 10, p. 19-22.

HIRCH, B. J., MOOSS, R. H. et T. M. REISCH. «Psychosocial Adjustment of Adolescent Children of a Depressed, Arthritic or Normal Parent» dans *Journal of Abnormal Psychology.* Vol. 94, 1985, p. 154-164.

HOENIG, J. et M. W. HAMILTON. «The Schizophrenic patient in the Community and his Effect on the Household» dans *International Journal of Social Psychiatry.* Vol. 12, 1966, p. 165-176.

HOROWITZ, A. «Sons and Daughters as Caregivers to Older Parents: Differences in Role Performance and Consequences» dans *The Gerontologist*. Vol. 25, n° 6, 1985, p. 612-617.

HUBERDEAU, M. «Les psychiatrisés crient au secours» dans *Réseau*, le magazine de l'Université du Québec. Janvier 1988, p. 20.

HUNT, A. *A Survey of Women Employment.* OPCS, HMSO, 1968.

HUNT, A. *The House Help Service in England and Wales.* HMSO, 1970.

JUTRAS, S. et M. RENAUD. *Personnes âgées et aidants naturels. Éléments pour une réflexion sur la prévention dans le plan d'ensemble «La santé pour tous».* Rapport global présenté à la Direction générale des services et de la promotion de la Santé et Bien-être social Canada, GRASP/SST, Université de Montréal, 1987.

L'ÉCUYER, R. «L'analyse de contenu: notions et étapes» dans *Les Méthodes de la recherche qualitative,* J.-P. Desaulniers (dir.). Sillery Presses de l'Université du Québec, 1987, p. 49-67.

LAMOUREUX, D. «La course au temps» dans *Documentation sur la recherche féministe.* Vol. 17, n° 2, 1988, p. 9-12.

LAMOUREUX, J. et F. LESEMANN. *Les Filières d'action sociale.* Québec, Commission d'enquête sur les services de santé et les services sociaux, Les Publications du Québec, 1987.

LEFEBVRE, Y. «Chercher asile dans la communauté» dans *Santé mentale au Québec.* Vol. XII, n° 1 (juin 1987), p. 66-78.

LEFEBVRE, Y. «Jalons pour une problématique québécoise de la désinstitutionnalisation» dans *Santé mentale au Québec.* Vol. XII, n° 1 (juin 1987), p. 5-14.

LESAGE, G. «Québec décrète: désormais il faudra "penser famille"» dans *Le Devoir,* 10 décembre 1987, p. 1-2.

LESEMANN, F. et C. CHAUME. *Familles-Providence. La part de l'État. Recherche sur le maintien à domicile.* Montréal, Saint-Martin, 1989.

LEWIS, J. et B. MEREDITH. *Daughters Who Care.* Londres et New York, Routledge and Kegan Paul, 1988.

MacCARTHY, B. «The Role of Relatives» dans *Community Care in Practice,* A. Lavender et F. Holloway (dir.). Londres, John Wiley, 1987.

MARCEAU, M. P. *La Coordination des plans de services.* CSSMM, Montréal, 1984.

MATTHEWS, S. H. et T. T. ROSSNER. «Shared Filial Responsibility: The Family as the Primary Caregiver» dans *Journal of Marriage and the Family*. N° 50 (février 1988), p. 185-195.

McNEIL, J. «L'égalité des sexes sur le marché du travail», cité dans *Portrait socio-économique des Québécoises et des Canadiennes*. Montréal, FFQ, 1987.

MILES, M. B. et A. M. HUBERMAN. *Qualitative Data Analysis: A Sourcebook of New Methods*. Berverly Hills, Sage Publications, 1984.

MINISTÈRE DE LA SANTÉ ET DES SERVICES SOCIAUX. *Dossier «Santé Mentale»*. Québec, Programme de consultation d'experts, Commission d'enquête sur les services de santé et les services sociaux, Les Publications du Québec, 1986.

MINISTÈRE DE LA SANTÉ ET DES SERVICES SOCIAUX. *Pour un partenariat élargi, projet de politique de santé mentale pour le Québec*. Québec, Comité de la politique de santé mentale, Les Publications du Québec, 1987.

MINISTÈRE DE LA SANTÉ ET DES SERVICES SOCIAUX. *Rapport de la Commission d'enquête sur les services de santé et les services sociaux*. Québec, Les Publications du Québec, 1988.

MINISTÈRE DE LA SANTÉ ET DES SERVICES SOCIAUX. *Pour améliorer la santé et le bien-être au Québec, Orientations*. Québec, Les Publications du Québec, 1989.

MINISTÈRE DES AFFAIRES SOCIALES. *Un nouvel âge à partager*. Québec, Politique du MAS à l'égard des personnes âgées, Les Publications du Québec, 1985.

PAQUETTE, L. *La Situation socio-économique des femmes: faits et chiffres*. Québec, ministère du Conseil exécutif, secrétariat à la Condition féminine, 1989.

PAQUETTE, M. *Le vécu des personnes soutien qui s'occupent d'une personne âgée en perte d'autonomie*. DSC de Lanaudière, 1988.

PATTON, M. Q. *Qualitative Evaluation Methods*. Beverly Hills, Sage Publications, 1980.

PITROU, A. «Dépérissement des solidarités familiales?» dans *Année sociologique*. Numéro spécial sur la famille, 1986.

POIRIER, J., CLAPIER-VALLADON, S. et P. RAYBAUT. *Les Récits de vie, théorie et pratique*. Paris, PUF, 1983.

POTASZNIK, H. et C. NELSON. «Stress and Social Support: the Burden Experienced by the Family of a Mentally Ill Person» dans *American Journal of Community Psychology.* N° 12, 1984, p. 589-607.

POULANTZAS, N. *L'État, le Pouvoir, le Socialisme.* Paris, PUF, 1978.

PRATT, C. *et al.* «Ethical Concerns of Family Caregivers to Dementia Parents» dans *The Gerontologist.* Vol. 27, n° 5, 1987, p. 632-638.

RABINS, P. *et al.* «The Impact of Dementia on the Family» dans *JAMA.* Vol. 248, n° 3, 1982, p. 333-335.

RENAUD, M., JUTRAS, S. et P. BOUCHARD. *Les solutions qu'apportent les Québécois à leurs problèmes sociaux et sanitaires.* Québec, Commission d'enquête sur les services de santé et les services sociaux, Les Publications du Québec, 1987.

RHÉAUME, J. et R. SÉVIGNY. *Sociologie implicite des intervenants en santé mentale,* 1. Les pratiques alternatives. Montréal, Saint-Martin, 1988.

ROBERGE, H. «Vieillir chez soi» dans *La Presse,* 3 octobre 1987.

ROBINSON, B. et M. THURNHER. «Taking Care of Aged Parents: A Family Cycle Transition» dans *The Gerontologist.* Vol. 19, n° 6, 1979, p. 586-659.

SAINT-ONGE, M. et F. LAVOIE. «Impact de la présence d'une personne atteinte de troubles mentaux chroniques sur les parents membres d'un groupe d'entraide et analyse de leurs stratégies d'adaptation: étude descriptive» dans *Revue canadienne de santé mentale communautaire.* Vol. 6, n° 2 (automne 1987), p. 51-63.

SANFORD, J. R. A. «Tolerance of Debility in Elderly Dependants by Supporters at Home: Its Significance for Hospital Practice» dans *British Medical Journal.* N° 3, 1975, p. 471-473.

SCHANAS, E. «The Family, a Social Support System in Old Age» dans *The Gerontologist.* Vol. 19, 1979, p. 3-9.

SCHARLACH, A. et C. FRENZEL. «An Evaluation of Institution-based Respite Care» dans *The Gerontological Society of America.* 1986, p. 77-82.

SOLDO, B. J. et J. MYLLYUOMA. «Caregivers who Live with Dependent Elderly» dans *The Gerontologist.* Vol. 23, 1983, p. 605-611.

STOLLER, E. D. «Parental Caregiving by Adult Children» dans *Journal of Marriage and the Family.* Novembre 1983, p. 851-857.

STONE, R. *et al.* «Caregivers of the Frail Elderly: a National Profile» dans *The Gerontologist.* Vol. 27, n° 5, 1987, p. 616-626.

SUSSMAN, M. B. et L. BURCHIVAL. «In Family Network: Unheralded Structure» dans *Current Conceptualizations of Family Functionning, Marriage and Family Living.* N° 24, 1962, p. 231-240.

TESSIER, R. *et al. Les Mères travailleuses: étude des facteurs familiaux et occupationnels liés à leur santé et leur bien-être.* Montréal, LAREHS, Université du Québec à Montréal, 1989.

THERRIEN, R. *La Politique de maintien à domicile et les femmes comme aidantes naturelles.* Communication présentée au 57e congrès de l'ACFAS, mai 1989.

THOMPSON, E. H. et W. DOLL. «The Burden of Families Coping with the Mentally Ill: an Invisible Crisis» dans *Family Relations.* 31 juillet 1982, p. 379-388.

THURER, S. L. «Deinstitutionalization and Women: Where the Buck Stops» dans *Hospital and Community Psychiatry.* N° 34, 1983, p. 1162-1163.

TOBIN, S. S. et R. KULYS. «The Family in the Institutionalization of the Elderly» dans *Journal of Social Issues.* Vol. 37, n° 3, 1981, p. 145-157.

TOUSIGNANT, M. *et al. Utilisation des réseaux sociaux dans les interventions. État de la question et proposition d'action.* Québec, Commission d'enquête sur les services de santé et les services sociaux, Les Publications du Québec, 1987.

TRAVAIL-CANADA. *Les Femmes dans la population active.* Ottawa, Bureau de la main-d'oeuvre féminine, 1985-1986.

UNGERSON, C. «Why Do Women Care?» dans *A Labour of Love: Women, Work and Caring,* Finch et Groves (dir.). Londres, Routledge and Kegan Paul, 1983, p. 31-51.

VANDELAC, L. *et al. Du travail et de l'amour.* Montréal, Saint-Martin, 1985.

WALKER, A. «Care for Elderly People: a Conflict Between Women and the State» dans *A Labour of Love: Women, Work and Caring*, Finch et Groves (dir.). Londres, Routledge and Kegan Paul, 1983, p. 106-129.

WRIGHT, F. «Single Carers: Employment, Housework and Caring» dans *A Labour of Love: Women, Work and Caring*, Finch et Groves (dir.). Londres, Routledge and Kegan Paul, 1983, p. 89-106.

ZARIT, S. H. *et al.* «Relatives of the Impaired Elderly: Correlates of Feelings of Burden» dans *The Gerontologist.* Vol. 20, 1980, p. 649-655.

ZARIT, S. H. *et al.* «Subjective Burden of Husbands and Wives as Caregivers: a Longitudinal Study» dans *The Gerontologist.* Vol. 26, n° 3, 1986, p. 260-266.

PAPIERS ÉCOLOGIQUES

Achevé d'imprimer
en novembre 1991 sur les presses
des Ateliers Graphiques Marc Veilleux Inc.
Cap-Saint-Ignace, Qué.